D1515703

Dick & Felix Francis

Abgebrüht

Roman
Aus dem Englischen von
Malte Krutzsch

Diogenes

Die Originalausgabe
erschien 2007 bei Michael Joseph, London,
unter dem Titel ›Dead Heat‹
Umschlagillustration nach Fotos von
Chris Jackson (Ascot) und Glow Images (Hintergrund)
Copyright © Getty Images

Alle deutschen Rechte vorbehalten
Copyright © 2009
Diogenes Verlag AG Zürich
www.diogenes.ch
120/09/52/1
ISBN 978 3 257 06690 6

Wir danken

Pferdearzt Dr. Tim Brazil
Trompeter Alan Handy
Literaturagent Andrew Hewson
John Holmes, dem Freund aus Delafield, Wisconsin
der Rennbahn Newmarket
Restaurantbesitzer Gordon Ramsay

und
Debbie
für den Titel
und alles

1

Ich dachte, ich sterbe. Ich hatte keine Angst zu sterben, sondern so starke Bauchschmerzen, dass ich den Tod herbeiwünschte.

Es war nicht meine erste Lebensmittelvergiftung, aber diesmal hatte es mich besonders schlimm erwischt, mit quälenden Krämpfen und anhaltendem Würgen und Erbrechen. Fast den ganzen Freitagabend kniete ich schon in meinem Bad auf dem Boden, den Kopf in der Kloschüssel, so dass ich allen Ernstes befürchtete, die heftigen Krämpfe könnten meine Magenschleimhaut zerstören.

Zweimal kam ich auf die Idee, mich zum Telefon zu schleppen und Hilfe zu holen, mit dem Erfolg, dass ich mich nur wieder unter einem neuen Würgeanfall krümmte. Begriffen meine blöden Muskeln nicht, dass mein Magen schon seit einer Ewigkeit leer war? Warum ging diese Tortur immer noch weiter, obwohl mir gar nichts mehr hochkommen konnte?

Zwischen den Anfällen saß ich schwitzend auf dem Fußboden, lehnte mich gegen die Badewanne und versuchte mir zu erklären, wie es zu dieser Misere gekommen war.

Am Freitagabend war ich auf einem Galadiner im Eclipse-Zelt auf der Rennbahn von Newmarket gewesen. Als Vorspeise hatte ich ein Trio von kalt geräuchertem Fisch in einer

Knoblauch-Senf-Dill-Sauce verzehrt, als Hauptgang ein mit Süßkirschen gefülltes Hühnchenbrustfilet im Pancettamantel an einer Wildpilzsauce von Pfifferlingen und Trüffeln, serviert mit gerösteten Frühkartoffeln und gedämpften Zuckererbsen, und zum Dessert eine Crème brûlée. Ich kannte die Zutaten des Menüs genau. Denn ich war nicht etwa einer der geladenen Gäste gewesen, sondern der Küchenchef.

Als im dämmernden Morgen mein schwarzes Badezimmerfenster schließlich grau wurde, begann der straffe Knoten in meinem Bauch sich zu lösen, und das feuchtkalte, klebrige Gefühl auf meiner Haut ließ langsam nach.

Aber die Feuerprobe war noch nicht vorbei, denn jetzt wurden die in meinem Verdauungstrakt verbliebenen Reste mit Macht am anderen Ende ausgestoßen.

Zur gegebenen Zeit kroch ich die Treppe meines Cottage hinauf ins Bett und legte mich völlig erschöpft hin: ausgelaugt, dehydriert, aber lebendig. Der Uhr auf dem Nachttisch nach war es zehn nach sieben in der Früh, und um acht sollte ich wieder auf der Arbeit sein. Das hatte mir gerade noch gefehlt.

Ich lag da und redete mir ein, bald werde alles in Ordnung sein und auf fünf Minuten komme es nicht an. Ich nickte halb ein, doch das Klingeln des Telefons, das neben der Uhr auf dem Nachttisch stand, brachte mich voll zur Besinnung. Zwanzig nach sieben.

Wer klingelt mich denn um zwanzig nach sieben wach?, überlegte ich. Haut ab. Lasst mich schlafen.

Das Telefon verstummte. Schon besser.

Es klingelte wieder. Verdammt. Ich drehte mich auf die andere Seite und nahm den Hörer ab.

»Ja«, meldete ich mich in einem Ton, aus dem die ganze Strapaze der Nacht klang.

»Max?«, sagte eine Männerstimme. »Bist du das?«

»Ganz und gar«, erwiderte ich in etwas normalerem Ton.

»War dir auch schlecht?«, fragte der Mann. Das betonte *auch* gab mir zu denken.

Ich fuhr aus dem Bett auf. »Ja«, sagte ich. »Dir etwa auch?«

»Furchtbar, was? Es ging allen so, mit denen ich gesprochen habe.« Carl Walsh war offiziell mein Stellvertreter. Tatsächlich führte er die Küche neuerdings genauso oft wie ich. Während ich am Abend zuvor von Tisch zu Tisch gegangen war, um mir den Applaus abzuholen, hatte Carl im Küchenzelt die Teller fertiggemacht und das Personal herumgebrüllt. Jetzt sah es aus, als gäbe es statt Applaus nur noch Vorwürfe.

»Mit wem hast du denn gesprochen?«, fragte ich.

»Julie, Richard, Ray und Jean«, antwortete er. »Sie alle haben mich angerufen und gesagt, dass sie heute nicht kommen. Und Martin, sagt Jean, ging es so schlecht, dass sie einen Krankenwagen rufen mussten und ihn ins Krankenhaus gebracht haben.«

Ich konnte es mir vorstellen.

»Was ist mit den Gästen?«, fragte ich. Carl hatte nur von meinem Personal gesprochen.

»Das weiß ich nicht, aber Jean sagte, als sie mit Martin ins Krankenhaus kam, wussten sie dort schon von der Vergiftung, wie sie es nannten, also kann er nicht der Einzige gewesen sein.«

O Gott! Am Abend vor dem 2000 Guineas Stakes zweihundertfünfzig Gönner und Förderer der Rennwelt zu vergiften war nicht gerade die beste Geschäftsidee.

Ein Meisterkoch, der seine Gäste vergiftet? Der Empfang auf der Rennbahn war eine Ausnahme gewesen. Normalerweise arbeitete ich in meinem Restaurant, dem Hay Net, in der Ashley Road am Stadtrand von Newmarket: rund sechzig Mittagessen täglich von Montag bis Freitag, und jeden Abend bis zu hundert Abendessen. Die hatten wir zumindest in der vorigen Woche, vor der Vergiftung. »Wie viele von dem anderen Personal wohl was abgekriegt haben?«, sagte Carl und holte mich damit in die Gegenwart zurück. Mein Restaurant war am Abend geschlossen gewesen, da meine elf festen Mitarbeiter das Diner auf der Rennbahn besorgt hatten, zusammen mit etwa zwanzig Küchen- und Bedienungshilfen. Und während die geladenen Gäste sich die Reden anhörten, aß die Servicebrigade das gleiche Menü wie alle anderen.

»Für das Mittagessen auf der Rennbahn heute habe ich fünf Leute vorgesehen«, sagte ich. Bei dem Gedanken, den Lunch für vierzig Sponsorengäste zubereiten zu müssen, hob sich mir gleich wieder der Magen, und Schweiß trat mir auf die Stirn. Ich sollte ein Dreigangmenü für zwei verglaste Logen auf der Haupttribüne besorgen. Delafield Industries Inc., ein multinationaler Traktorhersteller aus Wisconsin, war der neue Sponsor des ersten klassischen Rennens der Saison, und sie hatten mir so viel Geld angeboten, dass ich nicht nein sagen konnte und ihre Gäste mit gedünstetem englischen Spargel in Butter, gefolgt von traditionell englischer Steak and Kidney Pie und einem Sommerpudding als Dessert zu verwöhnen gedachte. Fish and Chips mit Erbsenbrei hatte ich ihnen zum Glück ausgeredet. MaryLou Fordham, die Marketingfrau des Unternehmens, die mich engagiert hatte, wollte den Gästen aus der »Heimat« in Wisconsin unbedingt das »wahre« England zeigen. Mein Einwand, dass Gänseleberpastete mit Brioche, gefolgt von Lachs à la meunière, dem Anlass gemäßer sein könnte, fiel auf taube Ohren.

»Ich sag's Ihnen gleich«, hatte MaryLou erklärt. »Mit dem französischen Zeug haben wir nichts am Hut. Es sollen nur englische Speisen sein.« Ich hatte sarkastisch gefragt, ob ich denn auch warmes Bier statt guter französischer Weine servieren solle, doch sie hatte meinen kleinen Scherz nicht verstanden. Schließlich einigten wir uns auf australischen Weißen und kalifornischen Roten. Langweiliger konnte ein Menü kaum sein, aber sie zahlten, und zwar sehr gut. Traktoren und Mähdrescher von Delafield waren im Mittleren Westen der USA offenbar groß in Mode, und jetzt wollte die Firma den englischen Markt erobern. Jemand hatte ihnen gesagt, Suffolk sei der Präriegürtel des Königreichs, und schon waren sie hier. Dass das »Delafield Harvester 2000 Guineas« nicht eben toll klang, kümmerte sie kein bisschen. Wie es im Moment aussah, konnten sie froh sein, wenn sie überhaupt etwas zu essen bekamen.

»Ich hör mich um und melde mich noch mal«, sagte Carl.

»Okay«, antwortete ich. Er legte auf.

Mir war klar, dass ich aufstehen und in die Gänge kommen musste. Vierzig Portionen Rindfleischpastete mit Nieren kochten sich nicht von allein.

Ich döste immer noch auf dem Bett vor mich hin, als das Telefon erneut klingelte. Es war fünf vor acht.

»Hallo«, sagte ich schläfrig.

»Spreche ich mit Max Moreton?«, fragte eine Frauenstimme.

»Ja«, erwiderte ich.

»Mein Name ist Angela Milne«, sagte die Frau steif. »Ich bin vom Gesundheitsamt Cambridgeshire.«

Prompt hatte sie meine ungeteilte Aufmerksamkeit.

»Wir haben Grund zu der Annahme«, fuhr sie fort, »dass es auf einem Empfang zu einer Massenvergiftung gekommen ist, bei dem Sie als Küchenchef fungiert haben. Trifft das zu?«

»Wer ist ›wir‹?«, fragte ich.

»Die Grafschaft Cambridgeshire«, sagte sie.

»Nun«, sagte ich, »ich habe gestern Abend ein Galadiner besorgt, aber von einer Massenvergiftung ist mir nichts bekannt, und wenn eine vorliegen sollte, möchte ich doch sehr bezweifeln, dass meine Küche dafür verantwortlich ist.«

»Mr. Moreton«, sagte sie, »ich darf Ihnen versichern, dass es zu einer Massenvergiftung gekommen ist. Vierundzwanzig Personen wurden über Nacht in der Addenbrooke-Klinik auf Lebensmittelvergiftung behandelt, und sieben davon hat man wegen starker Dehydrierung dortbehalten. Sie alle waren zu dem gleichen Abendessen geladen.«

»Oh.«

»Ja, oh«, sagte Ms. Milne. »Ich möchte, dass die zur Zubereitung der Speisen für den Empfang verwendete Küche augenblicklich geschlossen und zu Untersuchungszwecken versiegelt wird. Das Küchenzubehör und sämtliche verbliebenen Speisereste sind zur Untersuchung bereitzuhalten, und das Küchen- und Bedienungspersonal hat für eine eventuelle Befragung zur Verfügung zu stehen.«

Das war vielleicht nicht so einfach, wie sie es sich vorstellte.

»Wie geht es den sieben Krankenhauspatienten?«, fragte ich.

»Ich habe keine Ahnung«, sagte sie. »Wäre aber jemand zu Tode gekommen, hätte man mich informiert.«

Keine Nachricht, gute Nachricht.

»Also, Mr. Moreton«, sie hörte sich an wie eine Oberlehrerin, die einen unartigen Schüler zurechtweist, »wo genau befindet sich die Küche, in der das Essen für den Empfang zubereitet wurde?«

»Die gibt's nicht mehr«, erwiderte ich.

»Was heißt, die gibt's nicht mehr?«, fragte Angela Milne.

»Der Empfang fand im Eclipse-Zelt auf der Rennbahn von Newmarket statt«, sagte ich. »Während der Rennveranstaltung heute wird dieses Festzelt als Ausschank benutzt. In dem Zelt, das uns gestern Abend als Küche diente, wird jetzt wohl Bier gelagert.«

»Und das Zubehör?«

»Komplett von einem Gastronomielieferanten in Ipswich gemietet. Tische, Stühle, Tafelleinen, Geschirr, Besteck, Gläser, Töpfe, Pfannen, Herde, Anrichten, alles. Mein Personal hat ihnen nach dem Empfang beim Einladen geholfen. Bei Außenaufträgen arbeiten wir immer mit derselben Firma zusammen. Sie nehmen alles ungespült mit und jagen es durch ihren Dampfreiniger.«

»Meinen Sie, es ist schon durch?«, fragte sie.

»Keine Ahnung«, sagte ich. »Würde mich aber nicht wundern. Heute um acht soll auf der Rennbahn frisches Zubehör angeliefert werden.« Ich sah auf die Uhr neben meinem Bett – in genau zwei Minuten.

»Ich weiß nicht, ob ich Sie heute schon wieder Essen zubereiten lassen darf«, sagte sie ziemlich streng.

»Wieso nicht?«, fragte ich.

»Kreuzkontamination.«

»Die Lebensmittel für heute kommen von einem anderen Lieferanten als gestern«, sagte ich. »Die Zutaten für das Menü gestern Abend kamen direkt von einem Gastro-Großhandel und wurden auf der Rennbahn verarbeitet. Die für heute wurden über mein Restaurant bestellt und liegen seit zwei Tagen im Kühlraum.« Der Kühlraum war ein großer begehbarer Kühlschrank mit einer konstanten Temperatur von drei Grad Celsius.

»Ist irgendetwas von dem Großlieferanten für das Diner dabei?«, fragte sie.

»Nein. Die Trockenvorräte kommen aus dem Supermarkt bei Huntingdon, das Fleisch von meinem Metzger in Bury St. Edmunds und das Frischobst und Gemüse von der Gemüsegroßhandlung in Cambridge, bei der ich regelmäßig kaufe.«

»Wer hat die Lebensmittel für das Diner gestern Abend geliefert?«, fragte sie.

»Leigh Foods oder so ähnlich. Die Daten habe ich in meinem Büro. Normalerweise arbeite ich nicht mit denen, aber für so viele Personen koche ich auch selten.«

»Und der Zubehörlieferant?«

»Stress-Free Catering Ltd.«, sagte ich und gab ihr die Rufnummer. Ich kannte sie auswendig.

Die Ziffern meiner Digitaluhr sprangen auf 8:00, und ich sah schon, wie der Transporter von Stress-Free Catering ankam und niemand da war, um ihn zu empfangen.

»Entschuldigen Sie«, sagte ich, »aber ich muss jetzt auflegen und mich an die Arbeit machen. Einverstanden?«

»Von mir aus«, sagte sie. »Ich komme so etwa in einer Stunde zu Ihnen auf die Rennbahn.«

»Die Rennbahn liegt in Suffolk. Ist das noch Ihr Gebiet?«

Newmarket hat nämlich zwei Rennbahnen – die eine gehört zu Suffolk, die andere zu Cambridgeshire, und die Bezirksgrenze verläuft genau dazwischen entlang dem Devil's Dyke. Das Abendessen und der Lunch fanden auf der Rowley-Mile-Rennbahn in Suffolk statt.

»Die Erkrankten sind in Cambridge, das ist für mich entscheidend.« Ich meinte eine Spur von Gereiztheit herauszuhören, aber vielleicht täuschte ich mich. »Der ganze Bereich der Lebensmittelhygiene und der Zuständigkeiten ist ein Alptraum. Die Grafschaften, die Bezirksämter und die Lebensmittelaufsicht, alle haben ihre eigenen Vollstreckungsverfahren, es ist ein einziges Chaos.« Offensichtlich hatte ich einen wunden Punkt berührt. »Ach ja«, fuhr sie fort, »was haben die Leute gestern Abend eigentlich gegessen?«

»Geräucherten Fisch, gefüllte Hühnchenbrust und Crème brûlée«, sagte ich.

»Vielleicht war's das Hühnchen«, sagte sie.

»Also, ich weiß schon, wie man Huhn zubereitet. Für eine Salmonellenvergiftung kamen die Symptome jedenfalls zu schnell.«

»Was ist mit den Speiseresten passiert?«, fragte sie.

»Keine Ahnung«, sagte ich. »Viel wird nicht übrig geblieben sein. Mein Personal ist wie ein Wolfsrudel, was Essensreste angeht, die Reste in der Küche werden komplett verputzt. Was die Leute auf den Tellern lassen, kommt in einen Mülleimer, den normalerweise Stress-Free mitnimmt.«

»Haben alle das Gleiche verzehrt?«, fragte sie.

»Mit Ausnahme der Vegetarier.«

»Was gab's für die?«

»Tomatensalat mit Ziegenkäse statt der Fischvorspeise, dann einen Nudelauflauf mit Broccoli und Käse. Ein Veganer hatte vorab Pilze vom Grill als Vorspeise, Röstgemüse als Hauptgang und Frischobstsalat als Dessert bestellt.«

»Wie viele Vegetarier waren da?«

»Keine Ahnung«, sagte ich. »Ich weiß nur, dass wir mit dem Nudelauflauf ausgekommen sind.«

»Das ist mir etwas zu ungenau.«

»Wir hatten zweihundertfünfzig Gedecke. Ich hatte vorsorglich zweihundertsechzig Hühnchenbrüste bestellt, falls ein paar zu klein oder schadhaft waren.«

»Was meinen Sie mit schadhaft?«

»Zerdrückt oder rissig. Ich kannte den Lieferanten nicht so gut, deshalb habe ich ein paar mehr bestellt als normal. Dann waren aber doch alle gut, und wir haben sie alle zubereitet. Außerdem hatten wir mindestens zwanzig Vegetarier eingeplant, plus den Veganer. Insgesamt dürften es etwa dreißig bis fünfunddreißig mehr Menüs als Gäste gewesen sein. Diese Überschüsse gehen an mein Personal. Sind nur ein paar Vegetarier unter den Gästen, bekommen meine Leute mehr Salat. Hören Sie, ich muss wirklich los. Bin sowieso spät dran.«

»Gut, Mr. Moreton«, sagte sie. »Nur eins noch.«

»Ja?«

»War *Ihnen* heute Nacht auch übel?«

»In der Tat.« Und wie.

Als ich schließlich zur Rennbahn kam, war der Mann von Stress-Free Catering bereits kräftig beim Ausladen.

»Ich dachte schon, ich hätte mich im Datum vertan«, meinte er bissig zur Begrüßung. Er schob einen großen Drahtkorb mit Besteck zur hydraulischen Heckklappe vor und ließ ihn auf den Boden runter. Konnte er mich damit nicht sanft wieder ins Bett befördern? Grob gerechnet war ich seit über sechsundzwanzig Stunden wach, und ich musste daran denken, dass der Schlafentzug die vom KGB meistgenutzte Form der Folter gewesen war.

»Haben Sie auch die Sachen von gestern Abend abgeholt?«, fragte ich.

»Woher denn? Ich bin um sieben in Ipswich weg und musste vorher noch alles einladen. Ich hab um halb sechs angefangen.« Verständlich, dass er das in einem vorwurfsvollen Ton sagte. Er konnte ja nicht wissen, dass ich die ganze Nacht auf den Beinen gewesen war.

»Sind die Sachen von gestern Nacht vielleicht noch im Wagen?« Für den kleineren Empfang heute hatte er viel weniger zu liefern, und es war kein Küchenzubehör dabei.

»Wohl kaum«, meinte er. »Nach einer Spätveranstaltung wird als Erstes ausgeladen und die ganze Chose dampfgereinigt, einschließlich des Laderaums.«

»Auch samstags?«

»Klar«, sagte er. »Samstags ist bei uns am meisten los. Hochzeiten und so.«

»Was passiert mit den Essensabfällen?«, fragte ich ihn. Vielleicht bekommt sie irgendein Schweinezüchter, dachte ich, für seine Schützlinge.

»Wir haben eine Abfallbeseitigungsanlage. Wie diese Einsätze in Küchenausgüssen, nur größer. Die verflüssigt sämtliche Speisereste und spült sie in den Kanal. Die Tonnen werden dann wie alles andere dampfgereinigt. Warum wollen Sie das wissen?«, fragte er. »Was verloren?«

Nur meinen Magen, dachte ich, und meinen Stolz.

»Ging mir so durch den Kopf«, sagte ich. Ms. Milne würde nicht sehr erbaut sein. Keine untersuchbare Küche und keine analysierbaren Speisereste. Ich wusste nicht, ob ich darüber froh oder enttäuscht sein sollte. Es ließ sich nicht nachweisen, dass mein Essen für die Vergiftung verantwortlich war, aber andererseits ließ es sich auch nicht widerlegen.

»Wo soll das ganze Zeug hin?«, fragte er und deutete auf die in einer Reihe stehenden Drahtkörbe.

»Erste und zweite verglaste Loge im zweiten Stock der Frontaltribüne«, sagte ich.

»Gut.« Er machte sich auf die Suche nach dem Lift.

Wie der Name schon sagte, lag die Frontaltribüne gegenüber der Zielgeraden, so dass die Pferde fast direkt auf sie zugaloppierten. Die Logen hier gewährten den besten Blick auf die Rennen und waren heiß begehrt. Die Traktormacher von Delafield hatten gut daran getan, sich für ihren großen Tag zwei nebeneinanderliegende Logen zu sichern.

Ich ging an der großartigen Millenniumstribüne vorbei zur Rennbahnleitung. Auf dem Gelände herrschte hektische Betriebsamkeit. Die Restaurants wurden noch mit Bier beliefert, während andere Cateringleute mit Tabletts voll Räucherlachs und Aufschnitt umhereilten. Die Platzarbeiter legten letzte Hand an die Blumenbeete und mähten noch einmal das ohnehin schon kurze Gras im Führring. Ein Heer von jungen Männern stellte auf dem Rasen vor einem Meeresfrüchtestand Tische und Stühle auf. Bald würden viele tausend Besucher hier sein, um sich einen schönen Tag zu machen. Alles sah perfekt und normal aus, nur ich war daneben, jedenfalls dachte ich das damals.

Ich steckte den Kopf zur offenen Tür der Direktion hinein. »Ist William da?«, fragte ich eine dicke Frau, die halb vor dem Schreibtisch stand und halb auf ihm hockte. William Preston war der Rennbahndirektor und hatte dem Empfang gestern als Gast beigewohnt.

»Er wird frühestens um elf hier sein«, sagte sie. Das hörte sich nicht gut an. Der Tag des 2000 Guineas Stakes, und der Rennbahndirektor kommt erst nach elf? »Er hat anscheinend eine böse Nacht gehabt«, fuhr sie fort. »Irgendwas Falsches gegessen. Verdammt ärgerlich, wenn Sie mich fragen. Wie soll ich denn hier bitte allein zurechtkommen? So gut werde ich nicht bezahlt, dass ich hier allein die Stellung halte!«

Im selben Moment klingelte das Telefon neben ihrer ausladenden Kehrseite und bewahrte mich vor weiteren Meinungsäußerungen. Ich verzog mich und kehrte zu dem Lieferwagen zurück.

»Okay«, sagte der Mann von Stress-Free, »Ihr Zeug ist oben in den Logen. Wollen Sie nachsehen, bevor Sie unterschreiben?«

Lieferungen prüfte ich immer. Allzu oft hatte ich festgestellt, dass die Postenaufstellung um einiges größer war als die Posten. Aber heute ließ ich es darauf ankommen und unterschrieb ihm den Schein.

»Okay«, sagte er noch einmal. »Bis später dann. Um sechs hole ich ab.«

»Gut«, erwiderte ich. Bis um sechs schien es noch lange

hin zu sein. Zum Glück hatte ich für die Rindfleischpastete mit Nieren schon praktisch alles vorbereitet. Sie musste nur noch in die Keramikformen gefüllt, überteigt und etwa fünfunddreißig Minuten im Backofen erhitzt werden. Das frische Gemüse stand bereits blanchiert im Kühlraum meines Restaurants, und der Spargel war geschält und fertig zum Dünsten. Die verschiedenen Sommerpuddinge waren am Donnerstagnachmittag angerührt worden und standen ebenfalls im Kühlraum. Sie mussten nur noch aus der Form gestürzt und mit Schlagsahne und einer halben Erdbeere garniert werden. Dass die Erdbeeren aus Südfrankreich kamen, brauchte MaryLou nicht zu wissen.

In der Regel machte ich keine »Außengastronomie«, aber das Guineas-Wochenende war etwas anderes. Seit sechs Jahren nutzte ich es als *die* Gelegenheit, Werbung in eigener Sache zu machen.

In meinem Restaurant verkehrten, wie der Name Hay Net – Heunetz – nahelegte, hauptsächlich Leute aus dem Rennsport. Das war eine Welt, in der ich mich auskannte und die ich zu verstehen meinte. Mein Vater war ein mäßig erfolgreicher Hindernisjockey und danach ein wesentlich erfolgreicherer Trainer gewesen, bis er auf der Fahrt nach Liverpool zum Grand National mit einem Backsteinlaster zusammenstieß und starb, als ich achtzehn war. Ich wäre damals bei ihm gewesen, hätte meine Mutter nicht darauf bestanden, dass ich daheim für mein Abitur büffelte. Toby, mein zehn Jahre älterer Halbbruder, übernahm damals buchstäblich die Zügel des Trainergeschäfts und lebt noch immer davon, wenn auch mehr schlecht als recht.

Ich hatte zwar meine Kindheit auf dem Rücken von Ponys und inmitten von Pferden verbracht, Tobys Pferdeliebe aber niemals geteilt. In meinen Augen waren beide Enden eines Pferdes gefährlich, und in der Mitte war es unbequem. Ein Ende beißt, das andere tritt. Und mir ist auch nie klar geworden, warum Pferde so früh am Tag bei Regen und bei Kälte geritten werden müssen, zu einer Zeit, da die meisten Menschen noch fest im warmen, kuscheligen Bett schlafen.

Mehr als dreizehn Jahre waren jetzt vergangen seit dem schicksalhaften Tag, an dem ein Polizist an unsere Tür klopfte und meiner Mutter mitteilte, dass als Fahrer und Besitzer des zu Schrott gefahrenen Jaguars ihr Mann, der verstorbene Mr. George Moreton, wohnhaft in East Hendred, ermittelt worden sei. Ich hatte meiner Mutter zuliebe schwer fürs Abitur gepaukt und einen Studienplatz für Chemie an der Universität Surrey bekommen. Doch mein Leben änderte sich unwiderruflich nicht durch den Tod meines Vaters, sondern durch das vorgesehene Orientierungsjahr, das zu meiner Lebensorientierung wurde.

Ich ging weder nach Surrey noch auf eine andere Universität. Geplant war, dass ich ein halbes Jahr arbeitete, um im zweiten Halbjahr mit dem verdienten Geld durch Ostasien zu reisen. Also jobbte ich als Tellerwäscher, Bierkastenschlepper und Mädchen für alles in einem Landgasthof – einem Pub, Restaurant und Hotel –, der in Oxfordshire am Themseufer lag und einer ebenfalls verwitweten, entfernten Verwandten meiner Mutter gehörte. Normalerweise wird so jemand als »Springer« bezeichnet, aber das ist in der Gastronomie ein so abfälliges Wort, dass die Verwandte meiner Mutter mich lieber ihren »Küchenassistenten auf Zeit« nannte, was sich nach mehr anhört und weniger korrekt ist. Das Wort

Assistent deutet auf eine gewisse Verantwortung. Die einzige mir übertragene Verantwortung bestand darin, jeden Morgen das Zimmermädchen zu wecken, damit sie den Gästen in den sieben Zweibettzimmern ihren Frühstückstee servierte. Anfangs erledigte ich das, indem ich fünf Minuten lang an ihre Tür klopfte, bis sie widerstrebend aufmachte. Nach ein paar Wochen wurde dann alles viel einfacher, weil ich sie nur noch aus dem Einzelbett zu werfen brauchte, das wir miteinander teilten. Jedenfalls weckte die Arbeit in der Restaurantküche, wenn auch nur am Spülstein, in mir die Lust am Kochen und am Herrichten von Speisen. Bald überließ ich anderen den Abwasch und absolvierte einen Lehrgang unter dem wachsamen Auge Marguerites, der grimmigen, unflätig schimpfenden Chefköchin. Den Ausdruck »Küchenchefin« mochte sie nicht. Sie koche, hatte sie klargestellt, also sei sie eine Köchin.

Als mein halbes Jahr vorbei war, blieb ich einfach. Mittlerweile war ich Marguerites rechte Hand und machte alles, von den Vorspeisen bis zu den Desserts. Nachmittags, wenn die übrige Belegschaft ihren Schlaf nachholte, experimentierte ich mit Geschmacksrichtungen, und fast meinen ganzen Lohn gab ich in Witneys Gartenmarkt für Zutaten aus.

Ende des Frühjahrs schrieb ich an die Universität von Surrey und bat höflich darum, meine Einschreibung noch um ein Jahr verschieben zu dürfen. Das ging in Ordnung, aber ich wusste wohl damals schon, dass ein Leben in Labors und Vorlesungssälen für mich nicht mehr in Frage kam. Als Marguerite Ende Oktober des darauffolgenden Jahres die Verwandte meiner Mutter einmal zu oft beschimpfte und hinausgeworfen wurde, war mein Lebensweg vorgezeichnet.

Nur vier Tage vor meinem einundzwanzigsten Geburtstag übernahm ich mit Freuden die Leitung der Küche und machte mich daran, als jüngster Küchenchef aller Zeiten einen Michelinstern zu bekommen.

In den nächsten vier Jahren florierte das Geschäft, mein Selbstvertrauen gedieh im gleichen atemberaubenden Tempo wie der Ruf des Restaurants. Mir entging aber auch nicht, dass das Bankkonto der Verwandten meiner Mutter bedeutend schneller wuchs als mein eigenes. Als ich sie darauf ansprach, warf sie mir mangelnde Loyalität vor, und das war der Anfang vom Ende. Kurz darauf verkaufte sie den Gasthof, ohne mich zu informieren, an eine kleine Hotelkette, und ich sah mich einem neuen Boss gegenüber, der meine Küche umkrempeln wollte. Da die Verwandte meiner Mutter auch versäumt hatte, den Käufern zu sagen, dass sie keinen Vertrag mit mir hatte, packte ich meine Sachen und ging.

Ich fuhr nach Hause, und während ich überlegte, wie es weitergehen sollte, kochte ich für die Abendgesellschaften meiner Mutter, die ein wenig erstaunt zu sein schien, dass ich das konnte, obwohl sie in der Zeitung von meinem Michelinerfolg gelesen hatte. »Aber Schatz«, meinte sie, »ich glaube niemals, was in der Zeitung steht.«

Auf einer dieser Abendgesellschaften wurde ich Mark Winsome vorgestellt. Mark war ein Unternehmer in den Dreißigern, der ein Vermögen in der Mobiltelefonbranche gemacht hatte. Sein Problem sei, gute Gelegenheiten zu finden, um sein Geld anzulegen, erklärte er gerade, als ich mich auf einen Kaffee zu den Gästen gesellte. Scherzhaft meinte ich, er könne ja in mich investieren und mir helfen, ein eigenes Restaurant zu eröffnen. Kein Lachen, kein Lächeln. »Okay«, hatte er gesagt, »ich finanziere alles, und Sie haben die alleinige Kontrolle. Die Einnahmen teilen wir fifty-fifty.«

Ich hatte nur mit offenem Mund dagesessen. Viel später erst erfuhr ich, dass er meine Mutter seit langem gedrängt hatte, ein Treffen zwischen mir und ihm einzufädeln, damit er dieses Angebot machen konnte, und dass ich ihm in die Falle gegangen war.

Und so hatte ich vor nunmehr sechs Jahren mit Marks Geld das Hay Net eröffnet, ein auf den Rennsport zugeschnittenes Restaurant am Stadtrand von Newmarket. Dabei hatte ich Newmarket nicht speziell ins Auge gefasst, aber dort hatte sich das erste passende Objekt gefunden, und die Nähe zum Hauptquartier des Rennsports war einfach ein Plus.

Das Geschäft war schleppend angelaufen, doch durch die Abend- und Mittagessen anlässlich der Pferderennen wurde das Restaurant bekannt, und bald war es jeden Abend so voll, dass ein Tisch selbst für unter der Woche gut acht Tage vorab bestellt werden musste und für den Samstagabend mindestens einen Monat im Voraus. Die Frau eines Newmarketer Spitzentrainers zahlte mir sogar eine Pauschale, um jeden Samstag des Jahres einen Tisch für sechs Personen zu bekommen außer im Januar, wenn sie auf Barbados waren. »Stornieren ist viel einfacher als reservieren«, meinte sie, aber sie stornierte selten und weitete den Tisch oft auf acht oder zehn Personen aus.

Das Handy klingelte in meiner Tasche.

»Hallo«, sagte ich.

»Max, komm mal ins Restaurant.« Es war Carl. »Das Gesundheitsamt ist da.«

»Mit der Dame bin ich doch auf der Rennbahn verabredet«, sagte ich.

»Hier sind zwei Männer«, antwortete er.

»Sag ihnen, sie sollen hierher kommen.«

»Ich glaub nicht, dass die das tun«, sagte er. »Anscheinend ist jemand gestorben, und jetzt versiegeln sie die Küche.«

2

Sie versiegelten die Küche buchstäblich. Als ich hinkam, klebte vor jedem Fenster Siegelband, und zwei Männer brachten große Überfallen und Vorhängeschlösser an den Türen an.

»Das können Sie nicht machen«, sagte ich.

»Doch«, erwiderte einer von ihnen und ließ ein schweres Vorhängeschloss einschnappen. »Ich habe Anweisung, dafür zu sorgen, dass niemand diese Räumlichkeiten betritt, bis sie untersucht und dekontaminiert worden sind.«

»Dekontaminiert?«, fragte ich. »Von was denn?«

»Keine Ahnung«, meinte er. »Ich tue nur, was man mir sagt.«

»Wann findet denn diese Untersuchung statt?«, fragte ich mit einem mulmigen Gefühl.

»Montag oder Dienstag vielleicht«, antwortete er. »Oder Mittwoch, je nachdem, wie viel sie zu tun haben.«

»Aber wir sind ein Geschäftsbetrieb«, sagte ich. »Wie soll ich ein Restaurant führen, wenn die Küche geschlossen ist? Für heute Abend sind Tische reserviert.«

»Tut mir leid, Mann.« Es hörte sich nicht so an. »Ihr Laden ist jetzt dicht. Sie hätten eben keinen umbringen sollen.«

»Wer ist denn der Tote?«, fragte ich.

»Keine Ahnung«, sagte er und drückte noch ein Schloss zu. »So, das wär's. Unterschreiben Sie hier bitte?« Er hielt mir ein Klemmbrett mit etlichen Papieren hin.

»Was steht denn da?«, fragte ich.

»Da steht, dass Sie mit der Schließung Ihrer Küche einverstanden sind, dass Sie nicht versuchen werden, sie zu betreten, was nebenbei bemerkt eine Straftat wäre, dass Sie sich bereit erklären, für meine Dienste und die Materialkosten aufzukommen, und dass Sie verantwortlich dafür sind, wenn Dritte sich ohne eine entsprechende Genehmigung des Grafschaftsrats oder der Lebensmittelaufsicht Einlass verschaffen oder sich Einlass zu verschaffen versuchen.«

»Und wenn ich die Unterschrift verweigere?«, fragte ich.

»Dann muss ich mit einem Vollstreckungsbefehl und einem Polizisten wiederkommen, der rund um die Uhr Wache hält, und das müssen Sie dann auch noch bezahlen. Geschlossen bleibt die Küche so oder so. Wenn Sie unterschreiben, wird die Untersuchung vielleicht morgen oder am Montag durchgeführt, wenn nicht, dann nicht.«

»Das ist Erpressung.«

»Jep«, sagte er. »Wirkt meistens.« Er lächelte und hielt mir erneut das Klemmbrett hin.

»Hundsfott«, sagte ich. »Haben Sie Spaß an Ihrer Arbeit?«

»Mal was anderes als sonst.«

»Was machen Sie denn sonst?«, fragte ich.

»Schulden eintreiben«, antwortete er.

Es war ein kräftiger Mann, groß und breit gebaut. Er trug schwarze Hosen, ein weißes Hemd mit einem schmalen schwarzen Schlips und weiße Turnschuhe. Sein Kumpan war genauso ausstaffiert – Dienstkleidung. Mir ging durch den Kopf, dass eigentlich nur der Baseballschläger zur Untermauerung seiner Drohungen fehlte. An seinen Anstand würde ich nicht appellieren können. Er besaß offensichtlich keinen.

Ich unterschrieb den Schein.

Während dieses Wortwechsels hatte der zweite Mann selbstklebende Plastikschilder an die Türen und Fenster geheftet. Auf den gut fünfzig Zentimeter großen weißen Feldern stand in dicken roten Lettern: WEGEN DEKONTAMINIERUNG GESCHLOSSEN und KEIN ZUTRITT.

»Muss das wirklich sein?«, fragte ich.

Er gab keine Antwort. Klar – er machte nur seine Arbeit, tat nur, was man ihm gesagt hatte.

Ich weiß nicht, ob sie aus purer Gehässigkeit im Hinausgehen auch noch das Restaurantschild am Tor überklebten. Jedenfalls konnte man jetzt gleich von der Straße aus sehen, dass das Heunetz leer und unnütz war und nicht mal einem Shetlandpony was zu knabbern bot, geschweige denn den rund hundert Personen, die für den Abend Tische bestellt hatten.

Carl kam von der Gaststubenseite des Gebäudes herüber.

»Drinnen ist es das Gleiche«, sagte er. »Die Küchentüren sind mit Vorhängeschlössern versperrt.«

»Was sollen wir tun?«, fragte ich.

»Tja«, sagte er, »den meisten, die für heute Abend reserviert haben, habe ich schon gesagt, dass geschlossen ist.«

»Gut«, sagte ich beeindruckt.

»Einige meinten, sie wollten sowieso nicht kommen. Entweder, weil sie gestern Abend auf der Rennbahn waren und dasselbe durchgemacht haben wie wir oder weil sie davon gehört haben.«

»Weiß irgendjemand, wer da gestorben ist?«, fragte ich.

»Keine Ahnung«, sagte Carl. »Danach habe ich die Leute nicht gerade gefragt.«

»Für heute Abend sagen wir am besten auch dem Personal ab«, sagte ich.

»Schon passiert«, antwortete er. »Jedenfalls hab ich den meisten auf den Anrufbeantworter gesprochen. Und ich habe einen Zettel an den Rücheneingang geklebt, sie sollen sich das Wochenende freinehmen und am Montagmorgen wieder zur Arbeit erscheinen.«

»Hast du ihnen gesagt, warum?«, fragte ich.

»Nö. Muss ja nicht gleich sein. Erst wenn wir genau wissen, was passiert ist.« Er wischte sich mit der Handfläche über die Stirn. »Gott, geht's mir dreckig. Nassgeschwitzt, und doch ist mir kalt.«

»Mir auch«, sagte ich. »Aber jetzt können wir uns wohl den Nachmittag freinehmen. Die Traktormacher müssen sich ihr Futter woanders holen.«

»Wieso?«, fragte Carl.

»Weil ihre Pastetenfüllung hinter den versperrten Türen im Kühlraum ist, Dummkopf.«

»Ist sie nicht«, sagte er. »Ich hatte den Transporter schon beladen, bevor die Männer kamen.« Er zeigte auf den beim Rücheneingang stehenden Ford Transit, den wir für unseren Partyservice einsetzten. »Die Sommerpuddinge sind auch drin.« Er lächelte. »Das Einzige, was fehlt, sind der Spargel und die Frühkartoffeln, aber die können wir noch aus Cambridge kommen lassen.«

»Du bist einfach fabelhaft«, sagte ich.

»Wir machen's also?«

»Darauf kannst du Gift nehmen. Mehr denn je brauchen wir jetzt einen gelungenen Auftritt.« Alberner Spruch eigentlich, aber ich ahnte ja nicht, was kommen würde.

Carl fuhr mit dem Transit zur Rennbahn, während ich den ramponierten Golf nahm, der mein ganzer Stolz gewesen war, als ich ihn mir mit zwanzig von dem bei einem Fernseh-Kochwettbewerb gewonnenen Preisgeld nagelneu gekauft hatte. Nach elf Jahren und mit weit über hundertfünfzigtausend Kilometern auf dem Tacho sah man ihm sein Alter langsam an, aber da mein Herz an ihm hing, hatte ich keine Lust umzusatteln. Außerdem beschleunigte er an der Ampel noch immer schneller als die meisten anderen.

Ich parkte auf dem Personalparkplatz hinter der Waage und ging über den Rasen zum anderen Ende der Tribüne, wo Carl bereits den Lieferwagen auslud. Zwei Frauen in mittleren Jahren erwarteten mich dort, die eine in einem grünen Tweedkostüm, Wollmütze und praktischen braunen Stiefeln, die andere in einer rüschenbesetzten scharlachroten Chiffonbluse, schwarzem Rock und hochhackigen spitzen Lacklederschuhen, mit einer Fülle brauner Locken, die sich an ihren Ohren entlangringelten. Ich schaute mir die beiden an und sann über rennbahngemäße Kleidung nach.

Tweed war einen Tick schneller als Schwarzrot.

»Mr. Moreton?«, fragte sie auf ihre oberlehrerhafte Art, als ich hinzutrat.

»Ms. Milne vermutlich?«, erwiderte ich.

»So ist es«, sagte sie.

»Und ich bin MaryLou Fordham«, stellte Schwarzrot sich laut mit amerikanischem Akzent vor.

Ich hatte es mir gedacht.

»Ist Ihnen nicht kalt?«, fragte ich sie. Eine Chiffonbluse vertrug sich nicht so recht mit einem frühen Maimorgen in Newmarket. Selbst bei mildem Wetter wehte ein schneidender Wind über das Heidemoor, und der Guineas-Samstag bildete keine Ausnahme.

»Nein«, antwortete sie. »Wenn Sie wissen wollen, was Kälte ist, kommen Sie mal im Winter nach Wisconsin.« Sie betonte die Wörter einzeln, statt das Gewicht harmonisch auf den Satz zu verteilen. Jedes Wort stand kurz und knackig für sich, keins wurde nach Südstaatenart gedehnt oder mit einem anderen verbunden. »Und weshalb möchten Sie Mr. Moreton sprechen, der doch für mich arbeiten soll?«, fragte sie etwas hochmütig, an Angela Milne gewandt.

Ihrer Körpersprache war anzumerken, dass Angela Milne es nicht sonderlich schätzte, so angesprochen zu werden. Mir hätte es auch nicht gepasst.

»Es handelt sich um eine Privatangelegenheit«, sagte Angela. Diese Ms. Milne, dachte ich. Eine echte Freundin.

»Dann beeilen Sie sich«, meinte MaryLou herrisch. Sie wandte sich mir zu. »Ich war oben in den Logen – mir scheint, da tut sich nichts. Die Tische sind nicht gedeckt, und es ist kein Mensch zu sehen.«

»Das wird schon«, sagte ich. »Es ist ja erst halb zehn. Die Gäste kommen frühestens in zwei Stunden, bis dahin ist alles fertig.« Hoffentlich hatte ich recht. »Fahren Sie ruhig wieder rauf, ich komme gleich nach.«

Zögernd stakste sie davon, nicht ohne sich ein paar Mal

umzudrehen. Hübsche Beine, dachte ich, als sie mit klappernden Absätzen über den Asphalt Richtung Tribüne ging.

Als ich schon dachte, sie sei weg, kam sie wieder zurück. »Ach ja«, sagte sie, »das hatte ich noch vergessen. Drei Leute haben mich heute Morgen angerufen und mir gesagt, dass sie heute nicht zur Rennbahn kommen. Angeblich geht es ihnen nicht gut.« Sie machte aus ihrem Unglauben keinen Hehl. »Es kommen also fünf Personen weniger zum Lunch.«

In Anbetracht der Umstände fragte ich lieber nicht, weshalb es ihnen nicht gutging.

»Zu schade«, sagte sie. »Zwei von ihnen sind Trainer aus Newmarket, die Starter in unserem Rennen haben.« Sie betonte das »Market« und verschluckte beinah das »New«. In meinen Ohren klang das komisch.

Sie drehte sich unvermittelt um und stöckelte zu den Aufzügen, wobei ich noch einmal die tollen Beine bewundern konnte. Die schwarze Lockenpracht wippte im Gehen auf ihren Schultern. Ich fragte mich, ob sie mit Lockenwicklern schlief.

»Tut mir leid«, sagte ich zu Ms. Milne.

»Das war nicht Ihre Schuld«, meinte sie.

Ich hoffte, ich war an gar nichts schuld.

Sie gab mir ihre Karte. Ich las sie: Angela Milne, Gesundheitsamt, Grafschaftsrat Cambridgeshire. Genau wie sie gesagt hatte.

»Warum haben Sie meine Küche versiegelt und mein Restaurant dichtgemacht?«, fragte ich.

»Davon weiß ich ja gar nichts«, sagte sie. »Wo genau liegt das Restaurant?«

»In der Ashley Road, nahe der Abzweigung nach Cheveley«, sagte ich. »Hay Net heißt es.« Ihrem Nicken nach kannte sie den Namen. »Ich kann Ihnen versichern, dass es zu Cambridgeshire gehört. Ich komme gerade von da. Die Küche ist mit Vorhängeschlössern versehen worden, und man hat mir den Zutritt verboten.«

»Oh«, machte sie.

»Die beiden Männer sagten, sie kämen von der Lebensmittelaufsicht.«

»Komisch«, sagte sie. »Das ist normalerweise Sache der Ortsbehörde. Meine also. Sofern der Vorfall nicht als schwerwiegend eingestuft wird.«

»Was heißt schwerwiegend?«, fragte ich.

»Wenn es um Kolibakterien oder Salmonellen geht«, sie überlegte kurz, »um Botulismus, Typhus und dergleichen. Oder wenn jemand dadurch ums Leben kommt.«

»Die Männer sagten, es sei jemand gestorben.«

»Oh«, machte sie wieder. »Auch das ist mir neu. Vielleicht hat die Polizei oder die Klinik sich direkt an die Lebensmittelaufsicht gewandt. Mich wundert, dass sie an einem Samstag da durchgekommen sind. Wer weiß, wer das entschieden hat. Tut mir leid.«

»Das war nicht Ihre Schuld«, gab ich zurück.

Sie spitzte die Lippen zu einem Lächeln. »Am besten höre ich mal nach, was los ist. Meine Handybatterie ist leer, man glaubt ja nicht, wie sehr wir alle auf die Dinger angewiesen sind. Ohne meins bin ich verloren.«

Sie wandte sich zum Gehen, drehte sich dann aber wieder um. »Ich habe im Rennbahnbüro nach dem Küchenzelt von gestern Abend gefragt«, sagte sie. »Sie hatten recht. Jetzt stehen lauter Bierkästen drin. Haben Sie immer noch vor, da oben ein Mittagessen für Miss America auszurichten?« Sie wies mit einer Kopfbewegung zur Tribüne.

»Fragen Sie das dienstlich?«, sagte ich.

»Hmm.« Wieder spitzte sie die Lippen. »Vielleicht will ich es gar nicht wissen. Vergessen Sie's.«

Ich lächelte. »Was denn?«

»Ich melde mich nachher wieder bei Ihnen, wenn ich in Erfahrung gebracht habe, was los ist.«

»Gut«, sagte ich. »Lassen Sie mich bitte wissen, wer da gestorben ist, sobald Sie es herausgefunden haben.« Ich gab ihr meine Handynummer. »Ich bin bis gegen halb sieben hier. Danach gehe ich schlafen.«

Zwei meiner Angestellten waren erschienen, um Carl und mir bei dem Mittagessen zu helfen, und beiden war gestern nicht übel gewesen. Da sie beide den vegetarischen Nudelauflauf gegessen hatten, wurde im Ausschlussverfahren das Hühnchen zum Hauptverdächtigen.

Über eine Stunde waren sie in den verglasten Logen zugange, während Carl und ich in der winzigen Küche auf der anderen Seite des Gangs die Pasteten ofenfertig machten. Carl rollte den Teig aus, ich gab die Füllung in die einzelnen Formen und verschloss sie. Unser Gemüsehändler in Cambridge hatte rechtzeitig Ersatz für die im Kühlraum des Restaurants gefangengesetzten Spargel und Frühkartoffeln geliefert. Die Kartoffeln standen bereits auf dem Herd, und ich entspannte mich ein wenig, doch wer sich entspannt, kann müde werden.

Ich überließ Carl die Pasteten und schaute nach den anderen.

Sie hatten erfolgreich die Trennwand zwischen den beiden Logen entfernt und so einen Raum von knapp vierzig Quadratmetern geschaffen. Ein Spediteur hatte im Auftrag der Rennbahn vier Tische von anderthalb Meter Durchmesser und vierzig Stühle mit goldfarbenen Rückensprossen geliefert, und meine Leute hatten sie so aufgestellt, dass die Tische leicht zu bedienen waren. Ursprünglich hätten außer Carl und mir fünf Mitarbeiter dabei sein sollen, ein Kellner für je zwei Tische, zwei für Wein und andere Getränke und einer zum Aushelfen in der Küche, doch drei davon waren nicht erschienen. Die eintreffenden Gäste hätten mit Kaffee oder Drinks versorgt werden sollen, während Carl und ich den Spargel dünsteten und die Brötchen aufbuken. Weil aber die Brötchen hinter Schloss und Riegel waren, hatten wir stattdessen im Supermarkt ein paar Baguettes gekauft. Wenn dieser kontinentale Einfluss MaryLou nicht behagte, war das ihr Pech.

Da nur die Hälfte meiner Bedienung aufgetaucht war, waren wir zu dem Zeitpunkt, als der erste Mittagsgast erwartet wurde, alle noch mit Tischedecken beschäftigt, aber es fehlten nur noch ein paar Weingläser.

MaryLou hatte uns von der Seite aus zugeschaut. Wir hatten gestärktes weißes Tafelleinen über die fleckigen, verschrammten Sperrholztische gebreitet, und schon strahlte der Raum. Ich arbeitete gern mit Stress-Free Catering, weil sie besseres Zubehör stellten als die meisten anderen Partydienste. Kings-Pattern-Besteck und elegante Wasser- und Weingläser verwandelten die Tische alsbald in Tafeln, die vielleicht nicht eines Königs, allemal aber eines Traktor- und Erntemaschinenherstellers von der anderen Seite des Teichs würdig waren.

Carl hatte sogar die rosa und weißen Nelkenbouquets aus dem Kühlraum retten können, bevor er versiegelt wurde, und die gaben zusammen mit den abwechselnd rosa und weißen Servietten dem Raum den letzten Schliff.

Ich trat einen Schritt zurück und bewunderte unser Werk. Es würde seinen Eindruck auf die Gäste nicht verfehlen. Selbst MaryLou schien angetan zu sein. Sie lächelte. »Gerade noch rechtzeitig«, meinte sie, als sie die Tischkarten verteilte.

Ich sah auf meine Uhr. Fünf nach halb zwölf. Nur das Tageslicht draußen sagte mir, dass es Mittag und nicht vor Mitternacht war. Die Uhr in meinem Körper war vor Stunden stehengeblieben und musste mit einer ordentlichen Runde Schlaf neu aufgezogen werden, damit sie wieder tickte.

»Gern geschehen«, sagte ich.

Ich fühlte mich klamm bis in die Zehenspitzen und sehnte mich danach, den Kopf auf ein kuscheliges Federkissen zu legen. Stattdessen ging ich wieder in die Küche und ließ mir am Spülstein kaltes Wasser über den schmerzenden Schädel laufen. Hoffentlich sah Angela Milne mich nicht durchs Fenster. Ein Küchenchef, der sich unterm Wasserhahn die Haare nass machte, war sicher nicht nach dem Geschmack der Lebensmittelaufsicht. Danach fühlte ich mich zwar etwas frischer, aber das brachte auch nicht viel. Ich sperrte den Mund zu einem lauten Gähnen auf, stützte mich auf den Spülstein und blickte über den Führring hinaus zur Innenstadt.

Newmarket am Tag des 2000 Guineas Stakes. Die Stadt war in heller Aufregung wegen des ersten klassischen Rennens der Saison, jedes Hotel im Umkreis von Kilometern belegt mit Besuchern, die hoffnungsvoll und mit großen Erwartungen dem Ereignis entgegensahen. Rennsportbegeisterte hatten Newmarket einst den Spitznamen »Hauptquartier« verliehen, und so wurde es auch heute noch genannt, obwohl es die Rolle als offizielles Machtzentrum des Sports der Könige längst abgegeben hatte. Das Hauptquartier des Jockey Clubs war um 1750 in Newmarket errichtet worden, um den schon damals hier populären Turfsport zu beaufsichtigen, und bald hatte er seine Autorität auf den Galopprennsport im ganzen Land ausgedehnt. Der Jockey Club war so mächtig gewesen, dass er im Oktober 1791 wegen »Unregelmäßigkeiten« in der Leistung seines Pferdes Escape sogar gegen den Prinzregenten, den künftigen König George IV., ermittelt hatte. Die fraglichen »Unregelmäßigkeiten« bestanden darin, dass Escape in einem Rennen mit niedrigen Quoten angehalten hatte, um dann am nächsten Tag mit hohen Quoten zu gewinnen. Der Prinz verkaufte seine Pferde und sein Gestüt und kam nie wieder nach Newmarket, weshalb sich das Gerücht hält, dass ihm das Direktorium insgeheim Rennbahnverbot erteilte, obwohl er offiziell nur verwarnt wurde.

In Newmarket selbst hat der Jockey Club nach wie vor eine Machtstellung inne, da ihm nicht nur die beiden Rennbahnen gehören, sondern auch rund zehn Quadratkilometer Trainingsgelände um die Stadt herum. Von seiner einstigen Schlüsselrolle im britischen Rennsport ist jedoch seit der Gründung des British Horseracing Board und der noch jüngeren British Horseracing Authority, die jetzt die Untersuchungen und Disziplinarfragen innerhalb des Sports an sich gezogen hat, so gut wie nichts geblieben. Der Jockey Club ist wieder zu dem geworden, was er bei seinen anfänglichen Zusammenkünften in einer Londoner Weinschenke war, ein Treffpunkt für Freunde des Rennsports. Berufsrennreiter natürlich ausgenommen. Jockeys hatte es im Jockey Club noch nie gegeben. In den Augen der Mitglieder sind Jockeys Dienstpersonal und haben nicht mit Leuten zu verkehren, die über ihnen stehen.

Carl riss mich aus meiner Träumerei.

»In die Öfen hier passt nur die Hälfte der Pasteten«, sagte er. »Der Rest muss in die Öfen am Ende des Gangs. Da wird ein kaltes Büfett serviert, es ist also Platz genug.«

»Prima«, sagte ich. In meiner Müdigkeit hatte ich gar nicht gemerkt, dass es ein Problem gab. »Wann kommen sie rein?« Ich hatte alle Mühe, es im Kopf durchzurechnen. Erstes Rennen um fünf nach zwei, zu Tisch um halb eins. Jede Pastete brauchte fünfunddreißig Minuten. Fünf Personen kamen nicht, die gingen von den vierzig ab … machte vierzig Pasteten minus fünf … Wenn eine Pastete fünfunddreißig Minuten brauchte, bis die Füllung gar und der Teig goldbraun war, wie lange brauchten dann vierzig Pasteten minus fünf? Die Rädchen in meinem Hirn drehten durch und blieben gänzlich stehen. Wenn fünf Männer in fünf Monaten fünf Häuser bauen konnten, wie lange brauchten dann sechs Männer, um sechs Häuser zu bauen? Musste ich das wissen? Als ich zu dem wundersamen Schluss gelangte, dass die Pasteten spätestens vorgestern in den Ofen hätten geschoben werden müssen, erlöste mich Carl.

»Punkt Viertel nach zwölf«, sagte er. »Um halb eins setzen sich alle zu Tisch, um eins wird die Pastete serviert.«

»Prima«, sagte ich erneut. Und um halb zwei lieg ich auf dem Ohr. Schön wär's.

»Und in fünf Minuten kommen die Kartoffeln rein«, sagte Carl. »Alles unter Kontrolle.«

Ich sah auf meine Armbanduhr. Es dauerte ein Weilchen, bis ich aus dem Zeigerstand klug wurde. Zehn vor zwölf. Was ist nur los mit mir, dachte ich, ich war schon längere Zeit ohne Schlaf ausgekommen als diesmal. Mein knurrender Magen erinnerte mich daran, dass ich lange nichts mehr zu mir genommen hatte. Eine Fortsetzung des Elends der vergangenen Nacht wollte ich zwar nicht erleben, aber vielleicht war der Hunger mitschuldig an meiner Lethargie.

Ich versuchte es mit einem Stück trockenem Baguette. Da es meinen Magen nicht gleich in Aufruhr versetzte, schob ich ein größeres Stück hinterher. Das Knurren ließ nach.

Bald würden die Gäste heraufkommen, und da ich sie begrüßen wollte, fuhr ich runter zu meinem Golf, stellte mich zwischen die Wagen und schlüpfte in meine Arbeitskleidung, eine große schwarzweiß karierte Hose und eine gestärkte weiße Baumwolljacke. Die Jacke war entfernt einem Husarenrock nachempfunden, mit zwei zu einem V angeordneten Knopfreihen vorn. Unter dem Michelinstern auf der linken Brust war »Max Moreton« aufgestickt. Ich hatte herausgefunden, dass es sehr hilfreich ist, wie ein Küchenchef auszusehen, wenn man Gäste und Kritiker überzeugen möchte, dass ihr Essen einem wirklich am Herzen liegt und man sie nicht bloß schröpfen will.

Als ich wieder zu den Logen hinauffuhr, stampfte Mary-Lou schon vor den Aufzügen herum und suchte mich.

»Ah, da sind Sie ja«, sagte sie in einem Ton, als wäre ich längst überfällig. »Lassen Sie mich Ihnen Mr. Schumann vorstellen, den Präsidenten unserer Firma.«

Sie zerrte mich praktisch am Arm den Gang hinunter zu den Logen, an deren Tür jetzt ein großes Schild klebte: »Delafield Industries Inc. – Hauptsponsor«.

Rund zwanzig Personen waren bereits dort, einige standen um die Tische herum, andere hatten sich hinaus auf den Balkon begeben, um den wässrigen Maisonnenschein und den herrlichen Blick auf die Rennbahn zu genießen.

Meine Rolle war die eines Starkochs für den Anlass, nicht nur die eines Caterers. Das eigentliche Restaurantunternehmen der Rennbahn und ich hatten eine gut funktionierende Arbeitsbeziehung, die sich für beide Seiten auszahlte. Sie ließen mich zu besonderen Gelegenheiten auf die Rennbahn, und ich half ihnen nach Möglichkeit aus, wenn sie knapp an Personal oder bei großen Feiern überfordert waren. Suzanne Miller, ihre Geschäftsführerin, war häufiger Gast im Hay Net und meinte immer wieder, die Verbindung mit dem »hiesigen Feinschmeckerrestaurant«, wie sie es nannte, sei ein Segen für sie. Seit über fünf Jahren arbeiteten wir zusammen, aber ob das so blieb, wenn Suzanne demnächst in Rente ging, musste sich erst noch zeigen. Allzu viel lag mir ehrlich gesagt nicht daran. Mit dem zunehmenden Erfolg des Hay Net wurde es für mich immer schwieriger, die für den Rennbahnservice erforderliche Zeit und Energie aufzubringen, und es fiel mir schwer, alten Kunden etwas abzuschlagen. Wenn der neue Catering-Chef nicht wollte, dass ich ihm ins Gehege kam, konnte ich ihm den Schwarzen Peter zuschieben und mich vom Acker machen.

MaryLou lotste mich durch den Raum zur Balkontür und blieb neben einem großen, breitschultrigen Mann stehen, der einen anthrazitfarbenen Anzug, ein weißes Hemd und eine leuchtend blaurosa gestreifte Krawatte trug. Er war in ein Gespräch mit einer jüngeren und ein ganzes Stück kleineren Frau vertieft. Jetzt stützte er sich gerade am Türrahmen ab, beugte sich zu ihr herunter und sagte ihr leise etwas ins Ohr. Was, konnte ich zwar nicht verstehen, aber er fand es offensichtlich lustig und richtete sich lachend wieder auf. Sie lächelte ihn zwar an, doch meinem Eindruck nach teilte sie sein Vergnügen nicht ganz.

Er wandte sich MaryLou, wie mir schien, ein wenig ungehalten zu.

»Mr. Schumann«, sagte sie in ihrer abgehackten Art, »darf ich Ihnen Max Moreton vorstellen, unseren heutigen Küchenchef?«

Er betrachtete mich in meiner Kochkleidung, und wenn mich nicht alles täuschte, fand er, ich hätte in der Küche bleiben sollen, statt mich seinen Gästen zu zeigen.

MaryLou deutete seinen Gesichtsausdruck offenbar genauso.

»Mr. Moreton«, fuhr sie fort, »ist ein sehr bekannter Koch und war schon oft im Fernsehen.«

Und wie bekannt, dachte ich: der Essensvergifter von Newmarket.

Mr. Schumann schien wenig beeindruckt.

MaryLou war noch nicht fertig. »Wir können uns glücklich schätzen, dass Mr. Moreton heute für uns kocht. Er ist überaus gefragt.«

Das stimmte zwar nicht ganz, aber ich dachte nicht daran, sie zu berichten.

Mr. Schumann streckte widerstrebend die Hand aus. »Schön, dass Sie helfen konnten. Unsere MaryLou hier bekommt meistens, wen sie haben will.« Er dehnte die Wörter zwar mehr als seine Marketingchefin, aber seiner Stimme fehlte es an Wärme und Herzlichkeit.

Ich ergriff die dargebotene Hand, und wir sahen uns direkt in die Augen. Er hatte etwas Einschüchterndes, und ich hielt es für ratsam, an meinen vorgesehenen Platz in der Küche zurückzukehren. Doch die mich am Arm fassende Hand der Dame zu meiner Linken hinderte mich daran.

»Max«, sagte sie. »Wie reizend. Kochen Sie heute für uns?«

Elizabeth Jennings und ihr Mann Neil, einer der erfolgreichsten Trainer der Stadt, waren Stammgäste im Hay Net. Elizabeth setzte sich unermüdlich für wohltätige Zwecke ein und war bekannt für ihre großartigen Abendgesellschaften, von denen ich einige als Gast besucht und andere als Koch betreut hatte.

»Rolf«, sagte sie zu Mr. Schumann, »wie klug von Ihnen, Max heute für Sie kochen zu lassen. Er ist Englands allerbester Küchenchef.«

Gute alte Mrs. Jennings, dachte ich.

»Das würde ich nun nicht sagen«, wandte ich ein, auch wenn ich es insgeheim vielleicht dachte.

»Nur das Beste für Sie, meine Liebe«, ließ Mr. Schumann seinen Charme spielen und legte die Hand auf den Ärmel ihres blaugelb geblümten Kleids.

Sie lächelte ihn an. »Ach Rolf, Sie unverbesserlicher Schäker.«

Rolf kam zu dem Schluss, dass er draußen auf dem Balkon gefragt war, und entfernte sich, indem er mir kurz zunickte und Elizabeth ein »Entschuldigen Sie mich« zuwarf.

»Ist Neil auch hier?«, fragte ich sie.

»Nein«, antwortete Elizabeth. »Eingeladen war er, aber heute Nacht ging es ihm nicht gut. Irgendwas Falsches gegessen. Wahrscheinlich der Schinken, den er zu Mittag hatte. Ich hatte ihm gesagt, dass das Haltbarkeitsdatum überschritten war, aber er hat ihn trotzdem gegessen. Seiner Meinung nach sollen diese Daten nur dazu verleiten, dass man Lebensmittel wegwirft, die völlig in Ordnung sind, und ständig neue kauft. Vielleicht kommt er jetzt mal zur Besinnung.«

»Was hat er denn zu Abend gegessen?«, fragte ich so unschuldig wie möglich.

»Wir waren auf der großen Feier hier, da habe ich Sie auch gesehen«, erwiderte sie. »Was hatten wir denn? Müssten Sie doch wissen. Ich merke mir nie, was wir bei solchen Veranstaltungen essen.« Sie unterbrach sich und lachte. »Pardon, einem Küchenchef sollte ich das wohl nicht sagen.«

»Die meisten Gäste hatten Hühnchen«, sagte ich.

»Ja, genau. Wir auch. Und es war sehr gut. Auch die Crème brûlée war lecker.«

»Sie hatten also definitiv das Hühnchen?«, fragte ich. »Nicht den vegetarischen Nudelauflauf?«

»Natürlich hatte ich das Hühnchen«, sagte sie. »Vegetarisch ess ich nicht. Gemüse ist Beilage zum Fleisch, wenn Sie mich fragen, es ist kein Ersatz. Esse ich bei Ihnen nicht immer Steak?«

Stimmt, dachte ich. Dann lag es vielleicht doch nicht am Hühnchen. So langsam wunderte sie sich über meine Fragen. Zeit, zurück in die Küche zu gehen.

»Entschuldigen Sie, Elizabeth, ich muss mich sputen, sonst bekommen Sie nichts zu beißen.«

Das Mittagessen ging trotz des angeschlagenen *chef de cuisine* glatt über die Bühne. Louisa, eine meiner Angestellten, kam mit einem Armvoll leerer Teller in die Küche und sagte, MaryLou sei von der Rindfleischpastete mit Nieren begeistert gewesen. Anscheinend hatte sie allen geschmeckt.

Von Marguerite, der grimmigen Köchin der Verwandten meiner Mutter, hatte ich beizeiten gelernt, dass es bei der Fleischzubereitung darauf ankam, Geschmack und Textur nicht wegzukochen. »Roastbeef ist Roastbeef nicht nur wegen des Geschmacks«, hatte sie gesagt, »wie es aussieht und sich auf der Zunge anfühlt, gehört auch dazu.« »Am Essen sind alle Sinne beteiligt«, hatte sie behauptet und zum Beweis dafür auch immer ziemlich laut gekocht: brutzelnde Steaks und pfeifende, zischende Würste in Pfannkuchenteig. »Wenn du würzt«, meinte sie, »dann musst du vor dem Kochen würzen, damit der natürliche Geschmack des Fleischs noch durchkommt.«

Daran hatte ich mich gehalten. Die Pastetenfüllung war in meiner Spezialwürzmischung, verfeinert mit ein wenig Zitrone, eingelegt gewesen. Man gibt einen oder zwei Schuss Whisky dazu und lässt das Ganze erst einmal achtundvierzig Stunden ziehen. Dann erhitzt man es langsam bei mittlerer Temperatur, backt es kurz bei starker Hitze, damit es eine goldbraune Kruste bekommt, und das Ergebnis ist köstlich. Kinderspiel.

Carl und ich saßen in der Küche auf Barhockern und dösten. Die Sommerpuddinge mit Schlagsahne und Erdbeergarnierung waren serviert, und der Kaffee war gottlob Sache des Rennbahnrestaurants. Ich verschränkte die Arme auf dem Tresen, legte den Kopf auf die Arme und schlief ein.

»Chef! Chef! Mr. Moreton«, sagte eine Frauenstimme. Jemand rüttelte mich an der Schulter.

»Mr. Moreton«, sagte die Stimme erneut. »Wachen Sie auf, Chef.«

Ich hob den Kopf und schlug ein Auge auf. Es war Louisa.

»Sie werden in der Loge gewünscht«, sagte sie.

»Okay«, seufzte ich. »Ich komme.«

Ich rappelte mich hoch, strich mir die Haare glatt und überquerte den Gang.

Sie applaudierten. Ich lächelte. Starkoch sein heißt Entertainer sein, heißt wissen, wie man sich verkauft. Die Huldigung allein ist die Sache wert. Die Hitze und Hektik der Küche vergisst man in der warmen Wertschätzung der anderen.

Sogar Rolf Schumann lächelte breit. Elizabeth Jennings saß zu seiner Rechten und strahlte übers ganze Gesicht. Geborgter Glanz, dachte ich etwas unfreundlich. Sie hatte eine Art, ihm den Arm zu tätscheln und ihm ins Ohr zu flüstern, dass ich bei mir dachte, nicht er, sondern sie sei der Schäker.

Als ich den Beifall gebührend ausgekostet hatte, kehrte ich in die Küche zurück, wo Carl, der mittlerweile aufgewacht war, gerade anfing aufzuräumen und Sachen in die Stress-Free-Drahtkörbe zu verfrachten. Da ich mich beim besten Willen nicht aufraffen konnte, ihm zu helfen, ging ich wieder über den Flur, um mir einen starken Kaffee zu holen.

Die Mittagsgesellschaft löste sich auf, weil einige Gäste aufbrachen, um noch Wetten auf das bevorstehende erste Rennen abzuschließen. Viele entschieden sich aber auch dafür, am Tisch sitzen zu bleiben, in Ruhe ihren Kaffee zu trinken und das Geschehen auf den in allen vier Ecken des Raums aufgehängten Fernsehschirmen zu verfolgen. Wieder andere traten auf den Balkon, um es live zu sehen.

Louisa goss mir einen Kaffee ein. Ich trank das heiße, schwarze Gebräu im Stehen und hoffte, es würde mich ein wenig wacher machen.

MaryLou kam herüber. »Das Essen war einfach fantastisch«, sagte sie.

»Danke«, erwiderte ich. »Freut mich, dass es Ihnen geschmeckt hat.«

»Wirklich sehr«, meinte sie. »Auch Mr. Schumann war sehr angetan.«

Ich merkte ihr an, dass seine Zufriedenheit ihr das Wichtigste war. Offensichtlich war auch sie von Mr. Schumann eingeschüchtert. Ein gelungenes Mittagessen sicherte ihr vorläufig vielleicht noch ihren Job.

Das erste Rennen war vorbei, und nach und nach kamen die Gäste vom Balkon herein, und viele nahmen wieder an den Tischen Platz. Mir wurde klar, dass es noch einige Zeit dauern würde, bis wir alles wegräumen und uns richtig ausschlafen konnten. Louisa und Robert, mein zweiter Kellner, schenkten Kaffee nach und verteilten Minzschokolade-Täfelchen. Man war guter Dinge und unterhielt sich bestens.

Das 2000 Guineas stand als drittes Rennen für 15 Uhr 15 auf dem Programm. Die Aufregung nahm zu, je näher der Höhepunkt rückte. Jazzmusiker und Straßenmusikanten heizten dem Publikum ein. Ich hätte zum Wachbleiben eine Jazzband für mich allein gebrauchen können.

Als das Hauptrennen begann, kehrte ich in die Logen zurück, wo Louisa und Robert die Tische aufräumten. Alle Gäste waren jetzt aufgestanden und drängten sich auf den Balkon oder stellten sich drinnen ans Fenster, um die Pferde zu sehen, wenn sie Newmarkets berühmte Rowley Straight Mile entlangkamen.

Ich ergriff ein paar schmutzige Kaffeetassen und warf einen Blick auf den Bildschirm an der Wand. Die Pferde gingen in die Senke und balgten sich um eine gute Ausgangsposition für den Berg und das Finish. Ich war zu müde, um abzuwarten. Lieber würde ich mir später die Wiederholung ansehen. Ich ging hinaus, um die Tassen in die Küche zu bringen.

Diese Entscheidung rettete mir zweifellos das Leben.

3

Die Bombe ging hoch, als ich den Flur überquerte.

Ich begriff nicht sofort, was passiert war. Ein gewaltiger Hitzestoß traf mich im Genick, und es war, als hätte mir jemand einen Vorschlaghammer ins Kreuz geschlagen.

Ich krachte geradewegs gegen die Küchentür und stürzte halb in die Küche hinein. Ich begriff immer noch nicht, was los war. Alles schien still zu sein. Ich hörte nichts. Ich versuchte etwas zu sagen, hörte mich selbst aber auch nicht. Ich schrie. Nichts. Das Einzige, was ich hören konnte, war ein durchdringendes Zischen; es hatte keine Richtung und blieb unverändert, wenn ich den Kopf drehte.

Ich sah auf meine Hände; sie schienen in Ordnung zu sein. Ich bewegte sie. Kein Problem. Ich klatschte. Ich spürte, wie meine Hände aufeinandertrafen, hörte aber keinen Laut. Es war beängstigend.

Mein linkes Knie schmerzte. Ich schaute hin und sah, dass meine Hose an der Stelle, wo ich gegen den Türrahmen geprallt war, einen Riss hatte. Die weißen Karos röteten sich von meinem Blut. Was ist von oben bis unten schwarz, weiß und rot …? Meine Gedanken schweiften ab.

Ich tastete nach dem Knie. Es schien an der richtigen Stelle zu sein, und es tat auch nicht noch mehr weh, wenn ich den Fuß bewegte. Die Verletzung war offenbar nur oberflächlich.

Schlagartig kam mein Gehör zurück, und es herrschte ein Heidenlärm. Ganz in der Nähe schrie eine Frau. Ihr schrilles, langgezogenes Kreischen setzte immer nur einen Moment lang aus, wenn sie Atem holte. Ein Alarm gellte pausenlos vom Gang her, und auch Männerschreie ertönten, vor allem Hilferufe.

Ich ließ mich zurücksinken und legte den Kopf auf den Boden. Es war mir, als läge ich eine Ewigkeit so da, aber es waren wohl nur eine oder zwei Minuten. Das Kreischen hielt an, sonst wäre ich vielleicht eingeschlafen.

Mir wurde bewusst, dass ich nicht gut beisammen war. Abgesehen von dem Schmerz im linken Knie tat mir auch das rechte Bein weh. Ich lag auf meinem unterm Hintern eingeklemmten Fuß. Ich streckte das Bein, und es dankte mir dafür mit tausend Nadelstichen. Gutes Zeichen, dachte ich.

Ich hob den Blick und sah das Tageslicht zwischen den Wänden und der Decke, wo ein breiter Riss entstanden war. Kein so gutes Zeichen. Wasser rann durch den Spalt, ich nahm an, von einem über uns geplatzten Wasserrohr. Es lief an der Wand herunter und breitete sich auf dem Betonfußboden aus. Ich drehte den Kopf und sah zu, wie es näherkam.

So schön es auch war, dazuliegen und der Welt ihren Lauf zu lassen, ich hatte keine Lust, nass zu werden. Der Boden war auch ohne Pfütze kalt genug. Widerstrebend wälzte ich mich herum, zog die Beine an und kniete mich hin. Keine gute Idee, dachte ich. Das linke Knie beklagte sich bitterlich, und im Wadenmuskel darunter bahnte sich ein Krampf an. Ich rappelte mich hoch, stützte mich am Türrahmen ab und blickte in die Küche.

Viel schien sich dort nicht verändert zu haben, außer dass alles mit einem feinen weißen Staub überzogen war, der noch in der Luft hing. Als ich mich gerade fragte, was aus Carl geworden war, stand er plötzlich neben mir.

»Teufel«, sagte er, »was ist passiert?«

»Weiß ich nicht«, sagte ich. »Wo warst du denn?«

»Pinkeln.« Er wies den Gang hinunter. »Hab mir beinah in die Hose gemacht, als der Knall kam.«

Ich hielt mich an der Küchentür fest. Mir war nicht gut. Ich riss mich nicht gerade darum, nachzusehen, was aus meinen anderen beiden Mitarbeitern und den Logengästen geworden war, aber ich wusste, ich musste es tun. Ich konnte nicht den ganzen Tag so dastehen, wenn andere vielleicht Hilfe brauchten. Statt des Kreischens hörte ich nur noch ein Wimmern, als ich vorsichtig über den Flur ging und in die Loge schaute.

Ich hatte nicht so viel Blut erwartet.

Frisches, glänzendes, scharlachrotes Blut. Massenhaft. Nicht nur auf dem Fußboden, sondern auch an den Wänden, und sogar an der Decke klebten dicke Spritzer. Die Tische waren durch die Explosion an die Rückwand geschleudert worden, und ich musste an der Tür über kaputte Stühle steigen, um in den Raum zu gelangen, den ich eben erst ohne weiteres verlassen hatte.

Als ich klein war, hatte mein Vater regelmäßig behauptet, mein Zimmer sehe aus, als habe eine Bombe eingeschlagen. Wie alle anderen Jungen neigte ich dazu, mein Zeug auf den Boden zu werfen und unbekümmert darum herumzuleben.

In meinem Zimmer hatte es jedoch nie so ausgesehen wie in den beiden verglasten Logen in Newmarket an diesem Tag.

Nicht, dass die Logen verglast geblieben wären. Das Glas in den Fenstern und Türen war restlos verschwunden, ebenso wie große Teile der Balkons und etwa ein Drittel der Seitenwand von Loge 1.

Wenn die Explosion Beton und Stahl so beschädigen konnte, dachte ich, dann hatten die Menschen in der Loge keine Chance gehabt.

Blutbad war kein zu starkes Wort für den Anblick. Dreiunddreißig Gäste hatten an dem Essen teilgenommen, zwei weitere waren zur Enttäuschung und zum Missfallen Mary-Lous nicht erschienen. Dazu kamen meine beiden Mitarbeiter. Demnach mussten mindestens fünfunddreißig Menschen in dem Raum oder auf den Balkons gewesen sein, als die Bombe hochging, diejenigen nicht mitgerechnet, die vielleicht eingeladen worden waren, sich nach dem Lunch von hier aus das Rennen anzuschauen.

Die meisten schienen völlig verschwunden zu sein. Als ich links von mir das Wimmern hörte, schaute ich zwischen den umgekippten Tischen nach.

MaryLou Fordham lag nicht weit von der hinteren Wand auf dem Rücken. Ich konnte sie nur von der Taille aufwärts sehen, da sie halb von einem zerrissenen, sich zusehends rötenden Tischtuch bedeckt war. Das Blut, das in die gestärkte weiße Baumwolle eindrang, war genauso knallrot wie ihre Chiffonbluse, die ihr jetzt als bloßer Fetzen um den Hals hing.

Ich ging neben ihr auf mein rechtes Knie runter und fasste sie an die Stirn. Ihre Augen drehten sich zu mir. Große, weit aufgerissene, erschreckte braune Augen in einem totenbleichen Gesicht, das von zahlreichen fliegenden Glassplittern blutig zerschnitten war.

»Gleich kommt Hilfe«, sagte ich etwas hilflos zu ihr. »Halten Sie durch.«

Da sie besonders unterhalb der Taille blutete, hob ich das Tischtuch ein wenig an, um nach der Verletzung zu schauen. Sie war nicht gleich zu sehen. Es war dunkel unter dem blutgetränkten Tuch, und ein Wust von zerbrochenen Tischen und Stühlen war im Weg. Ich rutschte näher heran, und da erst erfasste mein wirres Hirn, was ich Schreckliches sah. MaryLous hübsche Beine waren weg. Abgerissen.

O mein Gott, was mach ich jetzt?

Dümmlich schaute ich mich um, als könnte ich ihre verschwundenen Beine entdecken und sie ihr wieder anstecken. Da erst sah ich die anderen Opfer. Diejenigen, die nicht nur ihre Beine und Füße, sondern auch Arme und Hände verloren hatten – und ihr Leben. Ich begann zu zittern.

Ich wusste einfach nicht, was tun.

Plötzlich war alles voller Stimmen und umhereilender Leute mit schwarzgelben Jacken und großen gelben Helmen. Die Feuerwehr war eingetroffen. Endlich, dachte ich. Mir kamen die Tränen. Ich weinte selten. Mein Vater hatte den alten Standpunkt vertreten, dass sich so etwas für Männer nicht schickte. »Hör auf zu flennen«, meinte er zu mir, als ich knapp zehn war. »Werd' erwachsen, Junge. Männer weinen nicht.« Und gelernt war gelernt. Ich hatte nicht geweint, als mein Vater von dem Lastwagen überfahren wurde. Nicht mal auf seiner Beerdigung hatte ich geweint. Ich wusste, es wäre ihm nicht recht gewesen.

Jetzt aber waren der Schock, die Müdigkeit, das Gefühl, nichts ausrichten zu können, und die Erleichterung über das

Eintreffen der Rettungsleute einfach zu viel, und so liefen mir die Tränen übers Gesicht.

»Kommen Sie, Sir«, sagte mir einer der Feuerwehrleute ins Ohr und fasste mich an den Schultern, »wir bringen Sie hier raus. Haben Sie Schmerzen?«

Meine Zunge fühlte sich zum Ersticken dick an. »Nein«, krächzte ich. »Na ja, mein Knie schmerzt ein wenig. Sonst geht's mir gut… Aber sie…« Ich zeigte auf MaryLou, denn ich brachte kein Wort mehr heraus.

»Keine Sorge, Sir«, sagte er, »wir kümmern uns um sie.« Er half mir hoch und drehte meine Schultern von ihr weg.

Mein Blick blieb da, wo MaryLous Beine hätten sein sollen, bis der Feuerwehrmann mich so weit herumdrehte, dass mein Kopf einfach mitgehen musste. Er hielt mich fest gepackt und schob mich zur Tür, wo ein zweiter Feuerwehrmann mir eine leuchtend rote Decke um die Schultern legte und mich nach draußen führte. Ich fragte mich, ob sie rote Decken verwendeten, damit man kein Blut sah.

Der Feuerwehrmann geleitete mich durch den Gang zur Treppe. Im Vorbeigehen warf ich einen Blick in die Küche. Carl lehnte über der Spüle und erbrach sich. Ich konnte es ihm nachfühlen.

Ein Mann in einer grünen Jacke mit der Balkenaufschrift »Arzt« auf dem Rücken drängte sich an mir vorbei. »Alles in Ordnung mit ihm?«, fragte er meinen Begleiter.

»Scheint so«, war die Antwort.

Nein, wollte ich sagen, nichts ist in Ordnung. Ich wollte ihm sagen, dass ich gerade ein Bild aus der Hölle gesehen hatte und dass es mich bestimmt nicht mehr loslassen würde.

Ich wollte hinausschreien, dass mit mir längst nicht alles in Ordnung war und vielleicht auch nie wieder sein würde.

Stattdessen ließ ich mich zur Treppe führen und gehorsam nach unten schicken. Unten, hieß es, würde man mir weiterhelfen. Aber lässt sich eine solche Erinnerung auslöschen? Kann mir jemand meine Unschuld zurückgeben? Mich vor den Alpträumen bewahren?

Wie vom Feuerwehrmann angewiesen, ging ich brav ins Erdgeschoss hinunter und wurde dort wie versprochen von Helfern in Empfang genommen und mitfühlend begrüßt. Nach einer kurzen Untersuchung meiner äußeren Verletzungen ließ man mich, wie mir schien, sehr, sehr lange in meiner roten Decke auf einem von vielen weißen Plastikstühlen sitzen. Mehrmals kam ein grellgrün gekleideter junger Mann, auf dessen Schultern die Aufschrift »Rettungsassistent« in Weiß prangte, zu mir und erkundigte sich nach meinem Befinden. Er bat mich um Verständnis dafür, dass es Verletzte gab, die dringender versorgt werden mussten. Ich nickte. Ich wusste es ja. Im Geist sah ich sie noch vor mir.

»Mir geht's gut«, sagte ich, wenn auch ohne Überzeugung.

Mit heulenden Sirenen fuhren Krankenwagen ein und aus, und die Reihe schwarzer Leichensäcke hinter der Haupttribüne wurde im langsam verblassenden Licht der Nachmittagssonne immer noch länger.

Gegen sieben schließlich wurde ich ins Krankenhaus gebracht. Nachdem ich so lange auf dem Plastikstuhl gesessen hatte, konnte ich auf dem linken Bein nicht mehr richtig stehen, da das Knie geschwollen und ganz steif geworden war. Mein Freund, der junge Rettungsassistent, half mir in einen

Krankenwagen, der dann gemächlich ohne Sirene und Blaulicht abfuhr. Es war, als wäre das Schlimmste an der Krise überstanden. Die Schwerverletzten und Sterbenden waren, so schnell es ging, abtransportiert worden. Die Toten brauchten keine Hilfe mehr. Jetzt konnten wir, die nur leicht Verletzten, in aller Ruhe versorgt werden.

Der Krankenwagen brachte mich bis nach Bedford, da die näher bei Newmarket gelegenen Kliniken schon so viele Schwerverletzte aufgenommen hatten. In Bedford zeigte eine Röntgenaufnahme, dass in meinem geschwollenen linken Knie nichts gebrochen war. Ein Arzt vermutete, beim Aufprall auf die Tür könnte meine Patella, die Kniescheibe, kurzzeitig verrutscht sein, so dass es zu einer inneren Blutung gekommen war. Die Schmerzen und die Schwellung gingen auf das Hämatom im Gelenk zurück. Die Blutflecken an meiner Hose kamen von einer Fleischwunde am unteren Oberschenkel, die wohl ebenfalls vom Zusammenstoß mit der Tür rührte. Obwohl die Blutung fast aufgehört hatte, bestand der Arzt darauf, die Wunde mit Pflaster zu verschließen, und legte noch einen breiten weißen Verband um den Schenkel. Die Hose erfreute sich keiner so sorgsamen Behandlung, sie wurde auf der linken Seite einfach abgeschnitten. Man verpasste mir einen eng anliegenden blauen Knieschutz zur Stützung des Gelenks und Eindämmung des Blutergusses. Freundlicherweise bekam ich auch eine lange, straff gewebte weiße Socke für den linken Fuß, die der Schwellung im Unterschenkel entgegenwirken sollte, und einen Vorrat an großen weißen Schmerztabletten. Ein paar Tage Ruhe, meinten sie, und es ginge mir wieder gut. Körperlich, dachte ich, aber die seelischen Wunden würden nicht so schnell heilen.

Für den Heimweg bestellten sie mir ein Taxi. Es war mir etwas unangenehm, dass ich ihnen solche Umstände machte, und ich hatte Schuldgefühle, weil ich so glimpflich davongekommen war und andere nicht. Apathisch wartete ich an der Anmeldung. Ich dachte an Robert und Louisa, meine Angestellten. Hatten sie überlebt? Wie konnte ich das herausfinden? Wen konnte ich fragen?

»Taxi für Mr. Moreton«, holte mich eine Stimme in die Gegenwart zurück.

»Das bin ich«, erwiderte ich.

Ich stellte fest, dass ich kein Geld eingesteckt hatte.

»Das macht nichts, der Gesundheitsdienst zahlt«, meinte der Taxifahrer. »Bis aufs Trinkgeld«, setzte er hinzu. Pech für ihn, dachte ich, wenn er sich das von mir erhofft.

Er musterte mich. Bestimmt sah ich seltsam aus. Ich trug noch die Kochjacke, aber meine schwarzweiß karierte Hose hatte jetzt ein langes Bein und ein kurzes, an das sich ein blauer Knieschutz und ein weißer Strumpf anschlossen.

»Sind Sie so was wie ein Clown?«, fragte der Taxifahrer.

»Nein«, sagte ich, »ich bin Küchenchef.«

Er verlor das Interesse.

»Wohin?«, fragte er.

»Newmarket.«

Gegen elf traf das Taxi an meinem Cottage am südlichen Stadtrand von Newmarket ein. Ich hatte auf dem ganzen Weg vom Krankenhaus in Bedford aus geschlafen, und der Fahrer hatte alle Mühe, mich zu wecken und aus seinem Wagen herauszubekommen. Irgendwann hatte er mich aber so weit, dass er mir über die kleine Rasenfläche zwischen der Straße und meiner Haustür helfen konnte.

»Geht's?«, fragte er, als ich den Schlüssel ins Schloss steckte.

»Ja, danke«, sagte ich, und er fuhr davon.

Ich hüpfte in die Küche und nahm zwei Schmerztabletten mit Wasser aus dem Hahn in der Küche. Bloß nicht die Treppe hoch, sagte ich mir und legte mich in meinem winzigen Wohnzimmer aufs Sofa. Ich wollte nichts wie schlafen.

Ich lag auf einem Krankenhausbett, das langsam einen grauen, fensterlosen Gang entlangfuhr. Ich sah die Deckenlampen vorüberziehen. Es waren leuchtende Rechtecke in der grauen Decke. Der Gang schien sich endlos hinzuziehen, und die Lampen waren alle gleich, Lampe um Lampe um Lampe. Ich blickte mich um und sah, dass ich von einer Dame mit einer roten Chiffonbluse geschoben wurde, deren Lockenpracht über ihren Schultern wippte. Es war Mary-Lou Fordham, und sie lächelte mich an. Ich schaute nach ihren hübschen Beinen, aber sie hatte keine Beine und schien über dem grauen Fußboden dahinzuschweben. Abrupt setzte ich mich auf und schaute nach meinen eigenen Beinen. Die Bettdecke war flach, wo meine Beine hätten sein sollen, und ich sah Blut, lauter Blut, in leuchtend roten Lachen. Ich schrie auf und wälzte mich aus dem Bett. Ich fiel und fiel und fiel …

Ich schrak aus dem Schlaf, mein Herz pochte, mein Gesicht war kalt, feucht, verschwitzt. Der Traum war so lebhaft gewesen, dass ich mit beiden Händen nach unten fasste, um mich meiner Beine zu vergewissern. Schwer atmend lag ich im Dunkeln, bis mein Puls wieder annähernd normal ging.

Es war der erste Alptraum einer ganzen Serie.

Nach zwei unruhigen Nächten in Folge war ich fix und fertig.

Am Sonntagmorgen blieb ich lange liegen, zuerst auf dem Sofa, dann auf dem Fußboden, weil das bequemer war. Ich schaute den 24-Stunden-Nachrichtensender, um mehr über das zu erfahren, was mittlerweile als »Terroranschlag beim Guineas Stakes« bekannt war. Zahlreiche Kameras hatten das Rennen gefilmt, aber nur eine hatte zufällig miteingefangen, wie auf dem Balkon der Logen 1 und 2 auf der Frontal-Tribüne die Bombe hochging. In jedem neuen Nachrichtenblock wurden die Bilder gezeigt. Man sah einen grellen Blitz, in welchem Glas, Stahl, Beton und Menschen durch die Luft geschleudert wurden. Viele Gäste von Delafield Industries waren buchstäblich vom Balkon geweht worden und wie Stoffpuppen auf das darunterliegende Flachdach und die sich darunter aufhaltenden Rennbahnbesucher gestürzt. Sie hatten offenbar Glück im Unglück gehabt – sie waren verletzt, lebten aber noch. Die Leute in den Logen, wie MaryLou, hatte es am schlimmsten getroffen.

Wieder dachte ich an Robert und Louisa. Ich wusste, ich hätte jemanden anrufen und fragen sollen, was mit ihnen war. Ich wusste aber auch, dass mir das widerstrebte, weil ich Angst vor der Antwort hatte. Ich blieb liegen.

Aus dem Fernsehen erfuhr ich, dass auf der Rennbahn, während ich brav in meiner roten Decke auf dem weißen Plastikstuhl gesessen hatte, allerhand los gewesen war. Ein

Großaufgebot an Polizei war angerückt und hatte die Namen und Anschriften der vielen tausend Zuschauer erfasst. Mich hatte man irgendwie übersehen.

Die Veranstaltung war abgebrochen worden, und das 2000 Guineas wurde für nichtig erklärt: Die Hälfte der Pferde hatte auf den letzten zweihundert Metern angehalten, während die anderen weiter aufs Ziel zuflogen, weil ihre Jockeys sich derart auf das Rennen konzentrierten, dass sie bis zum Einlauf von der Explosion nichts mitbekamen. Deutlich war auf den Fernsehbildern zu sehen, wie die Freude eines jungen Jockeys über sein erstes gewonnenes klassisches Rennen in Verzweiflung umschlug, als ihm aufging, dass das Rennen nicht zählen würde.

Es gab wilde Spekulationen, wer da gemordet hatte und warum.

Ein Fernsehsender hatte seinen Reporter am Devil's Dyke postiert, so dass man im Hintergrund die Rennbahn sah und die großen blauen Planen, mit denen die Vorderseite der beiden Logen jetzt abgedeckt war. Der Reporter behauptete, jemand von der Polizei habe angedeutet, dass die Bombe möglicherweise ihr wahres Ziel verfehlt habe. Der Rennbahndirektor, der sich krankheitshalber nicht vor der Kamera äußern konnte, hatte der Polizei offenbar mitgeteilt, dass Loge 1 kurzfristig umbelegt worden sei. Daran anknüpfend vermutete der Reporter, den ich in seinem gestreiften Hemd ohne Schlips und Kragen als ziemlich unpassend gekleidet empfand, der Anschlag habe eigentlich einem arabischen Prinzen und dessen Gefolge gegolten, die ursprünglich Loge 1 belegen sollten. Der Nahostkonflikt, meinte der Reporter voller Überzeugung, sei wieder einmal hierher zu uns getragen worden.

Würde es MaryLou bessergehen, wenn sie erfuhr, dass sie ihre Beine durch ein Versehen verloren hatte? Ich bezweifelte es.

Ich rief meine Mutter an für den Fall, dass sie sich Sorgen um mich machte.

Keine Spur.

»Tag, Schatz«, flötete sie durch die Leitung. »Was für eine entsetzliche Geschichte.«

»Ich war dabei«, sagte ich.

»Was, auf der Rennbahn?«

»Nein, genau da, wo die Bombe explodiert ist.«

»Wirklich? Wie aufregend«, sagte sie. Es schien sie kein bisschen zu beunruhigen, dass ich hätte umkommen können.

»Ich habe großes Glück, dass ich noch lebe«, sagte ich in der Hoffnung auf ein paar mitfühlende Mutterworte.

»Das weiß ich doch, Schatz.«

Seit dem Unfall meines Vaters war meine Mutter ziemlich gleichgültig gegenüber dem Tod. Ich glaube, ob man lebte oder starb, war nach ihrer Ansicht einfach vorherbestimmt, man konnte nichts dagegen tun. Wenn sie den Zusammenstoß mit dem Lastwagen nicht sogar als eine glückliche Fügung ansah, einen Ausweg aus einer lieblos gewordenen Ehe. Einige Zeit nach Vaters Tod hatte ich herausgefunden, dass er mehrere kleine Affären gehabt hatte. Vielleicht war der Unfall in ihren Augen eine Strafe Gottes.

»Na«, meinte ich, »jedenfalls wollte ich dir sagen, dass es mir gutgeht.«

Sie fragte nicht nach Einzelheiten, und ich verschonte sie mit meinen Horroreindrücken. Sie lobte sich ihre friedliche

Welt der Kaffeekränzchen, Blumenkränze und Besichtigungen wohlgepflegter Gärten. Abgerissene Gliedmaßen und verstümmelte Leiber hatten darin keinen Platz.

»Bis bald wieder, Mum«, sagte ich.

»Gern, mein Schatz«, sagte sie. »Tschüs.« Sie legte auf.

Wir hatten uns nie sonderlich nahegestanden.

Als Kind war ich immer zu meinem Vater gegangen, wenn ich Rat oder Zuwendung brauchte. Gemeinsam hatten wir über ihre kleinen Eigenheiten gelacht und uns über ihre politische Naivität mokiert. Schmunzelnd hatten wir die Augen verdreht, wenn sie wieder einmal, was nur zu oft vorkam, ins Fettnäpfchen getreten war. Auch wenn ich beim Tod meines Vaters nicht weinte, so war ich doch am Boden zerstört. Er war der Held, den ich bewunderte, und ich konnte den Verlust kaum ertragen. Ich erinnerte mich noch gut, wie verzweifelt ich war, als ich ihn einige Wochen nach seinem Tod im Haus nicht mehr riechen konnte. Ich kam zu einem freien Wochenende aus dem Internat nach Hause, und plötzlich war er nicht mehr da. Der fehlende Geruch brachte mir sein Ableben erst richtig zum Bewusstsein – er war nicht eben mal weggegangen, um die Zeitung zu holen, er war für immer fort. Ich stürzte die Treppe hinauf in sein Ankleidezimmer, um an seinen Sachen zu schnuppern. Ich machte seine Schränke und Schubladen auf und hielt mir seine Lieblingspullover unter die Nase. Aber er war fort. Ganz lange hatte ich dort auf dem Boden gesessen und vor mich hin gestarrt, unendlich allein, ohne aber Tränen vergießen zu können, ohne richtig um ihn trauern zu können. Noch heute sehnte ich mich danach, ihm von meinem Leben und meiner Arbeit, meinen Freuden und meinem Kummer zu erzählen.

Laut verfluchte ich ihn dafür, dass er tot war, anstatt da zu sein, wenn ich ihn brauchte. Wie gern hätte ich jetzt mit ihm geredet, ihm mein schmerzendes Knie anvertraut, ihm mein Herz ausgeschüttet, mir die schrecklichen Erinnerungen von ihm austreiben lassen. Weinen konnte ich dennoch nicht um ihn.

Im Fernsehen kamen die 13-Uhr-Nachrichten, und mir wurde bewusst, dass ich Hunger hatte. Außer ein paar Stücken Baguette auf der Rennbahn und einem Schokoriegel im Krankenhaus hatte ich seit Freitagabend nichts mehr gegessen, und das Essen vom Freitag war über meinen Magen nicht hinausgekommen. Jetzt, wo ich daran dachte, merkte ich erst, dass ich richtig Hungerbauchweh hatte. Gegen diesen Schmerz konnte ich immerhin was tun.

Vorsichtig humpelte ich in die Küche und machte mir eine Tortilla. Man hört oft, dass Essen Trost spenden kann, und tatsächlich greifen Menschen, die unter Stress stehen, nicht nur deshalb zu Süßigkeiten wie Schokolade, weil ihnen das Energie verschafft, sondern weil es ihnen dann besser geht. In der Klinik in Bedford hatte ich es genauso gemacht. Aber noch tröstlicher war es, wenn ich das Essen selbst zubereiten konnte. Ich nahm ein paar Frühlingszwiebeln aus meinem Gemüseregal, schnitt sie in feine Streifen und briet sie mit ein wenig kaltgepresstem Olivenöl in der Pfanne. Hinten im Kühlschrank fand ich noch ein paar gekochte Kartoffeln, die ich in Scheiben schnitt und mit einem Spritzer Sojasauce zu den Zwiebeln gab. Drei Eier, dachte ich, und schlug sie einhändig in eine Glasschüssel. Ich kochte wirklich gern und fühlte mich geistig und körperlich schon erheblich besser, als ich mich aufs Sofa setzte, um mein Werk zu vollenden, indem ich es aß.

Irgendwann am Nachmittag rief Carl an.

»Gott sei Dank, da bist du ja«, sagte er.

»Ich bin seit gestern Abend hier«, erwiderte ich.

»Entschuldigung. Ich hätte früher anrufen sollen.«

»Schon gut«, sagte ich. »Ich hab dich ja auch nicht angerufen.« Mir war klar, warum. Nichts zu hören war besser, als das zu hören, was wir befürchteten.

»Wie ist es dir ergangen?«, fragte er.

»Am Knie verletzt«, sagte ich. »Man hat mich nach Bedford ins Krankenhaus gebracht und dann gestern Abend mit dem Taxi nach Hause. Und du?«

»Mir geht's gut«, sagte er. »Ich hab den Leuten auf der anderen Tribünenseite nach unten geholfen. Die Polizei hat meinen Namen und meine Adresse aufgenommen und mich nach Hause geschickt.«

»Hast du Louisa und Robert gesehen?« Mir bangte vor der Antwort.

»Gesehen habe ich beide nicht«, sagte er, »aber Robert hat heute Morgen angerufen. Er ist arg mitgenommen, aber sonst okay. Er wollte hören, ob ich weiß, was mit Louisa ist.«

»War Robert denn nicht in der Loge, als die Bombe detoniert ist?«

»Er sagt, die Bombe ging eindeutig in Loge 1 hoch, aber er war bei der Explosion in Loge 2, und die zusammengeschobene Trennwand hat ihn geschützt. Es scheint ihm aber auf die Ohren geschlagen zu sein. Ich musste schreien am Telefon.«

Das konnte ich mir vorstellen.

»Was ist mit Louisa?«, fragte ich.

»Keine Ahnung«, sagte Carl. »Ich wollte die Notfallnummer anrufen, die die Polizei angegeben hat, aber die ist dauernd besetzt.«

»Hast du über sonst jemanden was gehört?«

»Nein, nur, was im Fernsehen kam. Und du?«

»Gar nichts. Ich habe die Organisatorin aus den Staaten gesehen, MaryLou Fordham, gleich nach der Explosion.« Das Bild stand mir vor Augen. »Sie hatte die Beine verloren.«

»O Gott.«

»Ich kam mir verdammt hilflos vor«, sagte ich.

»War sie noch am Leben?«, fragte er.

»Als ich sie gesehen habe, schon. Ich weiß aber nicht, ob sie sie durchgebracht haben. Sie hatte so viel Blut verloren. Ein Feuerwehrmann hat mich dann rausgebracht und nach unten geschickt.«

Eine Weile schwiegen wir beide, so als ob wir noch einmal die Ereignisse auf der Rennbahn durchlebten.

»Was machen wir mit dem Restaurant?«, fragte Carl schließlich.

»Daran habe ich noch gar nicht gedacht«, sagte ich. »Die Küche wird ja noch versiegelt sein. Ich kümmere mich morgen darum. Jetzt bin ich zu müde.«

»Ja, ich auch. Vergangene Nacht hab ich kaum ein Auge zugetan. Ruf mich morgen früh bitte an.«

»Gut«, sagte ich. »Und du mich heute noch, wenn du was in Erfahrung bringst.«

»Mach ich«, sagte er und legte auf.

Den Nachmittag verbrachte ich im Sessel, das linke Bein mit einem Kissen darunter auf dem Beistelltisch. Da ich von den Nachrichtensendern einfach nicht loskam, sah ich mir immer wieder die gleichen neu aufgetischten Nachrichten an. Die Theorie von dem Araberprinzen gewann im Lauf des Tages zunehmend an Gewicht, vor allem, wie mir schien, weil es sonst nichts zu berichten gab und sie irgendwie die Zeit ausfüllen mussten. Nahostexperten wurden ins Studio gekarrt, um endlos lange, sinnlose Kommentare zu einer gewagten Theorie abzugeben, für die sie weder Fakten noch Beweise hatten. Mir kam der Gedanke, dass die Fernsehanstalten etlichen dieser sogenannten Experten die Gelegenheit boten, ihre eigenen extremistischen Positionen darzustellen, was sicher nicht zur Beruhigung der Lage in ihren Heimatländern beitrug. Gewaltsamer Tod und Zerstörung war für viele von ihnen offensichtlich nichts Ungewöhnliches, und einige rechtfertigten geradezu das Blutbad, indem sie sagten, der Prinz könne von Rebellen im eigenen Land als legitimes Angriffsziel betrachtet worden sein, und dass stattdessen Unschuldige zu Tode gekommen seien, sei bedauerlich ... aber nun ja, Kollateralschäden und so weiter. Mich machte das sehr wütend, aber abschalten konnte ich trotzdem nicht, denn ich wollte keine neuen Meldungen verpassen.

Irgendwann gegen fünf nickte ich ein. Ich erwachte abrupt mit dem bereits vertrauten Herzklopfen und dem nasskalten Gesicht. Ein Wiedersehen mit dem Krankenhausbett, dem fensterlosen Gang, der beinlosen MaryLou und dem Blut. O Gott, sagte ich bei mir, nicht schon wieder so eine Nacht.

Aber genauso eine wurde es.

4

MaryLou kam nicht durch.

Montag früh um sieben wurde mir wie gewohnt die *Times* an die Haustür gebracht. MaryLous Name stand schwarz auf weiß neben sechs anderen namentlich ermittelten Toten. Die übrigen Todesopfer waren noch nicht identifiziert, Angehörige noch nicht benachrichtigt. Der aktuellen Schätzung der Polizei nach waren fünfzehn Personen bei dem Anschlag getötet worden, doch gab es noch keine Gewissheit. Man versuchte noch, die Leichen zusammenzustücken.

Zu meiner Verblüffung hatte offenbar die Hälfte der Personen in und um die Logen überlebt, viele allerdings schwerverletzt, und es wurde mit weiteren Toten gerechnet.

Was mich betraf, so machte mein Knie gute Fortschritte, und am Sonntagabend war ich zum Schlafen die Treppe hinaufgehüpft, doch auch das bequeme Bett bescherte meinem schlummernden Hirn keinen Frieden. Inzwischen erwartete ich den fensterlosen Korridor schon wie den Kratzer in einer Schallplatte. Vielleicht drang die Tatsache, dass Mary-Lou tot war, ja irgendwann zu den grauen Zellen durch, aus denen die Träume kamen.

Ich setzte mich im Morgenmantel aufs Sofa und las die Berichte von vorn bis hinten. Sie erstreckten sich über sechs

Seiten, aber der Informationsgehalt war dürftig und dünn. Die Polizei hatte den Journalisten offensichtlich nicht zu viele Fakten liefern wollen, bevor ihre Erkenntnisse gesichert waren. Polizeinahe Quellen wurden zitiert, aber keine Namen genannt. Ein sicheres Zeichen dafür, dass da ein Reporter im Trüben fischte. Ich machte mir einen Kaffee und schaltete die BBC-Frühstücksnachrichten an. Über Nacht hatte die Polizei weitere Namen preisgegeben, und es wurde mit einer baldigen Pressekonferenz gerechnet. Über die man uns natürlich ausführlich berichten würde, aber »hier nun erst einmal die Sportnachrichten«.

Die Sportergebnisse wirkten irgendwie fehl am Platz, so eingerückt zwischen die plastischen Schilderungen von Tod und Verstümmelung auf der Rennbahn von Newmarket. Karl Marx meinte 1844, die Religion sei Opium fürs Volk, aber heutzutage hat der Sport im Allgemeinen und der Fußball im Besonderen diese Rolle übernommen. Also ließ ich mir auseinandersetzen, wie City United besiegt und die Rovers Albion vom Platz gefegt hatten, bevor wieder Ernsteres zur Sprache kam. Offenbar war vor jedem Sonntagsspiel eine Schweigeminute abgehalten worden. Das war nichts Außergewöhnliches. Auf dem Fußballplatz konnte auch eine Schweigeminute für den verstorbenen Hund eines Vereinsmanagers eingelegt werden. Egal zu welchem Anlass: feierlich gesenkte Köpfe am Mittelkreis machten sich immer gut.

Dachten die Leute wirklich an die unbekannten Opfer? Vielleicht waren sie einfach nur froh, dass nicht sie selbst oder ihre Angehörigen dem Anschlag zum Opfer gefallen waren. Es ist schwierig, Anteil am Schicksal von Menschen zu nehmen, mit denen man nie zu tun hatte. Empörung ja, über das, was anderen dort angetan worden war. Aber Anteilnahme? Vielleicht gerade genug für eine Schweigeminute, bevor es über neunzig Spielminuten ans Schreien und Singen ging.

Meine schweifenden Gedanken kehrten zum Bildschirm zurück, als der Polizeipräsident von Suffolk auf der vom Fernsehen übertragenen Pressekonferenz begrüßt wurde. Er saß in Uniform vor einer blauen Stellwand mit dem Sternkronenwappen der Polizei Suffolk.

»Die Untersuchung des Bombenanschlags vom Samstag auf der Rennbahn von Newmarket geht voran«, begann er. »Ich kann bestätigen, dass nach unseren derzeitigen Erkenntnissen achtzehn Menschen ums Leben gekommen sind. Wo es möglich war, haben wir die Angehörigen verständigt, doch mit den Familien einiger Opfer haben wir bisher keinen Kontakt aufnehmen können. Eine vollständige Liste der Opfer kann ich daher nicht vorlegen. Bisher sind uns vierzehn Verstorbene namentlich bekannt.«

Er verlas die Namen langsam und machte jeweils eine Kunstpause.

Einige sagten mir nichts, aber andere kannte ich nur zu gut. MaryLou Fordham stand wie erwartet auf der Liste. Ebenso Elizabeth Jennings. Rolf Schumann wurde nicht aufgeführt, und als ich schon zuversichtlich hoffte, Louisa habe überlebt, sagte der Polizeipräsident: »Und schließlich Louisa Whitworth.«

Ich saß wie betäubt da. Wahrscheinlich hätte ich darauf gefasst sein müssen. Ich hatte die Verwüstung in dem Raum ja selbst gesehen, und erstaunlich war eher, dass so viele überlebt hatten, nicht, dass Louisa umgekommen war. Da aber Robert noch lebte, hatte ich unwillkürlich gehofft, auch Louisa sei verschont geblieben.

Die Pressekonferenz ging weiter, doch ich hörte nicht richtig zu. Ich dachte an Louisa, wie ich sie zuletzt gesehen hatte, weiße Bluse, schwarzer Rock, wie sie zu den Tischen eilte und ihre Arbeit machte. Sie war ein kluges Mädchen gewesen, neunzehn erst, doch mit einer vielversprechenden Zukunft. Nach ihrem unerwartet guten Abitur hatte sie mit dem Gedanken gespielt zu studieren. Sie hatte seit September bei mir gekellnert, und sie hatte gespart, um mit ihrem Freund nach Südamerika zu gehen. Verdammt unfair, dachte ich. Hingerafft, wo doch ihr Leben erst anfing. Wie konnte jemand so etwas tun?

Im Fernsehen hielt ein anderer Polizeibeamter eine Zeichnung hoch, den Grundriss der Logen in Newmarkets Frontal-Tribüne.

»Die Bombe wurde hier deponiert«, er zeigte mit dem Finger auf eine Stelle, »in der Klimaanlage in Loge 1, über dem Hauptfenster auf der Vorderseite. Sie befand sich also zwischen den Personen in der Loge und jenen auf dem Balkon. Nach unserer Schätzung wurden zweieinhalb Kilo Sprengmaterial verwendet, eine Menge, die ausreichte, um die Gebäudekonstruktion erheblich zu beschädigen. Die meisten Opfer wurden unmittelbar durch die Explosion getötet oder verletzt, doch eine Person wurde von umherfliegendem Gebälk tödlich getroffen.«

Zur falschen Zeit am falschen Ort, aber das galt für uns alle. Der Polizeipräsident ergriff wieder das Wort.

»In den Medien wurde spekuliert, dass es sich bei dem

Bombenanschlag um ein Attentat auf einen ausländischen Staatsbürger gehandelt habe.« Er schwieg. »Es ist zu früh, um dazu etwas zu sagen, aber ich kann bestätigen, dass die Inhaber von Loge 1 mit denjenigen von Loge 6 getauscht haben. Der Tausch wurde auf Wunsch der neuen Inhaber von Loge 1 vorgenommen, weil man für eine größere Veranstaltung die Logen 1 und 2 zusammenlegen und die Trennwand herausnehmen wollte. Anfang voriger Woche wurde der Tausch beschlossen. Wie es aussieht, explodierte die Ladung mit Hilfe eines Zeitzünders. Da wir bisher nicht feststellen konnten, seit wann die Ladung vor Ort war, können wir die Möglichkeit nicht ausschließen, dass sie ihr eigentliches Angriffsziel verfehlt hat.« Wieder legte er eine Pause ein, bevor er hinzufügte: »Im Rahmen der Sicherheitskontrolle für den ausländischen Staatsbürger wurde die Klimaanlage in Loge 6 am frühen Samstagmorgen geöffnet und überprüft, und sie war leer.«

Na toll, dachte ich.

Die Pressekonferenz zog sich noch eine Weile hin, doch die Polizei hatte offensichtlich keine Ahnung, wer dahintersteckte, und keine brauchbaren Hinweise.

Mein Telefon klingelte.

»Hallo«, meldete ich mich.

»Chef?«, sagte eine Stimme. »Gary hier. Kommen Sie zur Arbeit?«

Gary war mein *Sous-Chef*, der Koch unter mir. Mein Geselle.

»Wo sind Sie?«, fragte ich.

»Im Net«, sagte er. Er nannte das Restaurant immer nur »Net«. »Aber ich kann nicht in die Küche.«

»Ich weiß«, sagte ich. Ich sah auf meine Uhr: Viertel nach zehn. Normalerweise fingen wir um zehn an. »Wer ist sonst noch da?«

»Ray, Julie und Jean, und die Aushilfen sind auch irgendwo«, sagte er. »Ach ja, und Martin«, fügte er an.

Martin, mein Barmann, hatte sich offenbar erholt. Er war derjenige, der am Freitag ins Krankenhaus gekommen war.

»Was ist mit Richard und Carl?«, fragte ich.

»Fehlanzeige«, sagte er. »Genau wie Robert und Louisa.«

Offensichtlich hatte er von Louisa noch nicht gehört.

»Setzt euch alle in die Gaststube und wartet auf mich«, sagte ich. »Martin soll euch am Tresen Kaffee machen.« Dafür musste er nicht in die Küche.

»Und die Milch?«, fragte Gary. Sie war im Kühlraum.

»Trinkt ihn schwarz. Ich bin in einer Viertelstunde da.«

Tatsächlich brauchte ich zwanzig Minuten bis zum Restaurant, nicht zuletzt, weil mein Wagen noch an der Rennbahn stand und ich ein Taxi rufen musste. Bis dahin war auch Richard angekommen, und er hatte die traurige Nachricht von Louisa überbracht. Julie und Jean weinten und trösteten einander, und Ray, Martin und Gary saßen nur stumm mit hängenden Köpfen da. Louisa war sehr beliebt in der Belegschaft gewesen, wir hatten sie gern gehabt.

Martin fragte mich nach Robert, und ich konnte ihm versichern, dass er wohlauf war. Die Stimmung verbesserte das nur wenig. Richard brachte seine Wut über die »Schweine« zum Ausdruck, die da am Werk gewesen waren. Immer wieder schlug er mit der Faust auf den Tisch, bis ich schließlich meinte, er solle erst mal an die frische Luft gehen. Durchs

Fenster sah ich ihn dann gegen einen Baum am Parkplatz treten. Er war Mitte Vierzig und mein *maître de service*, der die Gäste begrüßte und ihre Bestellungen aufnahm, während sie an der Bar schon mal etwas tranken. Louisa war die beste Schulfreundin seiner Tochter gewesen, und ich wusste, dass sie für ihn zur Familie gehört hatte. Über Richard war Louisa zum Hay Net gekommen, und jetzt fühlte er sich wahrscheinlich irgendwie verantwortlich. Seine Wut galt nicht nur den bombenlegenden »Schweinen«, sondern der ganzen Situation, die zu ihrem Tod geführt hatte.

Zu dieser fröhlichen Schar gesellte sich Carl.

»Hallo«, meinte er zu mir. »Wie geht's dem Knie?«

»Ich werd's überleben.«

»Schade.« Er lächelte gequält. Ich wusste, dass es ihn ein wenig wurmte, einen Boss zu haben, der zehn Jahre jünger war als er, noch dazu einen, der sämtliche Lorbeeren einheimste, während er selbst doch in seinen Augen den Löwenanteil an der Arbeit leistete. Da ich aber gut zahlte, blieb er.

Ich berief in der Gaststube eine Versammlung ein. Richard kam mit roten, verweinten Augen vom Parkplatz herein, Julie und Jean klammerten sich noch aneinander, während Martin sie bemutterte, und Ray und Gary saßen dicht nebeneinander und schauten mich an. Ich fragte mich plötzlich, ob sie ein Paar waren. Unsere beiden Küchenhilfen hatten sich irgendwohin verzogen, aber um sie machte ich mir keine Gedanken.

»Das mit Louisa ist einfach furchtbar, und ich weiß, dass wir wegen ihres Todes alle wütend und verstört sind.« Richard nickte heftig. »Dieses Wochenende war für alle in

72

Newmarket ein Graus und erst recht für uns, die wir mit der Veranstaltung am Samstag zu tun hatten.«

»Ich habe Schuldgefühle«, sagte Richard dazwischen.

»Warum Schuldgefühle?«, fragte ich.

»Weil ich für Samstag auch eingeteilt war«, sagte er, »aber nicht hingegangen bin, weil mir am Freitagabend so schlecht war. Wenn ich da gewesen wäre, hätte ich sie vielleicht retten können.« Er fing wieder an zu weinen.

»Richard«, sagte ich, »Sie dürfen sich keine Vorwürfe machen. Wären Sie da gewesen, wären Sie jetzt vielleicht auch tot.«

Er sah mich an, als wüsste er das und wäre trotzdem lieber da gewesen.

»Martin und mir war am Freitagabend auch übel«, sagte Jean. »Ich hab einen Krankenwagen gerufen, weil es ihm so schlecht ging.«

»Ich sollte am Samstag ja auch auf der Rennbahn sein«, sagte Martin, »aber ich bin erst gegen eins aus der Klinik entlassen worden, und da war es schon zu spät.« Er blickte mich an, als ob er sich von mir Bestätigung erhoffte.

»Völlig klar, Martin«, sagte ich. »Wenn einer so krank ist, erwarte ich nicht, dass er arbeiten kommt.« Man sah ihm die Erleichterung an.

»Mir war auch schlecht«, warf Julie mit ihrer hohen Stimme ein.

»Uns auch«, sagte Gary und wies auf sich und Ray. Vielleicht hatte ich recht mit den beiden. »Ich war auch für Samstag eingeteilt«, fuhr Gary fort, »aber es ging mir zu schlecht. Tut mir leid, Chef.«

»Schon okay«, sagte ich und sah ihn an. »Ich glaube, wir

haben uns am Freitagabend alle eine Lebensmittelvergiftung geholt, und die meisten Gäste des Galadiners auf der Rennbahn auch.«

Die Ungeheuerlichkeit dieser Worte tat ihre Wirkung.

»Ist deshalb die Küche versiegelt?«, fragte Gary.

»Ja.« Ich erklärte ihnen die Lage, soweit ich konnte. Ich sagte ihnen, dass offenbar jemand an Lebensmittelvergiftung gestorben war, dass ich aber noch nicht wusste, wer. Auch versicherte ich ihnen, dass ich mich um einen baldigen Termin für die Kücheninspektion bemühen würde, damit wir so schnell wie möglich wieder aufmachen könnten. »Louisa hätte das auch gewollt«, sagte ich. Davon war ich überzeugt, und alle nickten zustimmend.

»Gut«, sagte ich, »jetzt könnt ihr alle nach Hause gehen, seid bitte morgen früh um zehn wieder hier. Ich kann zwar nicht versprechen, dass wir dann wieder arbeiten können, aber ich bemühe mich darum. Wir werden sehen, wann Louisa beerdigt wird, dann machen wir zu, damit wir alle zum Begräbnis gehen können. Vielleicht sollten wir Louisas Eltern anbieten, den Beerdigungskaffee hier im Restaurant abzuhalten?«

Wieder nickten sie alle.

»Das übernehme ich, wenn Sie wollen«, erbot sich Richard.

»Ja, bitte«, sagte ich. »Sagen Sie ihnen, dass sie es auch gern woanders machen können, dass wir aber auf jeden Fall kostenlos das Catering übernehmen.«

Richard lächelte. »Danke, mach ich.«

Das Telefon klingelte auf dem Tisch in der Ecke, und Carl ging dran. Er hörte ein wenig zu und sagte dann: »Danke, dass Sie uns Bescheid gegeben haben.« Er legte auf.

»Eine Stornierung«, sagte er. »Für heute Abend.«

»Auch gut«, sagte ich.

»Ich ruf mal die anderen Reservierungen an«, sagte Carl. »Die Nummern dürften wir ja haben.«

»Okay«, sagte ich, um einen sachlichen, optimistischen Ton bemüht. »Das wär's dann, die Versammlung ist aufgelöst. Wenn mich jemand sprechen will, ich bin in meinem Büro und versuche den Laden wieder zum Laufen zu bringen.«

Ich nannte es zwar mein Büro, aber es wurde von allen genutzt. Martin war zuständig für die Bar und für sämtliche Getränke, auch im Restaurant, obwohl letztlich ich entschied, welche Weine auf die Karte kamen. Carl kümmerte sich um die Lebensmittel- und Zubehörbestellungen. An der einen Bürowand hingen drei Reihen mit je sieben Haken. An jedem Haken hing eine große Krokodilklemme. Die sieben Haken standen jeweils für einen Tag der Woche, Montag bis Sonntag. Die obere Reihe war für Bestelllisten bestimmt, die mittlere für Bestelltes und die untere für Lieferscheine zu eingegangenen Bestellungen.

Donnerstags und freitags kam meine Halbtags-Buchhalterin Enid, um Lieferscheine, Bestellungen und Rechnungen miteinander abzugleichen. Dann wurden die Rechnungsbeträge überwiesen, die Einnahmen gezählt und zur Bank gebracht und die Löhne und Nebenkosten ausbezahlt. Das System war denkbar schlicht, funktionierte aber gut: Nur selten gingen uns Zutaten, Servietten oder Ähnliches aus, und vom ersten Jahr an hatten die Einnahmen die Betriebsausgaben weit überstiegen, wir machten also Gewinn. Einen stattlichen Gewinn sogar.

Ich setzte mich an den Schreibtisch und legte Papiere aufeinander, um etwas Platz zu schaffen. Notizen und Rezepte zur Ergänzung der Speisekarte lagen überall herum. Wir boten zwar jeden Tag die gleichen Speisen an, da es meinen Stammgästen missfiel, wenn ihr Leibgericht nicht zu haben war, aber zumeist setzten wir ein oder zwei Tagesangebote hinzu. Weil ich nicht wollte, dass die Kellner wie so oft in amerikanischen Restaurants die Tagesangebote laut hersagten, druckten wir täglich neue Karten, auf denen die Tagesangebote in fetter Schrift hervorgehoben waren.

Ich kramte in meiner Tasche und zog Angela Milnes Karte heraus.

»Angela Milne«, sagte sie beim ersten Klingeln.

»Hallo Angela«, sagte ich, »Max Moreton hier.«

»Das trifft sich gut«, sagte sie. »Ich hatte vor, Sie anzurufen.«

»Wer ist gestorben?«, fragte ich.

»Was, an der Vergiftung?«, sagte sie. Ich wünschte, sie hätte es nicht so genannt.

»Natürlich«, sagte ich.

»Nun, es sieht so aus, als ob der fragliche Todesfall nicht mit den Ereignissen vom Freitag in Zusammenhang steht.«

»Erklären Sie mir das bitte genauer.«

»Wie Sie sich vorstellen können, herrscht nach dem Bombenanschlag auf der Rennbahn ein ziemliches Chaos. Grauenhaft, was? Ich habe mir sagen lassen, dass die Rechtsmedizin etwas überfordert ist. Sie kommen mit den Obduktionen nicht nach. Das Krankenhaus hat einen Kühltransporter angefordert, der vorübergehend als Leichenhalle dient.«

So genau wollte ich auch wieder nicht Bescheid wissen.

»Und was ist nun mit dem Toten vom Freitagabend?«, fragte ich.

»Das scheint ein natürlicher Tod und keine Lebensmittelvergiftung gewesen zu sein.«

»Was meinen Sie damit?«, fragte ich etwas gereizt im Gedanken an meine versiegelte Küche.

»In der Notaufnahme des Krankenhauses meldete sich am Freitagabend ein Mann mit Unterleibsschmerzen, Übelkeit und heftigem Erbrechen, alles wies also auf eine Vergiftung hin.« Sie schwieg. »Er kam allein ins Krankenhaus, aber zeitgleich mit mehreren anderen Notfällen, und da er dieselben Symptome zeigte, ging man davon aus, dass er an denselben Problemen litt. Der Patient starb Samstagfrüh um halb acht, und ein junger Klinikarzt verständigte die Lebensmittelaufsicht unter ihrer Londoner Notrufnummer, worauf ein übereifriger kleiner Beamter die Schließung der Küche anordnete.« Sie schwieg erneut.

»Ja«, half ich nach, »bitte weiter.«

»Ich weiß nicht recht, ob ich Ihnen das alles erzählen sollte«, meinte sie.

»Wieso nicht?«, gab ich zurück. »Meine Küche ist ja deswegen geschlossen worden.«

»Ja, ich weiß. Das tut mir leid.«

»Woran ist der Mann denn gestorben?«, fragte ich.

»Die Obduktion steht noch aus, aber er dürfte an einer Darmperforation gestorben sein.«

»Was ist das?«, fragte ich.

»Wie der Name sagt, ein Loch im Darm, durch das sich der Darminhalt in die Bauchhöhle ergießt. Führt, wie man mir erklärte, zur Entzündung des Bauchfells und zum Tod, wenn es nicht rasch behandelt wird.«

»Der Mann ist also an Bauchfellentzündung gestorben?«

»Ich weiß es nicht«, erwiderte sie. »Die Obduktion steht wie gesagt noch aus. Seine Familie sagt jetzt aber, dass er an Morbus Crohn erkrankt war, das ist eine Darmentzündung, und dass er seit mehreren Tagen über Schmerzen im Unterleib geklagt hatte. Morbus Crohn kann zu Darmverstopfung führen und dadurch zur Perforation.«

»Warum ist er denn nicht früher zum Arzt gegangen?«, fragte ich.

»Das weiß ich nicht – anscheinend hat er sich oft mit Bauchschmerzen herumgeplagt. Er wird aber wohl kaum an einem Diner auf der Rennbahn teilgenommen haben, wenn es ihm so schlecht ging, dass er im Krankenhaus behandelt werden musste.«

»Meine Küche ist also raus aus der Sache?«, fragte ich.

»Das würde ich wieder nicht sagen«, antwortete sie. »Es gab ja tatsächlich Fälle von Lebensmittelvergiftung, auch wenn der Tote nichts damit zu tun hatte.«

»Das Essen wurde aber nicht in unserer Küche zubereitet, ja es hat sich gar nie im Restaurant befunden.«

»Das weiß ich wohl.«

»Dann lassen Sie doch bitte die Vorhängeschlösser entfernen.«

»Erst muss die Küche untersucht werden«, sagte sie.

»Bitte sehr. In dieser Küche könnte man vom Fußboden essen, so sauber ist sie. Lassen Sie Ihre Inspekteure heute noch antreten, damit ich das Restaurant wieder aufmachen kann. Wenn ich bloß schon daran denke, was diese Schilderflut, ›Wegen Dekontaminierung geschlossen‹, alles angerichtet hat.«

»Ich werde tun, was ich kann.«

»Gut«, sagte ich. »Sonst würde ich vielleicht mal Lärm schlagen wegen der Ärzte, die da eine Lebensmittelvergiftung nicht von einer Bauchfellentzündung unterscheiden können.«

»Ich glaube, da ist Ihnen seine Familie schon zuvorgekommen.«

Na, hoffentlich.

»Mit der Kücheninspektion ist die Sache also erledigt?«, fragte ich.

»Nicht ganz«, sagte sie. »Vom Gesundheitsamt Cambridgeshire aus steht der Wiedereröffnung Ihrer Küche nichts mehr im Weg, wenn sie bei der Kontrolle durchgeht, aber trotzdem muss noch untersucht werden, was die Leute am Freitagabend vergiftet und ins Krankenhaus gebracht hat.«

»Aber die Küche vom Freitag gibt's nicht mehr und Essensreste auch nicht, was wollen Sie da denn noch untersuchen?«, fragte ich. Es schien mir besser, ihr vorläufig nichts davon zu sagen, dass von meinen Mitarbeitern nur die beiden nicht erkrankt waren, die das Vegetariermenü gegessen hatten. Es war nicht so, dass ich eine Ermittlung behindern wollte – ich wollte lediglich keine auslösen.

»Von den im Krankenhaus Behandelten gibt es Proben ihres Erbrochenen und ihres Stuhls«, sagte sie. »Die werden noch analysiert.«

Reizende Beschäftigung, dachte ich, in der Kotze und im Dünnpfiff anderer Leute zu stochern. Nichts für mich. »Und wann kann ich mit den Ergebnissen rechnen?«, fragte ich.

»Die Ergebnisse sind für mich, nicht für Sie bestimmt«, sagte sie im besten Oberlehrerinnenton.

»Aber Sie geben mir doch Bescheid, oder?«, fragte ich.

»Unter Umständen«, sagte sie mit einem Anflug von Belustigung. »Sofern sich keine Gründe zur Strafverfolgung ergeben. In dem Fall erfahren Sie das Ergebnis, wenn die Polizei kommt und Sie festnimmt.«

»Oh, danke.«

Wir legten in gutem Einvernehmen auf. Bei meinem Gewerbe war es wichtig, dass ich mir Angela Milne zur Freundin, nicht zur Feindin machte.

Carl fuhr mich zur Rennbahn, meinen Wagen abholen. Mein Golf war nicht das einzige Fahrzeug auf dem Personalparkplatz. Ein alter, verbeulter grüner Mini stand noch da. Es war Louisas Wagen.

»O Gott«, sagte Carl. »Was machen wir denn damit?«

»Ich geb der Polizei Bescheid«, sagte ich. »Soll die sich drum kümmern.«

»Gute Idee«, meinte er, sichtlich froh, dass ich das übernehmen wollte.

Wir blieben einen Moment sitzen und schauten auf den traurigen kleinen Mini. Er war Louisas ganzer Stolz gewesen. Jetzt musste ich an ein Pendlerzugunglück in Westlondon denken, bei dem die Identität einiger verkohlter Opfer festgestellt wurde, indem man die Kfz-Kennzeichen der Autos überprüfte, die am Abend noch unabgeholt auf dem Parkplatz am Bahnhof Reading standen.

Ich stieg aus Carls Wagen.

»Heute Nachmittag fahre ich noch mal zum Restaurant

und mach die neue Speisekarte fertig«, sagte ich. »Wir sehen uns morgen früh.«

»Vielleicht komme ich auch noch mal«, sagte er. »Hab sonst nichts zu tun.«

»Okay, dann bis nachher, aber ich will erst noch nach Hause.«

»Gut«, sagte er. Ich warf die Wagentür zu, und er fuhr davon.

Ich stand da und blickte über die Hecke zur Tribüne. Alles war ruhig bis auf einen Polizeiposten und ein flatterndes blauweißes Band, das hinten vor die Tribüne gespannt war, vermutlich, damit sich keiner hinein verirrte und an dem als Tatort zu betrachtenden Inneren etwas veränderte. Ich nahm an, dass auf der Vorderseite und im Gebäude selbst mehr los war, da die Spurensicherung wahrscheinlich noch nach Bombensplittern suchte. Ich humpelte zu dem Wachtposten hinüber und machte ihn darauf aufmerksam, dass auf dem Parkplatz ein Wagen stand, der einem der Opfer, Louisa Whitworth, gehört hatte. »Danke, Sir«, sagte er und versprach, es an die zuständige Stelle weiterzuleiten, damit der Wagen den Angehörigen übergeben wurde. Ich konnte mir vorstellen, dass sie im Augenblick andere Sachen im Kopf hatten.

Den Gedanken, ihn zu fragen, ob es etwas Neues gab, verwarf ich, denn wenn er etwas wusste, hätte er es mir doch nicht gesagt. Ich winkte ihm zum Abschied, ging zu meinem Wagen, fuhr davon und ließ den kleinen grünen Mini allein auf dem Rasen zurück.

Zu Hause nahm ich ein paar Tabletten, um die Schmerzen im Knie zu betäuben. Ich hatte es viel zu lange mit Gehen und Stehen beansprucht, und dagegen protestierte es. Ich legte mich eine Weile aufs Sofa, um die Tabletten wirken zu lassen, dann fuhr ich zur nahegelegenen Tankstelle, um zu tanken und die Lokalzeitung zu kaufen. Auf den Straßen war es sehr ruhig, und Barbara, die mittelalterliche Frau von der Tankstelle, die meine Kreditkarte durchzog, versicherte mir, die ganze Stadt stehe unter Schock. Haarklein erzählte sie von ihrem Einkauf im Supermarkt, den sie noch nie so leer gesehen habe. Und die paar Kunden, die dort waren, hätten sich nur im Flüsterton unterhalten, als fürchteten sie, die Ruhe der Toten zu stören.

Ich gab meine PIN ein und machte, dass ich wieder zu meinem Wagen kam, wo ich mich erst einmal hinsetzte und las, was die *Cambridge Evening News* über den Bombenanschlag berichtete. Das Foto auf der Titelseite zeigte die mit blauer Plane abgedeckte Tribüne, und die Schlagzeile lautete »Mord auf der Rennbahn«. Während die Polizei nur die Namen von vierzehn der achtzehn Toten genannt hatte, führte die Zeitung sie alle auf und nannte auch die Namen vieler Schwerverletzter. Offensichtlich hatte das Blatt gute Verbindungen zu den örtlichen Krankenhäusern und zur Polizei.

Ich sah die Namenslisten durch. Acht der Todesopfer waren amerikanische Mitarbeiter von Delafield Industries, darunter MaryLou Fordham. Elizabeth Jennings zählte ebenso zu den Toten aus Newmarket wie Louisa und vier andere, darunter ein Ehepaar, das regelmäßig im Hay Net zu Gast gewesen war. Von den übrigen vier Opfern waren mir drei bekannt – ein Trainer aus Lambourn, seine Frau und ein erfolgreicher irischer Geschäftsmann, der ein Großteil seines

Vermögens in superschnelle Vollblutpferde investiert hatte. Auf der Liste der Schwerverletzten, die noch lebten, standen neben Rolf Schumann, dem Präsidenten von Delafield, fünf oder sechs Namen, die ich aus der Rennwelt kannte. Die Zeitung brachte auch Fotos von einigen der nichtamerikanischen Toten und Verletzten, zumal jenen, die dem hiesigen Galopprennsport verbunden waren. Ein schrecklicher Verlust, dachte ich. Das waren nette, arbeitsame Menschen, die es nicht verdient hatten, von irgendeinem anonymen Bombenleger getötet oder verstümmelt zu werden, den womöglich ein politischer Eifer trieb, der mit der verschworenen Anhängerschaft des Sports der Könige nicht das mindeste zu tun hatte. Klar gab es Rivalitäten im Rennsport. Konkurrenzdenken und Siegeswillen konnten mitunter zu Gaunereien, Regelverstößen und Rechtsverdrehungen führen, aber dass Unschuldige ermordet und verstümmelt wurden, so etwas geschah anderswo auf der Welt, nicht in unserer gemütlichen kleinen Stadt in Suffolk am wichtigsten Renntag des Jahres. Würde es hier je wieder wie früher sein?

Ich schaute die Zeitung noch einmal durch, um zu sehen, ob mir irgendwelche Informationen entgangen waren. Auf Seite 5 prangte eine zweieinhalb Zentimeter hohe Schlagzeile: FREUNDE DES RENNSPORTS VERGIFTET VOM HAY NET – EIN TOTER.

Ach du Scheiße!

Der Bericht selbst war nicht ganz korrekt und bestand zu einem wesentlichen Teil wohl aus Mutmaßungen, war aber nah genug an der Wahrheit, um uns zu schaden. Zweihundertfünfzig Gäste einer Rennbahngala, hieß es, seien durch die Küche des Starkochs Max Moreton vom Hay Net vergiftet worden. Ferner hieß es, eine Person sei gestorben, fünfzehn weitere seien ins Krankenhaus gekommen. Das Hay Net sei wegen Dekontaminierung geschlossen worden. Der Ton des Ganzen war entschieden unangenehm.

Neben dem Artikel war das Schild abgelichtet, das vor meinem Restaurant hing – unter dem schrägsitzenden Aufkleber »Kein Zutritt – wegen Dekontaminierung geschlossen« war der Schriftzug »Hay Net« deutlich zu sehen.

Ach du Scheiße, dachte ich erneut. Das war nun wirklich nicht gut fürs Geschäft.

5

Wie versprochen setzte Angela Milne alle Hebel in Bewegung, damit noch am Montagnachmittag meine Küche kontrolliert wurde. Der Kontrolleur, ein kleiner Mann mit Anzug und dunkel gerahmter Brille, traf gegen Viertel vor fünf ein. Gleich auf dem Parkplatz zog er einen weißen Kittel über und setzte einen luftigen weißen Trilby auf.

»Tag«, sagte er, als ich zu ihm hinauskam. »Mein Name ist Ward. James Ward.« Ich gab ihm die Hand und dachte schon, er würde nachsehen, ob ich einen Schmutzrand auf seinem Handteller hinterlassen hatte, aber das tat er nicht.

»Max Moreton«, sagte ich.

»Ja«, sagte er. »Ich weiß. Ich kenne Sie aus dem Fernsehen.«

Er lächelte. Das ließ sich doch gut an.

»So«, sagte er, »wo ist denn die Küche?«

Ich machte eine Handbewegung, und mit knirschenden Schritten gingen wir über den Schotter zur Hintertür.

»Haben Sie die Schlüssel dabei?«, fragte ich.

»Was für Schlüssel?«, sagte er.

So gut ließ sich's nun auch wieder nicht an.

»Für die Vorhängeschlösser«, antwortete ich. »Die beiden Männer, die am Samstag hier alles dichtgemacht haben, sagten, der Kontrolleur würde die Schlüssel mitbringen.«

»Tut mir leid«, meinte er. »Davon hat man mir nichts gesagt.«

Ich konnte mir vorstellen, dass meine Nichtfreunde, die Dichtmacher, es nicht für nötig gehalten hatten, sich mit irgendwem abzusprechen. Wahrscheinlich hatten sie die Schlüssel in den Cam geworfen.

»Was machen wir jetzt?«, fragte Mr. Ward.

»Haben Sie ein Brecheisen?«, fragte ich.

»Nein, aber einen Wagenheber habe ich im Auto.«

Mehrere Anläufe waren nötig, aber schließlich riss es den Beschlag mit dem Krachen splitternden Holzes aus dem Türrahmen. Keine Frage, dass ich sowohl für diesen Schaden als auch für das schlüssellose Schloss würde aufkommen müssen.

Die Inspektion war gründlich: James Ward schaute buchstäblich in jede Ritze. Er fuhr mit dem Finger oben an den Abzughauben entlang, guckte nach Rückständen in den großen Ausgüssen und führte sogar ein Wattestäbchen durch den winzigen Spalt zwischen der eingebauten Bratpfanne und der Arbeitsfläche. Der Spalt war sauber. Ich wusste, dass er sauber war. Der Spalt war extra dazu da, dass Kontrolleure ihn entdeckten und überprüften. Ich ließ ihn täglich säubern für den Fall, dass unangemeldeter Besuch kam.

»Gut«, sagte er schließlich. »Alles hübsch sauber. Natürlich lasse ich die Stäbchen morgen noch auf Bakterien untersuchen.« Er wies auf die mittlerweile in Plastikbeuteln verstauten Wattestäbchen, mit denen er nicht nur über den Spalt um die Bratpfanne, sondern auch über die Arbeitsflächen, die Schneidbretter, die Spülbecken und alles, was ihm sonst noch angebracht erschien, gestrichen war.

»Aber die Küche ist jetzt wieder offen?«, fragte ich.

»Sicher«, sagte er. »Ich habe mit Angela Milne gesprochen. Von ihr aus dürfen Sie gern wieder öffnen, wenn ich mit der Küche zufrieden bin, und das bin ich, vorausgesetzt, ich erlebe hiermit keine Überraschung.« Er hielt die Stäbchen hoch. »Aber das glaube ich nicht. Ich habe schon viele Küchen kontrolliert, und so sauber war noch selten eine.«

Ich war froh. Die Küche musste sauber sein, darauf hatte ich schon immer Wert gelegt, und nicht nur, damit sie Inspektionen standhielt. Auf allen Speisekarten lasen meine Kunden, dass sie gern die Küche besichtigen durften. Viele folgten der Einladung. Alle meine Stammkunden hatten sie sich irgendwann angesehen, und einer ließ es sich nicht nehmen, jedes Mal mit seinen Gästen zu mir oder zu Carl und Gary zu kommen. Ich hatte auch mit dem Gedanken gespielt, einen »Cheftisch« in die Küche zu stellen, an welchem Gäste uns bei der Arbeit zuschauen könnten, während sie aßen. Weil aber mein mit den Jahren aufgehender Stern mich immer öfter in der Woche aus dem Haus führte und weil abzusehen war, dass die Gäste enttäuscht und unzufrieden sein würden, wenn ich nicht persönlich da war, fand ich es alles in allem doch einfacher, sie nur in der Gaststube essen zu lassen.

Ich dankte James Ward und komplimentierte ihn zu seinem Wagen und raus auf die Straße. So freundlich und hilfsbereit er auch gewesen war, Gesundheitsinspektoren sind jedem Küchenchef ein Graus, und es freute mich, dass er endlich abdampfte.

Carl und ich verbrachten die nächste Stunde damit, die WEGEN DEKONTAMINIERUNG GESCHLOSSEN-Sticker zu entfernen, die sämtlich mit Sekundenkleber angepappt zu sein schienen. Danach bemühten wir uns, die verbliebenen Vorhängeschlösser möglichst gebäudeschonend zu entfernen. Als das vollbracht war, setzten wir uns an die Bar und gönnten uns ein Bier.

»Morgen öffnen wir also wieder?«, fragte Carl.

»Falls wir noch Kunden haben«, sagte ich.

Ich zeigte ihm die Zeitung.

»Ach was«, meinte er. »Das liest doch keiner, der zu uns kommt.«

»Heute schon«, sagte ich. »Genau wie ich werden sie das Blatt gekauft haben, um etwas über die Toten vom Samstag zu erfahren. Alle werden es gesehen haben.«

»Keine Sorge, unsere Stammgäste vertrauen eher uns als dem, was in der Zeitung steht.« Aber es klang nicht sehr überzeugend.

»Die meisten unserer Stammgäste waren auf dem Diner am Freitag und wissen, dass es stimmt«, sagte ich, »weil sie sich die ganze Nacht übergeben haben.«

»Ah, das hatte ich vergessen.«

»Was ist mit denen, die du angerufen hast?«, fragte ich ihn. »Denen du mitteilen wolltest, dass wir heute Abend geschlossen haben, meine ich.«

»Na ja, die meisten sagten, sie hätten sowieso nicht vorgehabt zu kommen.«

»Haben sie einen Grund genannt?«, fragte ich.

»Wenn du meinst, ob sie gesagt haben, sie kämen nicht, weil wir eine Art Giftküche seien – nein. Nur einer, eine Frau, hat das angesprochen und gesagt, sie und ihr Mann wollten zu Hause bleiben, weil sie sich noch nicht ganz von einer Lebensmittelvergiftung erholt hätten. Die meisten sagten nur dem Sinn nach, sie hielten es für unangebracht, essen zu gehen, ehe die Toten von der Rennbahn noch kalt sind, oder etwas in der Richtung.«

Wir tranken schweigend unser Bier aus. Der Gedanke an die in dem abgestellten Kühltransporter liegenden Leichen war mir den halben Tag im Hinterkopf herumgespukt.

Ich rief Mark Winsome an. Mein stiller Teilhaber, fand ich, sollte langsam wissen, dass uns ein bisschen Ärger bevorstand. Aufmerksam hörte er sich die ganze Geschichte vom Freitagabend und dem Anschlag am Samstag an. Von der Bombe hatte er natürlich schon gehört, aber er hatte nicht geahnt, wie nah seine Geldanlage daran gewesen war, ins Gras zu beißen.

»Das mit Ihrer Kellnerin tut mir leid«, sagte er.

»Danke«, erwiderte ich. »Ihren Kollegen hier ist es sehr zu Herzen gegangen. Ich hab sie heute Morgen alle nach Hause geschickt.«

»Aber morgen hat das Restaurant wieder geöffnet, sagen Sie?«

»Ja. Ich glaube aber kaum, dass viel Betrieb sein wird, nicht nur wegen der Lebensmittelvergiftung, sondern weil die ganze Gegend unter Schock steht. Da geht keiner essen.«

»Sie hätten diese Woche also etwas Zeit?«, fragte er.

»Na ja, für diejenigen, die es hierher verschlägt, sollte ich schon da sein«, sagte ich. »Wieso?«

»Ich finde, es wird Zeit, dass Sie nach London kommen.«

»Was, zu Ihnen?«

»Nein. Also, natürlich würde ich mich freuen, Sie zu sehen. Aber eigentlich meinte ich, es wird Zeit, dass Sie sich in London niederlassen.«

»Und das Restaurant?«

»Das meine ich ja«, sagte er. »Es wird Zeit, dass Sie ein Restaurant in London eröffnen. Ich habe Ihnen sechs Jahre Zeit gelassen, und ich denke, jetzt sind Sie so weit.«

Ich saß in meinem Büro und starrte an die Wand. Ich hatte Mark mit einem ganz mulmigen Gefühl angerufen, weil ich befürchtete, er könnte mir übelnehmen, dass ich allem Anschein nach einen erheblichen Teil der Society von Newmarket vergiftet und damit seine Investition geschädigt hatte. Stattdessen bot er mir – was an? Ruhm und Reichtum, vielleicht aber auch Reinfall und Prestigeverlust. Zumindest bot er mir die Gelegenheit, das herauszufinden.

»Sind Sie noch da?«, fragte Mark schließlich.

»Mhm«, machte ich.

»Gut, dann kommen Sie doch gegen Ende der Woche mal vorbei.« Er hielt inne. »Wie wär's mit Freitag? Lunch am Freitag? Im Goring?«

»Okay«, sagte ich.

»Gut«, meinte er wieder. »Um eins an der Bar.«

»Okay«, wiederholte ich, und er legte auf.

Ich dachte eine Weile darüber nach, was die Zukunft bringen könnte. Ohne Frage war das Hay Net in der Gegend recht bekannt, und zumindest bis vorigen Freitagabend hatte es einen guten Namen gehabt. Ja, wir waren inzwischen so beliebt, dass man weit vorausplanen musste, um sich einen Tisch zu sichern, besonders am Wochenende. Voriges Jahr hatten einige Illustrierte über mich berichtet, und im Herbst hatten wir ein Fernsehteam der BBC zu Gast gehabt. Das Hay Net war gefragt, gemütlich, und es machte Spaß, dort zu essen. Vielleicht lief das alles schon etwas zu glatt, aber ich fühlte mich wohl als Teil der Rennwelt, der Welt, in der ich aufgewachsen war. Ich mochte die Menschen, und sie mich offenbar auch. Ich genoss das Leben.

War ich bereit, die ländliche Gemütlichkeit aufzugeben und mich in die brutale Welt der Hauptstadt-Gastronomie zu stürzen? Konnte ich es mir leisten, diesem Erfolg den Rücken zu kehren, um mich mit den besten Küchenchefs von London zu messen? Konnte ich es mir leisten, das nicht zu tun?

Die Nacht war etwas weniger unruhig als die vorhergehende, und der Traum wurde mehrfach abgewandelt. Mary-Lou, die immer wieder das Bett schob, verwandelte sich dabei mitunter in ein beinloses Skelett. Mehr als einmal schob auch Louisa das Bett, und sie hatte ihre Beine noch. Worauf der Traum ruhig endete statt im freien Fall und mit klopfendem Herzen. Insgesamt schlief ich mehr Stunden, als ich wach lag, und war einigermaßen erfrischt, als mich der laute Wecker um Viertel vor acht aus dem Schlaf riss.

Ich blieb noch ein wenig liegen und dachte über das nach, was Mark am vergangenen Nachmittag gesagt hatte. Die Aussicht, zu den Großen der Gastronomie zu stoßen, war einerseits unglaublich aufregend, andererseits auch beängstigend. Aber welch eine Chance!

Das Klingeln meines Telefons auf dem Nachttisch holte mich auf die Erde zurück.

»Hallo«, sagte ich.

»Max, sind Sie das?«, fragte eine Frauenstimme. »Suzanne Miller hier.«

Suzanne Miller, die Geschäftsführerin des Rennbahnrestaurants.

»Morgen, Suzanne«, sagte ich. »Was kann ich so früh für Sie tun?« Es war fünf nach halb neun.

»Ja, entschuldigen Sie, dass ich Sie zu Hause anrufe«, sagte sie, »aber ich glaube, wir haben ein Problem.«

»Wieso?«

»Es geht um vergangenen Freitag«, sagte sie. Das wunderte mich nicht. »Anscheinend waren einige Gäste des Galadiners hinterher krank.«

»Ah ja?«, fragte ich mit gespielter Überraschung. »Und Sie und Tony?« Tony war ihr Mann; sie hatten beide an dem Empfang teilgenommen.

»Uns ging es gut«, sagte sie. »Es war ein reizender Abend. Aber so große Feiern zehren mir an den Nerven. Ich habe immer Angst, es könnte was schiefgehen.«

Dabei hat ihr Restaurant noch nicht mal gekocht, dachte ich, wenn es auch für die Gästeliste und alles Organisatorische verantwortlich war.

»Und wo liegt das Problem?«, fragte ich unschuldig.

»Heute Morgen habe ich einen Brief bekommen. Und zwar …« Ich hörte Papier rascheln. »Sehr geehrte Mrs. Miller, hiermit weisen wir Sie darauf hin, dass unsere obengenannte Klientin, die bei einem am Freitag, dem 4. Mai, auf der Rennbahn Newmarket von Ihrem Restaurant ausgerichteten Diner eine Vergiftung davongetragen hat, Ihr Unternehmen wegen erlittener Schmerzen und Verdienstausfalls auf Schadenersatz verklagen wird.«

50. Todestag
Raymond Chandler

Der Meister des Kriminalromans – der Erfinder von Philip Marlowe

*»Ich sehe Marlowe
eigentlich immer auf einer
einsamen Straße,
in einsamen Räumen, ratlos,
doch nie ganz geschlagen.«*

Raymond Chandler

detebe 23900, ca. 1920 Seiten
ca. € (D) 55.–/sFr 100.–*/€ (A) 56.60
März

Raymond Chandler
Der große Schlaf
Roman · Diogenes

27.70

detebe 20132, 208 Seiten
ca. € (D) 8.90/sFr 15.90*/€ (A) 9.20
März

Zuerst scheint alles ganz
harmlos, doch dann wird
Philip Marlowe in brutale
Abenteuer – Mordfälle, Schlä-
gereien, Verführung, Erpressung – verstrickt.

Auch als Diogenes Hörbuch

Bestellnummer: 95199-8/50 Exemplare

Illustration Titelseite: © Tomi Ungerer/Bild Rückseite: © Weegee/Getty Images

Neue
Diogenes
Bücher

Frühjahr 2009

*»Wer Bücher kauft,
kauft Wertpapiere.«*

Erich Kästner

> »Joey Goebel baut starke klare Bilder auf, die ihren Zynismus durch Knappheit und Tempo bekommen.«
> *Kurier, Wien*

> Ein Roman, so verrückt wie unsere Welt, mit dem Charme, Witz und Tempo einer Billy-Wilder-Komödie! Und eine hinreißende Liebesgeschichte.

Joey Goebel
Heartland

Roman · Diogenes

720 Seiten, Leinen
ca. € (D) 22.90/sFr 40.90*/€ (A) 23.60
März

Was haben Biertrinker und Wrestlingfans mit der großen Politik in Washington zu tun?
Antwort: alles – Stimmen entscheiden, wer gewählt wird. John Mapother, Sohn der mächtigsten Familie im Provinznest Bashford, will in den amerikanischen Kongress, er hat nur keine Ahnung von der Welt seiner Wähler. Die hat aber sein jüngerer Bruder Blue Gene, das schwarze Schaf der Familie.
Ein großer amerikanischer Roman, hochintelligent, voller Witz und Melancholie.

Joey Goebel
Freaks

Roman · Diogenes

detebe 23662, 208 Seiten
€ (D) 8.90/sFr 15.90*/€ (A) 9.20
lieferbar

»*Freaks* erzählt die freche Geschichte des atemlosen Aufstiegs der gleichnamigen Band. Die Charaktere der fünf verrückten, individualistischen Bandmitglieder reichen vom Dante-Leser über den irakischen Ex-Soldaten bis zur Ex-Stripperin. Joey Goebels zweites Werk ist witzig und lesenswert.«
Bücher, Essen

Joey Goebel
Vincent

Roman · Diogenes

detebe 23647, 448 Seiten,
€ (D) 9.90/sFr 17.90*/€ (A) 10.20
lieferbar

Kunst kommt von Kummer: Der hochbegabte Vincent wird von seinem ›Beschützer‹ Harlan zu Hochleistungen getrieben. Je tiefer Vincent im Kummer versinkt, desto höher seine Kunst. Bringt er es fertig, trotzdem ein glücklicher Künstler zu werden?
»Grandios.«
Galore, Dortmund

Auch als Diogenes Hörbuch

Jakob Arjouni
Chez Max

Roman · Diogenes

detebe 23651, 224 Seiten
€ (D) 8.90/sFr 15.90*/€ (A) 9.20
lieferbar

Im Jahr 2064 ist die Welt durch einen Zaun geteilt: hier Fortschritt und Demokratie, dort Rückschritt, Diktatur und religiöser Fanatismus. Doch das Wohlstandsreich will verteidigt sein, Prävention ist angesagt wie noch nie. Dies ist die Aufgabe der beiden Ashcroft-Männer, Partner – aber alles andere als Freunde.

Auch als Diogenes Hörbuch

> »Wie wenige Autoren mit seinem Talent haben wir!«
> *Frankfurter Allgemeine Zeitung*

Raymond Chandler
Briefe

Diogenes

ca. € (D) 26.90/sFr 47.90*/€ (A)
März

Die Briefe von Raymond Chandler, so witzig, pointenreich wie seine Dialoge.

»Und wer ist die Klientin?«, fragte ich.

»Im Betreff steht: Miss Caroline Aston.«

»War sie Gast am Freitag?«, fragte ich.

»Auf der Gästeliste steht sie nicht, aber da fehlen viele Namen. Sie wissen ja, wie das ist: Mr. XY und Gast. Wird so jemand sein.«

»›Einige Gäste‹ sagten Sie. Wer noch?«

»Recht viele anscheinend«, sagte sie. »Ich habe meiner Sekretärin gesagt, was in dem Brief steht, und sie meinte, am Freitagabend sei vielen Leuten schlecht geworden. Ihr Mann ist Arzt, und sie sagt, er wurde zu etlichen Patienten gerufen. Außerdem hätte es gestern in der Zeitung gestanden, sagt sie. Was sollen wir tun?«

»Gar nichts«, sagte ich. »Vorerst wenigstens. Wenn jemand nachfragt, sagen Sie, Sie kümmern sich drum.« Ich schwieg. »Nur aus Interesse, was haben denn Sie und Tony am Freitagabend gegessen?«

»Das weiß ich nicht mehr«, antwortete Suzanne. »Seit der Bombengeschichte kann ich kaum noch denken.«

»Furchtbar, nicht?«

»Furchtbar«, stimmte sie zu. »Und mit Ihrer Kellnerin, das tut mir leid.«

»Danke. Ja, das ist ein schwerer Schlag für uns. Louisa war sehr beliebt.«

»Dagegen ist eine kleine Lebensmittelvergiftung schon ziemlich belanglos«, meinte sie.

Ich gab ihr recht und hoffte im Stillen, dass die Angelegenheit bald in Vergessenheit geriet. Wer war es noch mal, der eine schlechte Neuigkeit hinter einer viel größeren Geschichte verstecken wollte? Es hatte ihn den Job gekostet.

»Was machen wir nun mit dem Brief?«, fragte Suzanne.

»Können Sie mir eine Kopie davon schicken?«, sagte ich.

»Und wenn ich Sie wäre, würde ich abwarten, ob die sich noch mal melden. Vielleicht spitzen sie bloß auf eine Reaktion und geben auf, wenn nichts kommt.« Das war vielleicht aber auch nur ein frommer Wunsch meinerseits.

»Ich muss mich wohl mit meinen Vorgesetzten besprechen«, sagte sie. Das Rennbahnrestaurant gehörte einem Konzern, und ich nahm an, Suzanne war sich ihrer Stellung nicht sicher genug, um den Brief einfach auszusitzen. Ihr war lieber, die Firmenjuristen warfen einen Blick darauf. Das konnte ich ihr nicht verdenken. An ihrer Stelle hätte ich genauso gehandelt.

»Okay«, sagte ich, »aber könnten Sie mir erst eine Kopie davon schicken?«

»Werde ich tun«, sagte sie langsam, als überlegte sie, »aber dann schreibe ich dazu, dass ich Sie als zuständigen Küchenchef offiziell von dem Brief in Kenntnis setze. Und von diesem Begleitschreiben bekommt meine Zentrale eine Kopie.«

Wieso kam es mir auf einmal vor, als distanziere sich Suzanne von mir? Sollte ich für das Restaurant als Sündenbock herhalten? Wahrscheinlich. Geschäft ist schließlich Geschäft.

»Gut«, sagte ich. »Und wenn Ihnen wieder einfällt, was Sie am Freitag gegessen haben, sagen Sie mir das bitte auch, ja?«

»Tony ist Vegetarier«, erwiderte sie, »da wird er das Entsprechende gegessen haben.«

»Und Sie?«, sagte ich. »Haben Sie vielleicht auch das Vegetariermenü genommen?«

»Was gab's denn?«, fragte sie.

»Nudelauflauf mit Broccoli und Käse.«

»Broccoli kann ich nicht ausstehen, da scheidet das wohl aus. Lassen Sie mich mal überlegen.« Eine kurze Pause entstand. »Ich glaube, ich hatte Huhn. Aber ich war so nervös wegen der Feier, dass ich kaum was runtergebracht habe. Als ich heimkam, fällt mir ein, hatte ich so einen Hunger, dass ich mir vorm Schlafengehen noch ein Käsesandwich gemacht habe.«

Das half mir auch nicht viel weiter.

»Warum wollen Sie das wissen?«, fragte sie.

»Falls es irgendwas an dem Abendessen war, was den Leuten nicht bekommen ist«, sagte ich. »So kann man schon mal einiges ausschließen.« Zeit, das Thema zu wechseln, dachte ich. »Ist Ihr Personal denn gut über den Samstag gekommen?«

»Ja, danke«, sagte sie. »Einige waren allerdings ziemlich geschockt, und eine ältere Bedienung musste mit Brustschmerzen ins Krankenhaus, nachdem sie auf Geheiß eines Feuerwehrmanns vier Treppen runtergelaufen war. Ihr ging es aber bald wieder gut. Und Sie? Wie sind Sie da rausgekommen?«

Wir erzählten uns noch ein wenig unsere Kriegserlebnisse. Suzanne war in ihrem Büro hinter der Waage gewesen und hatte von der Bombe gar nichts mitbekommen, bis sie die Feuerwehrsirenen hörte, aber das hielt sie nicht davon ab, lang und breit zu erzählen, was sie anschließend getan und gelassen hatte.

»Entschuldigen Sie, Suzanne«, passte ich eine Pause in dem Wortschwall ab, »ich hab noch was vor.«

»Oh, pardon«, sagte sie. »Wenn ich mal anfange, bin ich nicht zu bremsen, was?« Nein, dachte ich. Aber wenigstens hatten wir nicht mehr über Lebensmittelvergiftung geredet.

»Bis bald wieder«, sagte ich. »Tschüs.« Ich legte auf.

Ich ließ den Kopf aufs Kissen sinken und fragte mich, wer und wo Miss Caroline Aston war. Ich hätte ihr den Hals umdrehen können. Von wegen Schmerzen und Verdienstausfall. Was sollte ich denn da sagen? Ich hatte auch Schmerzen und finanzielle Einbußen erlitten. Und wen konnte ich verklagen?

Als ich ins Hay Net kam, lag dort ein zweiter Brief von Miss Astons Anwälten – für mich. Daraus ging hervor, dass sie sowohl mich persönlich als auch das Rennbahnrestaurant verklagte. Toll. Ich hätte ihr zweimal den Hals umdrehen können, wenn ich nur gewusst hätte, wer sie war und wo sie steckte. Was dachte sie sich denn? Dass ich absichtlich Leute vergiftete?

Ich saß in meinem Büro und las den Brief immer und immer wieder. Am besten hätte ich mir wohl einen Anwalt genommen und ihn ihm übergeben. Stattdessen rief ich noch einmal Mark an.

»Schicken Sie ihn mir«, sagte er. »Meine Anwälte sehen ihn sich mal an und melden sich dann bei Ihnen.«

»Danke.«

Ich faxte ihn an die Nummer, die er mir durchgab, und keine Viertelstunde später rief sein Anwalt an. Ich erklärte ihm das Problem.

»Keine Sorge«, meinte er. »Wir kümmern uns drum.«

»Danke«, erwiderte ich. »Aber teilen Sie mir bitte mit, wer

diese Frau ist, damit ich eine Voodoopuppe von ihr basteln und sie mit Nadeln spicken kann.«

Der Anwalt lachte. »Vergiften Sie sie doch einfach.«

»Das ist nicht lustig«, gab ich zurück.

»Nein. Verzeihung«, sagte er. »Ich werde sie heute noch ausfindig machen. Sie hören dann von mir.«

»Ich könnte ihr den Hals umdrehen«, sagte ich.

»Davon rate ich ab«, meinte der Anwalt lachend. »Hier geht's um eine zivilrechtliche Klage – das kann Sie nur Geld kosten, aber nicht die Freiheit.«

»Danke, ich werde mich bemühen, daran zu denken, wenn Sie sie gefunden haben.«

Er lachte erneut und legte auf.

Ich fragte mich, was ich tun würde, wenn er sie tatsächlich ausfindig machte. Wahrscheinlich gar nichts. Es ärgerte mich nur, dass sie für eine unbeabsichtigte leichte Lebensmittelvergiftung von mir Schadenersatz verlangen wollte, nachdem die liebenswerte Louisa ihr Leben verloren hatte, weil irgendein Wahnsinniger aus dem Nahen Osten seinen Groll dreitausend Kilometer weit nach Newmarket getragen hatte.

Carl kam, und ich teilte ihm die frohe Kunde mit.

»Kommst du dafür in den Knast?«, fragte er hoffnungsvoll.

»Scher dich zum Teufel«, sagte ich.

»Reizend.« Er lächelte. »Der Boss ist also körperlich und geistig wieder präsent. Sollen wir den Laden dann mal ins Rollen bringen?«

»Sollten wir«, sagte ich und erwiderte das Lächeln.

Zu einem Restaurantbetrieb gehört sehr viel mehr als die Zubereitung von ein paar Mahlzeiten. Zunächst mal erwarten die Gäste eine Auswahl an Speisen, und sie möchten nicht allzu lange auf ihr Essen warten. Im Hay Net boten wir normalerweise acht bis zehn Vorspeisen und etwa ebenso viele Hauptgänge an. Die Vorspeisen waren teils warm, teils kalt, aber alles wurde frisch zubereitet, und unser Ziel war, innerhalb einer Viertelstunde nach Aufgabe der Bestellung etwas auf den Tisch zu bringen. Im Idealfall waren die Hauptgänge binnen zehn Minuten nach Abräumen der Vorspeise fertig, oder, wenn keine Vorspeise gewünscht wurde, spätestens achtundzwanzig Minuten nach Eingang der Bestellung in der Küche. Ich wusste nur zu gut, dass man einen Gast nicht länger warten lassen durfte, als er für angemessen hielt, sonst spielte es keine Rolle mehr, wie gut das Essen schmeckte, und nur die Wartezeit blieb in Erinnerung.

Drei von uns – Carl, Gary und ich – arbeiteten am Herd, während Julie sich um die Kaltspeisen einschließlich Salate und Desserts kümmerte. Verglichen mit den Londoner Großrestaurants waren wir ein kleiner Betrieb, aber zur Stoßzeit stand die Küche unter Strom, und alle arbeiteten hart. Die Reservierungen waren eigentlich dazu gedacht, den abendlichen Hochbetrieb über mindestens zwei, drei Stunden zu verteilen, doch da unsere Gäste nicht gerade für pünktliches Erscheinen bekannt waren, mussten wir uns manchmal höllisch sputen, um alles rechtzeitig zu servieren.

Essen ist heikel. Es kann eine Sache von ein, zwei Minuten sein, ob Gemüse genau richtig oder überkocht ist. Bei Steak oder Thunfischfilet ist die Spanne noch wesentlich kürzer. Unsere Gäste wollen ihr Essen verständlicherweise bekommen, wenn es perfekt ist. Und sie möchten natürlich auch, dass alle am Tisch zur gleichen Zeit bedient werden. Sie erwarten, dass ihr Essen heiß ist, ansprechend aussieht und köstlich riecht. Vor allem aber möchten sie, dass die Bestellungen in der Reihenfolge serviert werden, in der sie aufgegeben wurden. Nichts regt die Gäste mehr auf, als wenn sie sehen, dass jemand, der nach ihnen bestellt hat, vor ihnen bedient wird.

Dem uneingeweihten Betrachter könnte die Küche als ein chaotisches Durcheinander erscheinen, aber in Wirklichkeit ist sie etwa so unsortiert wie die Hände eines Jongleurs, der vier Bälle gleichzeitig in der Luft hält. In beiden Fällen trügt der Schein.

Es versteht sich, dass uns nicht immer alles gelang, doch insgesamt ernteten wir ungleich mehr Lob als Nörgeleien, und das genügte mir. Dann und wann sagte mal jemand, wir würden ihn nicht wiedersehen, aber in der Regel waren das Leute, die ich ohnehin nicht wiedersehen wollte. Dann lächelte ich einfach und zeigte ihnen höflich, wo es zum Parkplatz ging. Erfreulicherweise kam das selten vor. Die meisten meiner Gäste waren Freunde, und ich bewirtete sie, als wären sie bei mir daheim zu Gast, nur dass sie eben zahlten.

Die Ankunft einer Warenlieferung meines Metzgers unterbrach mich in meinen Gedanken. Fleisch kaufte ich bei einem Mann aus Bury St. Edmunds, der alles selbst schlachtete. Er hatte mir gesagt, dass er die Bauern, die ihn belieferten, persönlich kannte, und garantiert, dass jedem einzelnen dieser Tiere ein angenehmes, gesundes Leben vergönnt war bis zu dem Tag, an dem er es schlachtete und zerlegte. Ich hatte keinen Grund, daran zu zweifeln, denn sein Fleisch und Geflügel waren ausgezeichnet. Ein gutes Restaurant braucht selbstverständlich einen guten Koch, aber auch der beste Koch braucht gute Zutaten, daher ist die Wahl der Zulieferer entscheidend.

Bis um zehn mein übriges Personal eintraf, hatte der Fahrer die Lieferung fast schon vollständig im Kühlraum gestapelt. Gary war ganz aufgeregt wegen der wieder entfernten Vorhängeschlösser und lief in der Küche herum wie ein kleiner Junge, der sich im Spielwarenladen austoben darf. Hat mal wieder einen guten Tag, dachte ich. Er hatte den Schwung und die Begeisterung, um ein guter, sogar ein grandioser Küchenchef zu werden, musste aber meiner Meinung nach lernen, seinen Hang zu abenteuerlichen Geschmackskombinationen ein wenig zu zügeln. Genau wie ich schwor er auf Obst zum Fleisch. Jeder kannte Schweinefleisch mit Apfel, Truthahn mit Preiselbeeren, Ente mit Orange, Schinken mit Ananas oder auch Reh mit Quitten. Ein Geschmack ergänzt den anderen; das Obst bringt das Fleisch voll zur Entfaltung und beglückt den Gaumen. Gary wählte gern exotische Früchte mit starkem Eigengeschmack zu zart schmeckendem Fleisch wie Kalb oder Huhn, was für mein Empfinden nicht passte. Wir diskutierten oft und leidenschaftlich darüber.

Seit er vor ein paar Jahren bei mir angefangen hatte, achtete ich darauf, jeden Tag wenigstens ein von ihm kreiertes Gericht oder Menü anzubieten, und momentan hatte ich Red Snapper mit Kräuterkruste und einer karamellisierten Birnenhälfte im eigenen Jus auf einem leichten Knoblauch-Kartoffelpüree-Bett auf der Karte. Es war ein wohlschmeckendes und beliebtes Gericht, mit dessen Zubereitung Gary normalerweise genug zu tun hatte.

Die Vorbestellungen für diesen Dienstagmittag hielten sich jedoch in Grenzen, und nach einigen Stornierungen im Laufe des Morgens machte sich Leere breit. Als wir dann auch noch Absagen für den Abend bekamen, sah unser Hay Net ziemlich trostlos aus.

Gegen Mittag berief ich in der Gaststube eine Personalversammlung ein.

»Es kann sein, dass wegen des Bombenanschlags vom Samstag und der Probleme, die wir am Freitag hatten, eine etwas magere Woche auf uns zukommt«, sagte ich. »Ich bin aber überzeugt, dass es bald wieder aufwärtsgeht. Wir machen weiter wie gewohnt und geben unser Bestes für diejenigen, die uns beehren, okay?« Ich schlug einen optimistischen Ton an.

»Wer macht Louisas Job?«, fragte Jean. »Und wann kommt Robert wieder? Ray und ich können nicht die ganze Gaststube bedienen.«

»Schauen wir erst mal, wie viele Tische es werden«, sagte ich. »Richard kann in der Gaststube aushelfen, das tut er ja sowieso immer, wenn wir Betrieb haben.« Ich sah ihn an, und er nickte zustimmend. »Ich rufe Robert an und frage, wann er wiederkommt. Sonst noch was?«

»Ich habe mit den Whitworths gesprochen«, sagte Richard. »Ich soll Ihnen für Ihr Angebot danken, aber sie möchten den Beerdigungskaffee lieber zu Hause abhalten. Und Beryl, das ist Louisas Mutter, will das Essen selber machen, wenn's recht ist.«

»Natürlich«, sagte ich und fragte mich, ob die Eltern Louisas Job für ihren Tod verantwortlich machten. Vielleicht sollte ich sie mal besuchen. Das war wohl ohnehin angebracht.

»Wissen Sie, wann die Beerdigung ist?«, fragte ich.

»Die Beisetzung. Freitag um halb drei, im Krematorium in Cambridge.«

Verdammt, dachte ich. Dann musste ich das Mittagessen mit Mark verschieben. »Okay. Wir bleiben am Freitag geschlossen. Ihr habt den Tag frei und könnt, wenn ihr wollt, zur Beisetzung kommen. Ich werde auch da sein.« Ich hielt inne. »War es das?« Niemand sagte etwas. »Okay, dann an die Arbeit.«

Letztlich servierten wir nur vier Mittagessen für zwei einzelne Paare, die zufällig vorbeikamen. Die sechs noch reservierten Tische blieben leer, und noch in der Mittagszeit kamen drei weitere Absagen für den Abend. Damit blieben uns statt der vollbesetzten Gaststube nur vierundzwanzig Gäste, und ich hatte starke Zweifel, ob diese vierundzwanzig auch erscheinen würden.

Ich verbrachte einige Zeit am Telefon, um den Kunden, die für Freitag einen Tisch bestellt hatten, mitzuteilen, dass wir an dem Tag geschlossen hätten und warum. Die meisten meinten, sie wären wohl sowieso nicht gekommen, zwei erklärten jedoch taktlos, sie hätten gehört, dass man sich im Hay Net vergiften könne.

Irgendwann wählte ich eine Nummer und hörte es klingeln, bevor mir klarwurde, dass ich die Nummer der Jennings vor mir hatte. Ich wollte wieder auflegen, doch da meldete sich Neil schon.

»Hallo«, sagte er langsam. »Neil Jennings hier.«

»Tag, Neil«, sagte ich. »Hier ist Max Moreton vom Hay Net.«

»Ah ja«, sagte er. »Tag, Max.«

»Neil«, erwiderte ich etwas verlegen. »Mein Beileid wegen Elizabeth. Es ist furchtbar.«

»Ja«, sagte er.

Eine unbehagliche Stille trat ein. Ich wusste nicht recht, was ich sagen sollte.

»Am Samstag habe ich sie noch auf der Rennbahn gesehen«, sagte ich. »Samstagmittag.«

»So?«, meinte er und schien mit den Gedanken woanders zu sein.

»Ja«, antwortete ich. »Ich habe das Essen gekocht, zu dem sie eingeladen war.«

»Sie haben sie aber nicht vergiftet, was?« Ich war mir nicht sicher, ob das ein Scherz sein sollte oder nicht.

»Nein, Neil«, sagte ich.

»Nein«, meinte er. »Sieht so aus.«

»Wann ist die Beerdigung?«, fragte ich. »Ich würde ihr gern die letzte Ehre erweisen.«

»Freitag um elf«, sagte er, »Our Lady and St. Etheldreda.«

Ich hatte nicht gewusst, dass sie Katholiken waren, aber woher auch?

»Wenn es geht, komme ich«, sagte ich.

»Gut«, antwortete er. Wieder entstand eine verlegene kleine Pause, und ich wollte mich schon verabschieden, da meinte er: »Eigentlich müsste ich mich bei Ihnen bedanken, dass Sie mir das Leben gerettet haben.«

»Bitte?«, sagte ich.

»Wenn Sie mich am Freitagabend nicht so krank gemacht hätten«, führte er aus, »dann wäre ich am Samstag bei meiner Elizabeth in der Loge gewesen.«

Ich konnte nicht heraushören, wie er dazu stand.

6

Der Mittwoch begann klar und sonnig. Im Allgemeinen schlief ich bei offenen Vorhängen und wurde von der aufgehenden Sonne wach. Jeweils ein paar Wochen vor und nach der Sommersonnenwende zog ich jedoch, wenn ich daran dachte, die Vorhänge an meinem nach Osten gehenden Schlafzimmerfenster zu, damit mich das helle Morgenlicht nicht zu früh aus dem Schlummer weckte. Ich verfluchte meine Vergesslichkeit, als die Sonne um Viertel nach fünf über den Horizont spähte und mir ihre Strahlen durch die geschlossenen Augenlider mitten ins schlafende Hirn drückte. Zum ersten Mal seit fast einer Woche hatte ich tief und fest durchgeschlafen. Nun ja, bis um Viertel nach fünf.

Am Dienstagabend war im Restaurant so wenig los gewesen, wie ich befürchtet hatte. Nur fünf Tische hatten sich am Ende eingefunden, ein paar Durchreisende mitgerechnet, die gar nicht fassen konnten, dass wir Platz für sie hatten und sie gar zwischen zwanzig Tischen wählen konnten. Es war, als arbeite die Küche im Zeitlupentempo. Vielleicht hätte ich froh sein sollen, dass ich nach den Ereignissen der letzten Tage einmal eine ruhige Kugel schieben konnte, aber es gab mir ein ungutes Gefühl, und auch dem Personal merkte ich die Anspannung an. Sie freuten sich ebenso wenig. Sie hatten Angst um ihren sicheren Arbeitsplatz, Angst vor der Zukunft. Genau wie ich.

Erfrischt von gesundem Schlaf und einer kräftigen Dusche, entschloss ich mich, etwas für die Rehabilitierung des Restaurants zu tun. Ich sagte mir, dass es keinen Zweck hatte, die Hände in den Schoß zu legen und darauf zu warten, dass das Geschäft wieder besser würde, während es langsam einging. Handeln war gefragt. Ich dachte daran, auf der Hauptstraße von Newmarket ein Brust- und Rückenplakat spazieren zu tragen, auf dem stand, dass Sokrates unbesorgt im Hay Net essen könne, weil wir keinen Schierling kredenzten. Doch schließlich sah ich die Telefonnummer der *Cambridge Evening News* nach. Das waren die Leute vom Fach.

Ich ging davon aus, dass eine Abendzeitung zeitig mit der Arbeit anfing, und ließ mich, im Frotteemantel auf der Bettkante sitzend, um Viertel vor acht mit der Redaktion verbinden. Es dauerte eine Weile, bis Ms. Harding, die Nachrichtenredakteurin, an den Apparat kam.

»Ja?«, sagte sie. »Was kann ich für Sie tun?«

»Wären Sie an einem Exklusivinterview mit Max Moreton interessiert?«, fragte ich, ohne meine Identität preiszugeben, damit sie nicht auf die Idee kam, das Interview gleich am Telefon zu führen. »Sowohl über die Lebensmittelvergiftung vorige Woche als auch über den Bombenanschlag am Samstag auf der Rennbahn?«

»Was hat denn Max Moreton mit dem Bombenanschlag zu tun?«, fragte Ms. Harding.

Ich sagte ihr, er habe das Essen für die betroffenen Logen zubereitet und sei unmittelbar nach der Bombenexplosion als

Erster am Schauplatz gewesen, lange vor dem Eintreffen der Feuerwehr. Sie schluckte den Köder.

»Wow!«, sagte sie. »Wenn das so ist, hätten wir sehr gern ein Interview mit Mr. Moreton!« Ein exklusiv zum landesweit größten Nachrichtenhit interviewter Zeuge, das war für jede Lokalzeitung ein Geschenk des Himmels.

»Gut«, sagte ich. »Wie wäre es dann mit heute Morgen um halb elf im Hay Net?«

»Ist das Restaurant nicht dichtgemacht worden?«, sagte sie.

»Nein«, antwortete ich.

»Na gut.« Sie klang ein wenig unsicher. »Ist das auch nicht gefährlich?«

Ich schluckte meinen Unmut hinunter und verneinte.

»Und noch etwas«, sagte ich. »Bringen Sie bitte einen Fotografen mit.«

»Wozu?«, fragte sie.

Ich wollte schon sagen: Damit er das Restaurantschild noch mal ablichtet, aber jetzt mit dem Aufkleber »WEGEN FEINSTER SPEISEN GEÖFFNET«. Stattdessen sagte ich: »Mr. Moreton hat bestimmt nichts dagegen, wenn Sie ihn mit den Verletzungen, die er bei dem Anschlag erlitten hat, fotografieren.«

»Ach so«, sagte sie. »Okay. Sagen Sie ihm, um halb elf schaut jemand im Restaurant vorbei.«

»Kommen Sie denn nicht selbst?«, fragte ich.

»Eher nicht«, sagte sie. »Ich schicke einen unserer Reporter hin.«

»Ich glaube, Mr. Moreton wäre an dem Gespräch nur interessiert, wenn er es mit dem Nachrichtenredakteur führen kann«, sagte ich. »Ja, ich bin mir ziemlich sicher, dass er sich nur mit dem wichtigsten Mitglied der Redaktion unterhalten möchte.«

»Ach so«, sagte sie wieder. »Meinen Sie? Na ja, gut, vielleicht kann ich das auch mal selbst übernehmen.« Mit Schmeichelei erreicht man alles, dachte ich bei mir. »Okay«, entschied sie. »Sagen Sie Mr. Moreton, ich werde um halb elf persönlich dort sein.«

Ich versprach ihr das und legte schmunzelnd auf.

Als Nächstes rief ich Mark an. Ich wusste, dass er jeden Morgen um halb acht an seinem Schreibtisch war und manchmal auch noch abends um elf. Er kam offenbar mit maximal sechs Stunden Schlaf aus. Die Zeit, die er wach war, widmete er dem Geldverdienen, und es stand für mich außer Frage, dass sein Vorhaben, mich nach London zu bringen, ihn noch reicher machen sollte. Womit ich nicht sagen will, ich selbst würde dabei nicht ebenfalls reicher, sondern nur klarstellen möchte, dass Mark nicht aus Nächstenliebe oder Menschenfreundlichkeit auf so eine Idee kam und dass ich mir dessen bewusst war. Er hatte Pfund- und Dollarzeichen in den Augen und bestimmt schon überschlagen, wie viel Gewinn wir damit machen könnten.

»Kein Problem«, sagte er. »Treffen wir uns zum Abendessen. Sie sagen wo, ich zahle.«

»Okay. Im OXO Tower?« Die Küche dort hatte ich immer gemocht.

»Gut. Ich reserviere einen Tisch. Passt es um acht?«

Wie lange dauerte noch gleich die Fahrt mit der Bahn? »Lieber um halb neun.«

»Gut«, sagte er nochmals. »Freitag um halb neun im OXO.«

Er legte auf, und ich lehnte mich im Bett zurück und dachte über die Zukunft nach. Wie ehrgeizig war ich? Was wollte ich im Leben erreichen?

Im November wurde ich zweiunddreißig. Vor sieben Jahren hatte ich als jüngster Küchenchef aller Zeiten einen Michelinstern bekommen, doch inzwischen gab es zwei, die jünger waren als ich und zwei Sterne hatten. Die Medien sahen mich nicht mehr als den aufgeweckten Youngster an, von dem noch viel zu erwarten war, sondern schon als etablierten Meisterkoch, der sein Vermögen mehrte. In Wahrheit ging es mir zwar nicht schlecht, aber das Hay Net war zu klein und zu provinziell, um ein echter Geldesel zu sein. Auf Landesebene war ich lediglich ein kleiner Promikoch, im näheren Umkreis aber, zumindest bis vorigen Freitag, bekannt und bewundert, was mir auch gefiel. Wollte ich das aufgeben und Glück und Ruhm in London suchen? Worum ging es mir sonst noch im Leben? Ich hatte mir schon immer eine Familie gewünscht und Kinder haben wollen. Das geht aber nun mal, wie der Single sagt, nicht von allein. Ein paar Beziehungen mit Frauen hatte ich hinter mir. Und abgehakt. Die Gastronomie ist einem erfüllten Sexualleben nicht eben zuträglich. Die Arbeitszeiten sind von vornherein asozial: Essengehen ist das gesellige Beisammensein der anderen. Anstrengende Arbeit und später Feierabend sind keine ideale Voraussetzung für süße Nächte, und ich erinnerte mich an nicht wenige Male, wo ich mitten im Liebesakt eingeschlafen war, etwas, das keine Partnerin sonderlich schätzt.

Andererseits war das Alleinsein nichts, was mir den Schlaf raubte. Ich war nicht aktiv auf Partnersuche, noch nie gewesen, aber wenn sich die Gelegenheit ergab, würde ich sie beim Schopf fassen. Sonst blieb ich eben weiter solo, arbeitete hart und hielt die Augen offen, um die Chance nicht zu verpassen, wenn sie kam. In London, dachte ich, könnte sich die Wahrscheinlichkeit eines solchen Zufalls deutlich erhöhen.

Das Telefon auf meinem Nachttisch klingelte. Ich griff zum Hörer.

»Hallo«, sagte ich.

»Morgen, Mr. Moreton«, sagte Angela Milne. »Schön heute.«

»Schön, ja«, antwortete ich und richtete mich steil auf. Mein Herz klopfte etwas schneller. »Haben Sie Neuigkeiten für mich?«

»Das kann man wohl sagen. Leider ist es eine gute und eine schlechte Nachricht. Welche möchten Sie zuerst hören?«

»Lieber die gute«, sagte ich.

»Die Abstriche, die James Ward in Ihrer Küche gemacht hat, sind alle okay.«

»Gut.« Ich hatte es nicht anders erwartet. »Und die schlechte Nachricht?«

»Sie haben Mann und Maus mit Phythämagglutinin vergiftet.«

»Phyt ... was?«, sagte ich.

»Phythämagglutinin«, wiederholte sie. »Ich musste auch erst nachsehen, wie das geschrieben wird.«

»Aber was ist das denn?«, fragte ich.

»Kidneybohnen-Lektin.«

»Und das heißt?«

»Der Stoff, der rote Kidneybohnen giftig macht«, sagte

sie. »Sie haben Ihren Gästen Kidneybohnen vorgesetzt, die nicht gargekocht waren.«

Ich dachte scharf an das Diner vom Freitag zurück. »Da gab es keine Kidneybohnen.«

»Offenbar doch«, entgegnete sie. »Vielleicht im Salat oder so?«

»Nein«, sagte ich mit Gewissheit, »in dem Essen waren definitiv keine Kidneybohnen. Ich habe alles selbst zubereitet und schwöre Ihnen, dass nirgends Kidneybohnen drin gewesen sind. Ihr Labor muss sich irren.«

»Im Krankenhaus wurden Proben von sechzehn verschiedenen Personen genommen, und alle haben Phydingsda enthalten.« Sie sagte zwar nicht direkt, dass nicht das Labor, sondern ich mich irren musste, aber ihr Tonfall legte es nahe.

»Oh.« Ich war verwirrt. Ich wusste, dass das Essen keine Kidneybohnen enthalten hatte; zumindest hatte ich nicht wissentlich welche verwendet. »Dann muss ich mir die Zutaten auf den Lieferscheinen noch mal ansehen.«

»Das sollten Sie vielleicht tun.« Sie hielt kurz inne. »Einstweilen muss ich in meinem Bericht schreiben, dass die Vergiftung durch den Verzehr unsachgemäß zubereiteter Kidneybohnen hervorgerufen worden ist. Der Bericht geht an die Lebensmittelaufsicht.«

Eine Strafe wäre mir lieber gewesen.

»Es tut mir leid, Max«, fuhr sie fort, »aber es kann sein, dass die Bezirksverwaltung Forest Heath, in deren Zuständigkeit die Rennbahn Newmarket fällt, den Bericht an die Staatsanwaltschaft weiterleitet, um prüfen zu lassen, ob wegen Verstoßes gegen Paragraph 7 des Lebensmittelschutzgesetzes ein Strafverfahren gegen Sie eingeleitet werden sollte.«

Sie schwieg, als wäre ihr ein Gedanke gekommen. »Ich glaube, ich dürfte jetzt gar nicht mit Ihnen sprechen.«

Vielleicht bekam ich die Strafe ja auch noch.

»Nun, danke für den Hinweis«, sagte ich. »Wie wird das geahndet?«

»Höchststrafe ist ein nach oben offenes Bußgeld und zwei Jahre Freiheitsentzug, aber dazu wird's nicht kommen. Da muss es schon Vorsatz sein. Sie bekommen schlimmstenfalls eine amtliche Verwarnung.«

Auch eine amtliche Verwarnung zählte als Vorstrafe. Damit wären die Londonträume vielleicht schon ausgeträumt. Und auch fürs Hay Net könnte es den Todesstoß bedeuten.

»Ich werde mich an die Fakten halten«, sagte sie. »Ich werde hervorheben, dass niemand ernstlich erkrankt ist, niemand in Lebensgefahr war oder so. Alle ins Krankenhaus Eingewiesenen sind entweder gleich wieder entlassen worden oder konnten am nächsten Morgen nach Hause. Vielleicht bekommen Sie nur eine schriftliche Ermahnung für die Zukunft.«

»Danke«, sagte ich.

Sie legte auf, und ich saß da und starrte auf das Telefon in meiner Hand.

Kidneybohnen! Jeder Koch, jede Köchin, jede Hausfrau, nein, jedes Schulkind weiß, dass Kidneybohnen gekocht werden müssen, damit sie genießbar sind. Niemals hätte ich Kidneybohnen als Zutat verwendet, ohne sie vorher rigoros abzukochen, um die giftigen Inhaltsstoffe loszuwerden. Das war einfach absurd. Andererseits führte nichts an der Tatsache vorbei, dass mir und praktisch allen anderen schlecht geworden war und dass man bei sechzehn untersuchten Personen Kidneybohnen-Lektin gefunden hatte. Irrsinn. Es musste eine Erklärung dafür geben. Und die gedachte ich zu finden.

In meinem Büro im Restaurant durchforstete ich das Internet nach Informationen über Kidneybohnen. Phythämagglutinin war eindeutig der Inhaltsstoff, den Menschen nicht vertrugen. Ich fand heraus, dass es sich um ein Protein handelte, das durch Kochen zersetzt und unschädlich gemacht wurde. Interessant für den einen oder anderen war vielleicht, dass Phythämagglutinin auch zur Anregung der mitotischen Teilung von Lymphozyten in Zellkulturen eingesetzt wurde und in der zytogenetischen Untersuchung von Chromosomen Verwendung fand, was immer das alles bedeutete.

Ich kramte auf dem von Papieren übersäten Schreibtisch nach dem Lieferschein von Leigh Foods Ltd., dem Lieferanten, bei dem ich sämtliche Zutaten für Freitag bestellt hatte. Alles war aufgeführt: der kalt geräucherte norwegische Lachs, die geräucherte Forelle und die Makrelenfilets; die Kräuter, die Sahne, der Wein, das Olivenöl, die Schalotten, die Knoblauchzehen und der Zitronensaft für die Dillsauce; die Hühnchenbrüste samt Kirschen und Schweinebauch; die frischen Trüffeln, der wilde Pfifferling, die Schalotten, der Wein und die Sahne für die Hauptsauce; die Butter, die Eier, der Zucker, die Vanilleschoten und so weiter für die Crème brûlée; alles bis hin zu Salz und Pfeffer – und keine Spur von Kidneybohnen. Die einzige nicht aufgeführte Zutat, die mir einfiel, war der Cognac, den ich der Trüffel- und Pfifferlingsauce hinzugefügt hatte, um ihr etwas Pep zu verleihen, und in dem hatte ich ganz bestimmt keine Kidneybohnen schwimmen sehen.

Woher kam dann aber das Gift? Ich hatte Brötchen hinzugekauft, aber die waren nicht mit Bohnen gespickt gewesen. Der Wein? Hätte man das nicht geschmeckt? Und wie wäre das Gift in die Flaschen gelangt?

Ich war völlig ratlos. Ich rief Angela Milne an. Da sie nicht abnahm, hinterließ ich eine Nachricht auf ihrer Mailbox.

»Angela, hier ist Max Moreton«, sagte ich. »Ich habe die Zutatenliste für das Essen vom Freitag geprüft, Kidneybohnen sind nicht dabei. Bis auf die Brötchen habe ich mit diesen Zutaten alles eigenhändig zubereitet. Ich kann mir nicht vorstellen, wie das Kidneybohnengift da hineingekommen sein soll. Sind die Testergebnisse wirklich stichhaltig? Können Sie das Labor bitten, noch einmal nachzusehen? Das kann einfach nicht stimmen.«

Ich legte auf, und das Telefon klingelte, bevor ich es noch losgelassen hatte.

»Angela?«, sagte ich in den Hörer.

»Nein«, erwiderte eine Männerstimme. »Bernard.«

»Bernard?«

»Ja, Bernard Sims«, kam die Antwort. »Sie ist Musikerin. Spielt Viola.«

»Pardon«, sagte ich. »Ich kann Ihnen leider nicht folgen.«

»Die Dame ist Musikerin.«

»Wer, Bernard Sims?«

»Nein, Caroline Aston«, sagte er. »Ich bin Bernard Sims, der Anwalt von Mr. Winsome.«

Endlich fiel der Groschen.

»Ach so«, sagte ich. »Tut mir leid, ich war mit den Gedanken woanders.« Ich schaltete um. »Und wessen Gast war Miss Aston bei dem Diner?«

»Kein Gast. Sie gehörte zu dem Streichquartett, das an dem Abend gespielt hat«, sagte Bernard. »Offensichtlich hat sie das Gleiche gegessen wie alle anderen, denen übel wurde.«

Ich erinnerte mich an die Musikerinnen, vier schwarz gekleidete Frauen in den Zwanzigern, schlank und elegant. Ich erinnerte mich auch an meinen Unmut darüber, dass ich vor lauter Arbeit nicht dazu gekommen war, zwischen ihrer Probe und dem eigentlichen Empfang mit ihnen zu plaudern. Schon seltsam, wie die Gefühle spielten. Statt der Dame den Hals umdrehen zu wollen, bedauerte ich jetzt vielmehr, dass ihr übel geworden war. Ich ermahnte mich aber, nicht weich zu werden; wahrscheinlich lag ich mit meiner genadelten Voodoopuppe doch richtig, und bestimmt hatte sie sowieso einen zwei Meter großen Bodybuilderfreund, der mich zum Frühstück verspeisen würde, sollte ich ihr zu nahe kommen.

»Wo arbeitet sie?«, fragte ich.

»Die Einzelheiten habe ich noch nicht alle beieinander, daran arbeite ich noch«, sagte er. »Anscheinend spielt sie im RPO, aber wie das mit dem Streichquartett am Freitag in Newmarket zusammenhängt, ist mir noch nicht klar.«

»RPO?«, fragte ich.

»Pardon. Royal Philharmonic Orchestra. Echte Profis. Sie muss gut sein.« Für mein ungeschultes Ohr, erinnerte ich mich, hatten sich alle vier gut angehört, und auch dem Auge hatten sie gefallen. »Möchten Sie ihre Adresse?«

»Gern«, sagte ich, ohne recht zu wissen, was ich damit anfangen sollte.

»Sie wohnt in Fulham«, sagte er, »in der Tamworth Street.« Er gab mir die vollständige Anschrift und auch ihre Telefonnummer. Ich notierte beides.

»Wie sind Sie denn da drangekommen?«, fragte ich.

Er lachte. »Berufsgeheimnis.«

Ich nahm an, dass er auf nicht ganz legale Weise an die Informationen gelangt war, und beließ es dabei.

»Was soll ich machen?«, fragte ich.

»Fragen Sie mich das nicht«, meinte er, »und sagen Sie es mir auch nicht. Ich will's nicht wissen.« Er lachte erneut. Einen Rechtsanwalt wie ihn hatte ich noch nie erlebt. Alle anderen, die ich kannte, waren so ernst. »Vielleicht sollten Sie sie zum Essen einladen, aber dann würde ich alles, was sie zu sich nimmt, vorkosten.« Er wieherte über seinen kleinen Scherz. Offensichtlich amüsierte er sich prächtig, und er lachte noch, als er auflegte.

Ich wünschte, ich hätte mitlachen können.

Gary kam ins Büro. »Draußen ist eine Schnalle für Sie. Angeblich erwarten Sie sie.«

»Hat die Schnalle einen Namen genannt?«, fragte ich.

»Harding, glaub ich. Von irgend 'ner Zeitung.«

Die Nachrichtenredakteurin der *Cambridge Evening News*. Aufgrund der neuen Informationen von Angela Milne hatte ich meine Zweifel, ob das mit der Zeitung so eine gute Idee war. Vielleicht wäre Zurückhaltung sinnvoller gewesen. Pochte ich zu sehr darauf, wie sauber und hygienisch meine Küche war, stürzte ich womöglich umso tiefer, wenn die Zeitungen berichteten, dass ich verwarnt, mit Bußgeld belegt oder eingesperrt worden war, weil ich »gesundheitsschädliche Speisen serviert« hatte, wie es Paragraph 7 des Lebensmittelschutzgesetzes von 1990 kurz und bündig formulierte. Aber es war zu spät. Wenn ich die Verabredung jetzt nicht einhielt, würde sie wahrscheinlich etwas Gemeines über mich und das Restaurant schreiben und damit alles nur noch schlimmer machen.

Sie wartete in der Bar auf mich, um die dreißig, das schulterlange Haar zum Pferdeschwanz gebunden. Seriös in weißer Bluse zum knielangen dunklen Rock, mit einer schwarzen Aktenmappe unterm Arm. Es hätte ihr bestimmt gefallen, von Gary als »Schnalle« bezeichnet zu werden.

»Ms. Harding«, sagte ich und bot ihr die Hand. »Ich bin Max Moreton.«

Sie betrachtete die Hand einen Moment lang, ehe sie sie vorsichtig ergriff. Offensichtlich hielt sie es für ein Gesundheitsrisiko, mir oder meinem Restaurant zu nahe zu kommen.

»Möchten Sie eine Tasse Kaffee?«, fragte ich.

»Nein, nein, danke«, rief sie mit einem Anflug von Panik in der Stimme.

»Ms. Harding«, sagte ich lächelnd, »mein Kaffee ist völlig ungefährlich, keine Sorge. Vielleicht möchten Sie einen Blick in meine Küche werfen, um sich davon zu überzeugen, dass sie sauber ist? Ich kann Ihnen das versichern, aber Sie brauchen nicht auf mein Wort zu vertrauen. Fragen Sie das Ordnungsamt, die waren am Montag hier, und der Inspektor sagte mir, es sei die sauberste und hygienisch einwandfreiste Küche, die er je gesehen habe.« Das war zwar etwas übertrieben, aber sei's drum.

Sie schien noch nicht ganz beruhigt zu sein, willigte jedoch zögernd ein, mit in die Küche zu kommen.

»Haben Sie keinen Fotografen mitgebracht?«, sagte ich über meine Schulter hinweg, als ich ihr durch die Schwingtür voranging.

»Nein«, erwiderte sie. »So kurzfristig war keiner frei, aber ich habe eine Kamera dabei. Heutzutage sind alle unsere Reporter mit einer Digitalkamera ausgerüstet. Wenn sie genug knipsen, ist meistens ein Bild dabei, das man drucken kann.«

Sie schaute von einer Seite zur anderen, als wir an der Anrichte vorbeikamen, wo zu Essenszeiten die Teller mit den Speisen unter Infrarotlicht warm gehalten wurden, bis die Kellner und Kellnerinnen sie abholten und in die Gaststube brachten. Im Gehen hielt sie die freie Hand in Gesichtshöhe, als fürchte sie, etwas zu berühren und kontaminiert zu werden, wenn sie sie runternähme.

O je, dachte ich, hier war mehr Überzeugungsarbeit nötig, als ich angenommen hatte.

»Das ist der Punkt, an dem sich Küche und Gaststube treffen«, sagte ich. »Küchenpersonal auf der einen Seite, Bedienung auf der anderen.«

Sie nickte.

»Wenn Sie vielleicht ein Foto machen möchten«, regte ich an.

»Nein«, sagte sie. »Muss nicht sein. Eigentlich möchte ich lieber mit Ihnen über den Bombenanschlag sprechen.«

»Okay«, sagte ich, »machen wir, aber erst hätte ich doch gern einen Kaffee.« Den hätte ich auch am Tresen machen können, aber ich war entschlossen, ihr meine Küche zu zeigen, auch wenn sie die Kamera nicht auspackte.

Wir gingen ganz nach hinten durch zu der Kaffeemaschine, die sonst auf dem Sideboard in der Gaststube stand und die ich eigens für sie hier postiert hatte. »Möchten Sie auch bestimmt keinen?«, fragte ich. »Er ist frisch gekocht.«

Sie betrachtete ein Weilchen den blitzenden Edelstahl um sich herum. Die Arbeitsflächen waren so blank, dass sie sie als Make-up-Spiegel hätte benutzen können, und die Kochfelder rings um die Gasringe strahlten regelrecht. Ich merkte, wie sie sich ein wenig entspannte.

Ich hielt ihr einen Becher dampfenden Kaffee hin. »Milch und Zucker?«, fragte ich.

»Nur ein bisschen Milch«, sagte sie. »Danke.« Ich lächelte. Runde eins an Moreton.

»Ist die Einrichtung neu?«, fragte sie, als sie die Aktenmappe auf dem Boden abstellte und mir den Becher Kaffee abnahm.

»Nein«, sagte ich. »Das meiste ist sechs Jahre alt, nur der Herd da«, ich zeigte auf den Herd ganz hinten, »kam vor zwei Jahren dazu, um uns das Leben etwas zu erleichtern.«

»Aber das ist alles so blank«, meinte sie.

»Das muss es wegen der Gesundheitskontrollen auch sein. Die meisten Haushaltsküchen dürften für einen Restaurantbetrieb nicht kochen, sie wären viel zu verdreckt und verkleistert. Wann haben Sie zuletzt den Boden unter Ihrem Kühlschrank geputzt?« Ich wies auf den Küchenkühlschrank, der nur für unser rohes Geflügel bestimmt war.

Sie zuckte die Achseln. »Keine Ahnung.« Runde zwei an Moreton.

»Nun, der Boden unter dem Kühlschrank da ist gestern geputzt worden. Er wird nämlich täglich geputzt, außer sonntags.«

»Warum nicht sonntags?«, fragte sie.

»Da hat die Putzfrau frei.« Wobei ich ihr verschwieg, dass ich selbst die Putzfrau war, und sonntagabends arbeitete ich nie. Carl leitete die Küche, wenn ich nach dem regen Sonntagmittagsbetrieb nach Hause fuhr und mich ausruhte.

Sie entspannte sich noch etwas mehr und legte sogar ihre Hand auf die Arbeitsfläche. »Wenn hier alles so sauber ist«, sagte sie anklagend, »wie haben Sie es dann fertiggebracht, so viele Leute zu vergiften und ein Betriebsverbot wegen Dekontaminierung zu bekommen?« Runde drei an Harding.

»Zunächst mal wurde das Essen nicht hier zubereitet«, sagte ich. »Der Empfang fand auf der Rennbahn statt, wo vorübergehend eine Küche eingerichtet wurde. Die war aber genauso sauber.«

»Das kann ja wohl nicht sein«, meinte sie. Ich gab keine Antwort. Sie setzte nach. »Wie sind die Gäste denn zu ihrer Lebensmittelvergiftung gekommen?«

Da ich von den schwer zu fassenden Kidneybohnen lieber nichts sagen wollte, schwieg ich und zuckte lediglich mit den Schultern.

»Wissen Sie das nicht?«, fragte sie sichtlich verblüfft. »Sie haben über zweihundert Menschen vergiftet und wissen nicht wie?« Sie verdrehte die Augen. Runde vier an Harding, aber noch war es ein ausgeglichener Kampf.

»Ich habe das Essen aus bewährten Zutaten zubereitet«, sagte ich, »und alles war frisch, sauber und gut abgekocht. Bis auf die Brötchen und den Wein habe ich alles selbst gemacht.«

»Wollen Sie damit sagen, die Leute sind von den Brötchen krank geworden?«

»Nein«, erwiderte ich. »Damit will ich sagen, dass ich keine Ahnung habe, wovon den Leuten schlecht geworden ist, und wenn ich heute Abend das Essen auszurichten hätte, würde ich unter Einsatz meines Rufs alles noch mal genauso machen.« Erster Niederschlag durch Moreton.

Sie kam mit flinken Fäusten hoch. »Dass die Leute krank waren, steht aber fest. Fünfzehn Personen kamen ins Krankenhaus, und eine starb. Fühlen Sie sich dafür nicht verantwortlich?« Es war ein Körpertreffer, doch ich konterte.

»Dass es Fälle von Übelkeit gab, steht außer Zweifel. Falsch ist aber die Behauptung Ihrer Zeitung, dass an dem Essen jemand gestorben sei. Das stimmt nicht. Außerdem wurden nur sieben, nicht fünfzehn Personen ins Krankenhaus eingeliefert.«

»Fünfzehn, sieben, auf die genaue Zahl kommt es doch nicht an. Entscheidend ist, es ging einigen Leuten so schlecht, dass sie im Krankenhaus behandelt werden mussten.«

»Nur wegen Dehydrierung.« Noch während ich es aussprach, wurde mir klar, dass ich einen Fehler gemacht hatte.

»Wasserentzug kann sehr schnell zum Tod führen«, stürzte sie sich darauf. »Mein Großonkel starb an Nierenversagen infolge Dehydrierung.« Niederschlag durch Harding.

»Das tut mir leid«, sagte ich, als ich wieder auf die Beine kam. »Aber seien Sie versichert, dass an meinem Essen niemand gestorben ist. Ich könnte Sie dafür verklagen, dass Sie das geschrieben haben.« Moreton landet einen rechten Haken.

»Warum wurde das dann von unserer Quelle in der Klinik behauptet?«

»Offenbar ist dort am Freitagabend jemand gestorben, bei dem man zunächst von einer Lebensmittelvergiftung ausging, was sich aber als Irrtum herausstellte. Er hatte gar nicht an dem Essen teilgenommen. Er ist an etwas anderem gestorben.«

»Sind Sie sicher?«, fragte sie argwöhnisch.

»Hundertprozentig«, sagte ich. »Sie können ja im Krankenhaus nachfragen.«

»Schön wär's«, erwiderte sie. »Die berufen sich doch auf ihre blöde Schweigepflicht.«

»Dann sollten Sie Ihren Informanten fragen«, sagte ich. »Genau wegen dieser verheerenden Falschinformation hat die Lebensmittelaufsicht mir die Küche dichtgemacht, obwohl das Essen noch nicht mal hier zubereitet wurde. Wie sauber sie ist, sehen Sie ja.«

»Mhm«, meinte sie. »Ich muss zugeben, dass mir das nicht besonders fair zu sein scheint.« Wieder eine Runde an Moreton.

Ich nutzte meinen Vorteil aus. »Und mir war selber schlecht. Glauben Sie wirklich, ich hätte dieses Essen angerührt, wenn ich gedacht hätte, es könnte Toxine enthalten?«

»Und wenn Sie nun krank waren, bevor Sie's gekocht haben? Vielleicht waren Sie es ja, der alles kontaminiert hat, und nicht die Zutaten.«

»Nein, darüber habe ich auch schon nachgedacht«, sagte ich. »Aber es fehlte mir nichts, und nach dem Essen hatte ich die gleichen Symptome wie alle anderen auch. Ich habe mich genauso vergiftet. Ich weiß nur nicht, woran.« Ich goss mir Kaffee nach und hielt ihr die Kanne hin. Sie schüttelte den Kopf. »Schreiben Sie für Ihre Zeitung jetzt also einen Artikel, der mein Restaurant entlastet?«

»Vielleicht«, sagte sie. »Kommt drauf an. Haben Sie mir zu dem Bombenanschlag auf der Rennbahn etwas interessantes Neues zu erzählen?«

»Vielleicht«, gab ich zurück. »Wenn Sie mir versprechen, es auch zu drucken.«

»Versprechen kann ich gar nichts, weil der Chefredakteur entscheidet«, sie lächelte, »aber da er mein Mann ist, wird es sich schon schaukeln lassen.«

Verdammt, dachte ich, schon wieder eine mögliche Liebelei weniger. Mir gefiel die muntere Ms. Harding. Schade, dass sie eine Mrs. war.

Da Carl und Gary in die Küche mussten, um mit den Vorbereitungen für das Mittagessen anzufangen, kehrten Ms. Harding und ich für den Rest des Interviews in die Bar zurück, aber erst nachdem ich sie dazu gebracht hatte, mich mit so viel blitzendem Edelstahl wie irgend möglich im Hintergrund zu fotografieren.

Ich lieferte ihr die erhofften neuen Gesichtspunkte zu dem Bombenanschlag, ohne die blutigen Einzelheiten allzu plastisch zu schildern. Allerdings erzählte ich ein wenig von MaryLou und wie mich die Nachricht von ihrem Tod getroffen hatte. Ich versuchte meine Hilflosigkeit bei dem Unglück zu schildern, ohne direkt zuzugeben, dass ich ein schluchzendes, zitterndes Häuflein Elend gewesen war.

Schließlich sah sie auf die Uhr, klappte ihr Notizbuch zu und sagte, sie müsse sich sputen, da sie noch einiges zu erledigen habe, bevor die Zeitung in Druck ging.

»Sie kommen heute nicht mehr rein«, ergänzte sie. »Schauen Sie morgen mal.«

»Gut«, sagte ich. Wir gaben uns die Hand, diesmal ohne das geringste Zögern ihrerseits. »Haben Sie hier schon mal gegessen?«, fragte ich.

»Noch nie.«

»Dann lade ich Sie ein. Bringen Sie Ihren Mann mit. Jederzeit.«

»Danke«, sagte sie lächelnd. »Das nehme ich gern an.«

Moreton siegt durch k. o.

7

Angela Milne rief am Donnerstagmorgen in aller Frühe an, und ich merkte gleich, dass ihr meine Nachricht übel aufgestoßen war. Sie teilte mir unmissverständlich mit, dass ein Irrtum bei den Laborergebnissen ausgeschlossen sei, und meinte, ich solle endlich aufhören, mir selbst was vorzumachen.

»Sie haben Kidneybohnen serviert, die nicht richtig abgekocht waren«, sagte sie. »Geben Sie's doch zu.«

Wurde ich verrückt? Ich wusste genau, dass keine Kidneybohnen in dem Essen gewesen waren. Oder? Mit Sicherheit wusste ich nur, dass ich selbst weder gekochte noch ungekochte Kidneybohnen hineingetan hatte. Konnte ich auch für andere sprechen? Aber das hätte ich doch merken müssen: Rote Kidneybohnen fallen auf, wie jeder, der schon mal Chili con carne gegessen hat, bestätigen kann. Vielleicht hatte sie jemand kleingehackt und hinzugefügt. Aber wieso? Und wer?

An dem Abend waren viele Leute in dem Küchenzelt gewesen, nicht nur mein übliches Team. Mindestens fünf Aushilfen hatten die Speisen servierfertig gemacht, und das ganze Bedienungspersonal hatte ebenfalls Zugang gehabt. Die meisten waren von einer Catering-Agentur gekommen, zum Teil waren es aber auch Freunde meiner Mitarbeiter gewesen, und einer oder zwei waren vom Rennbahnrestaurant eben erst als Ersatz für abgewanderte Kellner eingestellt worden. Hatte jemand im Rahmen eines Catering-Krieges das Essen vorsätzlich vergiftet? Aus Missgunst? Sicher nicht. Es ergab einfach keinen Sinn, doch ich kam immer mehr zu der Überzeugung, dass jemand anderes die von mir nicht vorgesehenen Bohnen in das Essen getan haben musste.

Aber es war natürlich schwierig, andere davon zu überzeugen, dass ich nicht log. Angela Milne etwa würde schlicht annehmen, ich hätte mir einen grundlegenden kulinarischen Patzer geleistet und wollte es nicht zugeben.

Am Mittwochabend war die Gaststube deprimierenderweise noch nicht mal zu einem Viertel gefüllt gewesen, wenn auch immerhin ein Paar zu den Gästen gehörte, das am Freitag an dem Empfang auf der Rennbahn teilgenommen und danach unter Übelkeit gelitten hatte.

»So was kommt nun mal vor«, meinte die Frau. »Es war bestimmt nicht Ihre Schuld.« Ich wünschte, alle meine Kunden hätten so gedacht. Ich fragte sie, was sie gegessen hatten, aber sie wussten es nicht mehr. Waren sie Vegetarier? Nein, hatten sie mir versichert und zum Beweis dafür dann beide gleich ein Steak bestellt.

Der Donnerstag gestaltete sich etwas erfreulicher, schon wegen der *Cambridge Evening News*, die Richard mir besorgt und auf den Schreibtisch gelegt hatte. Er wisse kaum, was er mit seiner Zeit anfangen solle, meinte er, nachdem fürs Mittagessen gerade mal drei Tische bestellt waren, ganze acht Gedecke.

Nun gut, der Artikel in der Zeitung brachte hauptsächlich meine Antworten auf Ms. Hardings Fragen nach dem

Bombenanschlag. Weiter unten stand dann aber mit Verweis auf den Montagsartikel, dass das Hay Net wieder geöffnet sei, nachdem die Lebensmittelaufsicht das Lokal geprüft und keinen Grund zur Beanstandung gefunden habe. Ms. Harding hatte hinzugefügt, dass sie sich die Küche selbst angesehen hatte und von dem Maß an Sauberkeit und Hygiene beeindruckt war. Braves Mädchen. Das Foto von mir vor der blitzenden Edelstahlkulisse war dem Artikel angefügt, und damit konnte ich wohl zufrieden sein, auch wenn ich es lieber auf der Titelseite als auf Seite sieben gehabt hätte.

Ich dachte, es sei noch zu früh, um von der Zeitung eine Wirkung zu erwarten, doch am Donnerstagabend konnten wir immerhin schon rund fünfunddreißig Gäste verbuchen. Das war noch weit unterm Schnitt für einen Donnerstag und deckte nach wie vor unsere Kosten nicht, aber es machte Mut, und die Atmosphäre in der Gaststube war etwas lebhafter. Vielleicht ging es wieder aufwärts. Am Freitag blieben wir wegen Louisas Beerdigung geschlossen, am Samstagabend wussten wir dann vielleicht schon mehr.

Am Freitag kamen in Newmarket und Umgebung viele Leute unter die Erde, zumindest viele, die ich kannte.

Es fing an mit Elizabeth Jennings in der Kirche Our Lady and St. Etheldreda in der Exeter Road im Stadtzentrum, einem modernen, aber der Tradition verhafteten Bau aus den siebziger Jahren mit normannischen Bögen und Säulen beiderseits des Kirchenschiffs und einem Rosettenfenster hoch über dem Westportal. Es war eine große Kirche, konzipiert für eine Stadt mit vielen Einwohnern, die aus Irland stammten, dem katholischsten Land überhaupt. Bei der Beerdigung der Frau eines der erfolgreichsten und beliebtesten Trainer im Land war die Kirche natürlich so voll, dass es nur noch Stehplätze gab.

Ich zwängte mich auf eine schon vollbesetzte Bank. Hätten wir geahnt, dass die Messe weit über eine Stunde dauerte und die Kommunion mit einschloss, hätte ich mir vielleicht einen bequemeren Platz gesucht, und mein Nachbar wäre nicht so bereitwillig rübergerutscht.

Tapfer hielt Neil Jennings die Totenrede auf seine Frau und rührte die meisten von uns zu Tränen. Mit fester Stimme stand er es durch, ohne den Faden zu verlieren, doch er sah gealtert und hinfällig aus, viel älter als sechzig. Er und Elizabeth hatten keine Kinder, und ich hatte mich schon immer gefragt, ob sie keine bekommen konnten. So aber hatten sie die Liebe, die andere vielleicht ihrem Nachwuchs schenkten, stets ihren Pferden gewidmet. Nach dem gewaltsamen, vorzeitigen Tod seiner Lebensgefährtin befürchtete ich, es könnte mit Neil privat und beruflich bergab gehen.

Eine halbe Stunde lang stand er an der Kirchentür und gab allen, die an dem Gottesdienst teilgenommen hatten, die Hand. Bei solchen Anlässen reichen Worte nicht aus, um die Trauer, die man empfindet, einander mitzuteilen. Ich konnte nur mit zusammengepressten Lippen und traurigen Augen lächeln – das Lächeln, das besagt: »Ich trauere mit Ihnen«, und: »Ich kann mir vorstellen, was Sie im Augenblick durchmachen«, ohne dass man die so schrecklich schmalzig klingenden Worte tatsächlich ausspricht. Er erwiderte das Lächeln ebenso schmallippig, aber mit gefurchter Stirn und hochgezogenen Augenbrauen, die besagten: »Danke, dass

Sie gekommen sind«, und: »Sie können sich nicht vorstellen, wie einsam ich mich jetzt zu Hause fühle.« Wahrscheinlich konnte ich froh sein, dass er nicht die Brauen zusammengezogen und mir damit gesagt hatte: »Sie sind schuld, dass ich jetzt nicht bei ihr bin.«

Ich plauderte noch mit einigen anderen Trauergästen, denn es waren überwiegend Leute, die ich vom Sehen kannte und die mich grüßten, wenn wir uns auf der Straße begegneten. Zu ihnen gehörte George Kealy, der führende Trainer Newmarkets, dessen Frau einen Samstagstisch in meinem Restaurant abonniert hatte.

»Tag, George«, sagte ich zu ihm. »Eine schlimme Geschichte ist das, hm?«

»Fürchterlich.« Wir schwiegen uns an.

Emma Kealy, Georges Frau, stand neben Neil Jennings und hielt ihm die Hand, als er sich an der Kirchentür von den letzten Trauergästen verabschiedete. Mir fiel ein, dass Emma Neils Schwester war. Ich sah zu, wie sie langsam zusammen fortgingen und sich in den Fond einer schwarzen Limousine setzten, die dann dem Leichenwagen auf Elizabeths letzter Reise zum Friedhof folgte.

George schüttelte neben mir den Kopf und schürzte die Lippen. Ich fragte mich, warum er Emma und Neil nicht zum Friedhof begleitet hatte, aber es war kein Geheimnis in der Stadt, dass sich die beiden großen Trainerrivalen nicht ausstehen konnten, auch wenn sie Schwager waren. Plötzlich wandte sich George wieder mir zu. »Tut mir leid wegen Samstagabend«, sagte er. »Nach allem, was passiert war, konnten Emma und ich nicht mehr zu Ihnen essen kommen.«

»Wir hatten sowieso nicht auf«, sagte ich. Die Vorhängeschlösser verschwieg ich lieber.

»Nein«, sagte er. »Ich dachte es mir schon.« Er hielt inne. »Für morgen streichen Sie uns am besten auch. Nein, überhaupt fürs Erste. Emma ruft Sie wieder an, okay?«

»Okay«, sagte ich und nickte. Er wandte sich zum Gehen. »George?«, rief ich. Er drehte sich um. »Hat Ihre Entscheidung etwas mit dem Empfang vom vergangenen Freitag auf der Rennbahn zu tun?«

»Nein«, antwortete er wenig überzeugend. »Ich weiß es nicht. Emma und mir war fürchterlich schlecht, wir konnten die ganze Nacht nicht schlafen. Also wie gesagt, wir rufen Sie an, ja?« Ohne eine Antwort abzuwarten, marschierte er davon. Ich sagte mir, dass es für die Zukunft nicht von Vorteil wäre, ihn jetzt aufzuhalten.

Weiter ging es um halb drei mit Louisas Bestattung in der Westkapelle des Krematoriums von Cambridge.

Ich hatte die Whitworths am Mittwochnachmittag besucht und die Trauer und den Schmerz in ihrem Haus beinahe greifen können. Wie hatte ich mich geirrt in der Annahme, Louisas Eltern könnten glauben, der Job im Restaurant sei schuld an ihrem Tod. Sie hätten im Gegenteil nicht überschwenglicher davon sprechen können, wie sehr die Arbeit ihr Selbstvertrauen gestärkt hatte, schon weil sie ihr zu der gewünschten finanziellen Unabhängigkeit verhalf.

»Nicht, dass wir sie nicht unterstützt hätten«, hatte ihr Vater gesagt und die Tränen hinuntergeschluckt. Beryl, Louisas Mutter, hatte meine Hand umklammert, als könnte sie ihre Tochter dadurch wieder zum Leben erwecken. Vor lauter Kummer hatte sie in der halben Stunde, die ich dort war, nicht ein einziges Wort herausgebracht. Wie grausam, dachte ich, dass diesen lieben, einfachen Menschen die größte Freude, die sie im Leben hatten – ihre kluge, lebenslustige Tochter –, so brutal entrissen worden war.

Aufgewühlter als erwartet hatte ich ihr Haus verlassen und erst mal eine ganze Weile in meinem Wagen gesessen, bevor ich in der Lage war, zum Restaurant zurückzufahren. Und ihre Beisetzung wurde für mich zur größten Tortur des Tages.

Ich halte mir etwas darauf zugute, ein ausgeglichener Mensch zu sein, den so schnell nichts zu Tränen rührt oder in Rage bringt. Dort in der Kapelle jedoch litt ich derart, dass ich Tränen und Wut kaum zurückhalten konnte. Noch Stunden danach taten mir die Kiefer weh, so sehr hatte ich die Zähne zusammengebissen.

Wie man sich denken kann, waren mindestens zwei Drittel der Anwesenden junge Leute unter zwanzig, Schulfreunde von Louisa. Ich nahm an, für viele von ihnen war es die erste Beerdigung überhaupt. Wenn die zum Ausdruck gebrachte Trauer ein Gradmesser für die Liebe und Zuneigung zu der Verstorbenen war, dann hatte Louisa in vielen Herzen einen bevorzugten Platz eingenommen. Wenn Schmerz der Preis ist, den wir für Liebe zahlen, dann ist überwältigender Schmerz der Preis für innige Liebe, und Louisa war von ihren Freunden innig geliebt worden. Bevor der Trauergottesdienst zu Ende ging, mussten mehrere von ihnen an die frische Luft gebracht werden, um sich zu fangen und nicht laut herauszuheulen. Als ich zu meinem Wagen auf dem Parkplatz des Krematoriums zurückkam, war ich völlig erschöpft.

Und doch hielt der Tag noch mehr Trauer bereit.

Brian und June Walters hatten zu meinen allerersten Kunden gehört, als ich das Restaurant eröffnete. Brian war früher Hindernisjockey gewesen wie mein Vater und jahrelang zugleich sein Freund und grimmiger Konkurrent. Ich glaube, das erste Mal war Brian nur ins Hay Net gekommen, um mich als den Sohn seines toten Freundes zu unterstützen, doch er und seine Frau waren sehr bald schon Stammgäste geworden, woran man sieht, dass es ihnen wirklich bei mir geschmeckt haben muss.

Vor fast dreißig Jahren hatte Brian den Gefahren des Rennreitens adieu gesagt und war zu Tattersalls gegangen, dem Unternehmen, das die weltberühmten Newmarketer Vollblutauktionen durchführt. Er hatte geschuftet und sich bis zum Verkaufsleiter hochgearbeitet. Damit war er zwar nicht der oberste Entscheidungsträger gewesen, aber doch derjenige, der für den reibungslosen Ablauf des Tagesgeschäfts zu sorgen hatte, und immer war es reibungslos gelaufen. Erst kürzlich hatte er seinen hohen Posten niedergelegt und sich in den Ruhestand begeben, um einen ruhigen, erfüllten Lebensabend in der Stadt zu verbringen, in der er hohes Ansehen genoss. Ein so hohes Ansehen, dass er in Delafields Gästeliste für das 2000 Guineas aufgenommen wurde und am Samstag mit seiner Frau unmittelbar neben der Stelle gestanden hatte, wo die Bombe explodiert war. Sein ruhiger, erfüllter Lebensabend hatte genau sechs Wochen und einen Tag gedauert.

Brian und June hatten vier inzwischen erwachsene Kinder, die alle jeweils aus seiner bzw. ihrer ersten Ehe stammten. Mehr als einmal hatte June mir bei einem Glas Portwein nach dem Essen in meiner Gaststube erzählt, dass sie keinem der Kinder sonderlich nahestanden, da die Ehen im Streit geschieden worden waren und die Kinder dazu neigten, es einseitig mit dem geschiedenen Partner zu halten. So verlief ihre gemeinsame Beerdigung am späten Nachmittag in der All Saints' denn auch sachlicher und nüchterner als die beiden, denen ich vorher beigewohnt hatte. Viele, die in der katholischen Kirche auf der anderen Seite der High Street Elizabeth Jennings verabschiedet hatten, wie etwa George Kealy, erwiesen in der anglikanischen Kirche jetzt den Walters die Ehre. War es unfein von mir, mich zu fragen, ob sie die Zeit dazwischen in der Bar des Rutland Arms Hotel zugebracht hatten, das auf halbem Weg zwischen den beiden Gotteshäusern lag?

Nach dem Gottesdienst verzichtete ich darauf, mich dem Trauerzug zum Friedhof und zum Grab anzuschließen. Stattdessen fuhr ich von der Kirche rund fünfundzwanzig Kilometer direkt zum Bahnhof von Cambridge. Und es kam mir vor, als wäre ich den ganzen Tag durch das Schattenreich des Todes gewandelt, als ich um zehn vor sieben in den Zug nach London stieg. Zum Trost goss ich mir einen Gin Tonic ein und machte es mir unter all den stillen Wassern auf der grünen Weide der ersten Klasse bequem. Für heute hatte ich genug von Asche zu Asche, Staub zu Staub und Psalm dreiundzwanzig.

Ich lehnte mich zurück, trank ab und zu einen Schluck und dachte über die Ereignisse der vergangenen Woche nach. Es schien viel länger als eine Woche her zu sein, dass ich in einem Zelt auf der Rennbahn das Festessen zubereitet hatte.

Wie sieben Tage das Leben verändern konnten! Vor einer Woche war ich ein selbstbewusster Geschäftsmann gewesen, fleißig, geachtet, mit gutem Auskommen und gutem, gesundem Schlaf. Ich war mit meinem Los zufrieden gewesen.

Jetzt, nur sieben Tage später, war ich voller Selbstzweifel: untätig, als Giftmischer und Lügner verschrien, auf dem besten Weg zur Pleite und von wiederkehrenden Alpträumen geplagt, in denen eine Frau ohne Beine vorkam. Und dennoch spielte ich mit dem Gedanken, dieses einfache Leben für ein noch hektischeres und gestressteres in London aufzugeben. Vielleicht wurde ich wirklich verrückt.

Gegen Viertel vor acht fuhr der Zug in die King's Cross Station ein. Eigentlich hätte ich mich auf den Abend mit Mark freuen sollen. Aber ich tat es nicht.

»Da sollten Sie drüberstehen«, meinte Mark beim Essen. »Glauben Sie an sich und pfeifen Sie auf das, was die Leute denken.«

»Man muss doch die Kunden für sich einnehmen«, sagte ich. »Also ist auch wichtig, was sie denken, oder?«

»Gordon Ramsay schimpft auf alle Welt, und alle mögen ihn dafür.«

»Glauben Sie mir, in Newmarket wäre das nicht so«, sagte ich. »Der Rennsport ist zwar ein hartes Pflaster und für seine derbe Sprache bekannt, aber man legt schon Wert auf respektvollen Umgang. Die Trainer schimpfen vielleicht mit dem Stallpersonal, aber mit ihren Besitzern bestimmt nicht. Sonst ständen sie im Handumdrehen ohne Pferde da.«

»Ich spreche ja nicht von Newmarket«, leitete Mark zum eigentlichen Anlass unseres Abendessens über. »Es wird Zeit, dass Sie nach London kommen und einen Laden wie den hier aufmachen. Dass Sie sich einen Namen machen.«

Wir saßen im Restaurant des OXO Towers, im achten Stock mit Blick auf die Londoner Skyline. Es gehörte zu meinen Lieblingstreffpunkten, und wenn ich in London ein Restaurant eröffnen sollte, dann würde es tatsächlich auch etwas in dieser Art sein – Eleganz gepaart mit Vergnügen. Ein ungewöhnlicher und interessanter Standort hilft natürlich dabei, und den hatten sie hier. Dem kurzen historischen Abriss auf der Speisekarte zufolge befand sich das Restaurant über einem ehemaligen Lagerhaus, das die Firma *Liebig Extract of Meat*, Hersteller der OXO-Suppenwürfel, in den zwanziger Jahren bauen ließ. Die Firma wollte den Namen OXO in Leuchtschrift an der Gebäudefront anbringen, damit er weit über die Themse hin leuchte, und als ihr das verwehrt wurde, gestaltete ein Architekt die Fenster auf allen vier Seiten des auf dem Lagerhaus errichteten Turms in OXO-Form. Der Fleischextrakt-Hersteller war längst aus dem Komplex verschwunden, der jetzt Modegeschäfte und Wohnungen sowie vier Cafés und Restaurants beherbergte, doch der Turm mit seinen OXO-Fenstern war geblieben. Daher der Name.

»Was ist?«, fragte Mark. »Hat's Ihnen die Sprache verschlagen?«

»Ich habe nachgedacht«, erwiderte ich. »Es ist ein großer Schritt.«

»Aber Sie wollen sich doch einen Namen machen, oder?«

»Auf jeden Fall«, antwortete ich. »Bloß habe ich im Moment daran zu knabbern, dass die Boulevardpresse mich als Essensvergifter tituliert.«

»Daran denkt nächste Woche keiner mehr. Man wird sich nur noch an Ihren Namen erinnern, und das ist ein Vorteil.«

Hoffentlich hatte er recht. »Was ist mit der Frau, die mich verklagen will?«, fragte ich.

»Darüber machen Sie sich mal keine Sorgen«, sagte er. »Einigen Sie sich außergerichtlich, dann kräht kein Hahn danach. Geben Sie ihr hundert Pfund für ihre Nöte und vergessen Sie's. Sowieso bescheuert, wegen einer kleinen Lebensmittelvergiftung zu klagen. Was erhofft sie sich davon? So groß kann der Verdienstausfall über Nacht ja wohl nicht gewesen sein, es sei denn, sie geht auf den Strich!« Er lachte über seinen Scherz, und ich entspannte mich ein wenig. Wir saßen auf den runden blauen Lederstühlen des Restaurants im OXO, und ich genoss es, zur Abwechslung andere für mich kochen zu lassen. Ich nahm die Foie gras Ballantine mit Feigen-Chutney und einer Brioche als Vorspeise und den Lammrücken mit Bries als Hauptgang, Mark entschied sich für den Hummer und danach den Bio-Kabeljau von den Shetland-Inseln. Da Mark trotz Fisch ein Rotweintrinker war, gönnten wir uns eine Flasche vorzüglichen 1990er Château Latour.

»Also«, sagte er, als der erste Gang serviert war, »wo machen wir das Restaurant auf, und was für ein Stil schwebt Ihnen vor?«

Warum läuteten bei diesen Fragen die Alarmglocken in meinem Kopf? Beim Hay Net hatte sich Mark strikt an unsere Abmachung gehalten. Er hatte das Kapital bereitgestellt, mir aber in allem freie Hand gelassen: Standort, Stil, Speisekarte, Weine, Personal. Ich hatte ihn damals gebeten, mir ein Gesamtbudget für die Etablierung und das erste Betriebsjahr zu nennen. »Über fünfhunderttausend, unter einer Million«, hatte er nur gesagt. »Und als Sicherheit?«, hatte ich ihn gefragt. »Die Besitzurkunde und ein Gentleman's Agreement, dass Sie, sofern nichts anderes vereinbart wird, mindestens zehn Jahre dort arbeiten.« Letztlich hatte ich fast seine ganze Million verbraucht, aber mit seinen fünfzig Prozent vom Gewinn hatte er in den vergangenen fünf Jahren über die Hälfte schon wieder herausgeholt, und er hatte noch die Besitzurkunde. Auf zehn Jahre und mit den Zahlen vor der Vergiftung gerechnet, würde ihm das Hay Net einen ansehnlichen Gewinn bringen. Mich machte es natürlich stolz und glücklich, dass mein kleiner Laden in Newmarket so gutging und in der Stadt einen so guten Ruf genoss. Wichtiger als alles andere aber war mir meine Unabhängigkeit gewesen. Ich hatte es zwar mit Marks Geld aufgemacht, und ihm gehörte das Gebäude, aber es war mein Restaurant, und alle Entscheidungen hatte ich allein getroffen.

Hörte ich aus Marks Fragen heraus, dass er in London mehr mitreden wollte? Zog ich voreilige Schlüsse? Meinte er, wo machen *wir* das Restaurant auf, oder meinte er, wo machen *Sie* das Restaurant auf? Es schien mir nicht der richtige Moment, um nachzuhaken.

»Ich denke an so etwas wie das hier«, sagte ich. »Traditionell, aber modern.«

»Beides zusammen geht nicht«, sagte Mark.

»Natürlich geht das«, widersprach ich. »Hier haben Sie Altbewährtes wie weiße Tischtücher, guten Service, bestes Essen, besten Wein und dass die Gäste einigermaßen für sich sein können. Die Raumgestaltung aber ist modern, und auch die Speisekarte ist innovativ, mit mediterranen und asiatischen Einflüssen. Meine Gaststube in Newmarket ist bewusst wie ein privates Esszimmer gehalten, mein Essen ist zwar gut, aber weniger originell, als ich es hier angehen würde. Das heißt keineswegs, dass meine Kunden weniger anspruchsvoll sind als die Londoner. Aber sie haben weniger Restaurants zur Auswahl, und viele kommen regelmäßig ins Hay Net, manche kommen jede Woche. Von daher ist es wichtig, dass sie sich gut aufgehoben fühlen, und Essen, das sie kennen, ist ihnen lieber als Experimente.«

»Geht das nicht jedem so?«, fragte er. »Ich habe Kabeljau bestellt. Da weiß man doch, was man kriegt, oder?«

»Warten Sie's ab«, erwiderte ich lachend. »Ich wette, Sie sehen sich den zweimal an und fragen sich, ob das Ihr Kabeljau ist. Hier kriegen Sie kein Stück panierten Fisch mit Fritten wie in der Imbissbude. Es gibt einen Cassoulet dazu, das ist ein Ragout aus weißen Bohnen, und ein Püree aus Jerusalem-Artischocken. Wissen Sie, wie eine Jerusalem-Artischocke aussieht? Und wie sie schmeckt?«

»Hat die nicht so spitze Blätter, die man lutscht?«

»Das ist die normale Artischocke. Die Jerusalem-Artischocke ist eine Sonnenblumenart, von der man die knollige, kartoffelähnliche Wurzel isst.«

»Aus Jerusalem, nehme ich an.«

»Von wegen.« Ich lachte wieder. »Fragen Sie mich nicht, woher sie den Namen hat. Ich weiß es nicht. Aber mit der Stadt Jerusalem hat es definitiv nichts zu tun.«

»Genau wie das Lied«, meinte Mark. »›Und sah man Seine Füße einst‹, Sie wissen schon. Hat nichts mit der Stadt zu tun. Da steht Jerusalem für ›Himmel‹. Vielleicht schmecken ja die Artischocken himmlisch.«

»Eher wie Radieschen«, sagte ich. »Und meistens muss man davon furzen.«

»Gut«, sagte Mark und lachte. »Dann brauche ich auf der Heimfahrt vielleicht einen Waggon für mich allein.«

Jetzt schien mir der geeignete Zeitpunkt.

»Mark«, sagte ich ernst, »in dem neuen Restaurant hätte ich doch völlige Entscheidungsfreiheit, oder? So wie im Hay Net, oder?«

Er saß nur da und schaute mich an. Einen Moment lang dachte ich, ich hätte die Lage falsch eingeschätzt.

»Max«, sagte er schließlich, »habe ich Sie schon mal gefragt, wie man Handys verkauft?«

»Nein.«

»Eben. Warum sollte ich Sie dann fragen, wie man ein Restaurant betreibt?«

»Aber Sie essen in Restaurants«, sagte ich.

»Und Sie benutzen ein Handy«, konterte er.

»Also gut«, sagte ich. »Ich verspreche, dass ich mit Ihnen nicht über Handys streite, wenn Sie mit mir nicht über Restaurants streiten.«

Er saß schweigend da und lächelte mich an. Hatte ich wirklich den großen Mark Winsome überlistet?

»Kann ich Veto einlegen?«, sagte er schließlich.

»Gegen was?«, fragte ich etwas gereizt.

»Gegen den Standort.«

Was sollte ich sagen? Wenn ihm der Standort nicht passte, würde er keinen Kauf- oder Pachtvertrag unterschreiben. Beim Standort redete er sowieso mit.

»Wenn Sie finanzieren, haben Sie Vetorecht«, sagte ich. »Wenn nicht, dann nicht.«

»Okay«, sagte er. »Dann finanziere ich. Zu den gleichen Bedingungen?«

»Nein«, antwortete ich. »Ich möchte mehr als fünfzig Prozent vom Gewinn.«

»Ist das nicht ein bisschen gierig?«, meinte er.

»Ich möchte mein Personal am Gewinn beteiligen können.«

»In welchem Umfang?«

»Das bleibt mir überlassen«, sagte ich. »Sie bekommen vierzig Prozent, ich sechzig, und dann entscheide ich nach meinem Gutdünken, wie viel oder wenig davon über Prämien an mein Personal geht.«

»Bekommen Sie ein Gehalt?«

»Nein«, sagte ich. »Wie gehabt. Aber ich bekomme sechzig statt fünfzig Prozent vom Gewinn.«

»Und in der Anfangszeit? Letztes Mal haben Sie in den ersten achtzehn Monaten von mir ein Gehalt bezogen.«

»Das ich aber zurückgezahlt habe«, stellte ich klar. »Diesmal geht's auch ohne. Ich habe Rücklagen, damit komme ich schon über die Runden.«

»Sonst noch was?«, fragte Mark.

»Ja«, sagte ich. »Zehn Jahre sind zu lang. Fünf Jahre. Nach fünf bekomme ich die Möglichkeit, Sie zu einem fairen Preis auszubezahlen.«

»Was verstehen Sie unter einem ›fairen Preis‹?«

»Dass ich mit dem besten öffentlichen oder privaten Angebot von dritter Seite mithalten kann.«

»Zu welchen Konditionen?«

»Die Pachtkosten plus vierzig Prozent vom Schätzwert des Restaurants.«

»Fünfzig Prozent«, sagte er.

»Nein. Vierzig Prozent vom Geschäftswert und zu hundert Prozent die Pacht.«

»Und wenn ich Sie ausbezahlen will?«, fragte er.

»Das kostet Sie sechzig Prozent vom Geschäftswert, und ich kann gehen.« Ich fragte mich, wie sehr es sich auf den Geschäftswert auswirkte, wenn der Küchenchef ging. Andererseits konnte ich mir wirklich nicht vorstellen, dass er mich würde ausbezahlen wollen.

Mark lehnte sich auf seinem Stuhl zurück und sah mich an. »Sie wahren knallhart Ihren Vorteil.«

»Warum auch nicht?«, sagte ich. »Ich mache die ganze Arbeit. Sie stellen lediglich einen dicken Scheck aus und können auf Ihrem Hintern sitzen, bis die Kohle reinkommt.« Zumindest hoffte ich, dass Kohle reinkam.

»Wussten Sie, dass viele Restaurants in London innerhalb eines Jahres mit gewaltigen Verlusten dichtmachen? Ich gehe ein ganz schönes Risiko ein mit meinem Geld.«

»Und?«, sagte ich. »Sie haben doch genug. Ich setze meinen Ruf aufs Spiel.«

»Was *jetzt* davon übrig ist«, sagte er und lachte.

»Sie rieten mir, drüberzustehen und an mich zu glauben. Das tue ich. Wir werden nicht in einem Jahr dichtmachen, auch nicht in zweien.«

Er sah mich mit schiefgelegtem Kopf an, als dächte er nach. Plötzlich beugte er sich auf dem Stuhl vor. »Okay, abgemacht«, sagte er und streckte mir die Hand hin.

»Einfach so?«, sagte ich. »Wir haben weder einen Standort bestimmt noch überhaupt einen Etat aufgestellt.«

»Sagten Sie nicht, das sei Ihre Aufgabe? Ich schreibe nur den Scheck, schon vergessen?«

»Wie groß ist der Scheck?«, fragte ich ihn.

»Wie Sie ihn brauchen«, sagte er und bot mir erneut die Hand.

»Gut«, sagte ich. »Abgemacht.«

Ich schlug herzlich ein, und wir lächelten uns an. Mark war mir sehr sympathisch. Seine Anwälte würden zwar den Vertrag noch aufsetzen, aber sein Wort galt, und mein Wort auch. Der Handel war perfekt.

Für den Rest des Essens konnte ich kaum noch stillsitzen, so aufgedreht war ich. Mark lachte, als der Kabeljau kam. Ich hatte ganz recht gehabt.

Der Koch kam aus der Küche und trank zum Abschluss des Abends ein Glas Port mit uns. Im Jahr zuvor hatten wir bei einem Kochwettbewerb im Nachmittagsfernsehen als Jury fungiert, und jetzt freuten wir uns über die Gelegenheit, unsere Freundschaft aufzufrischen. »Wie geht's Ihnen denn mit Ihrem Gasthof im Räuberwald?«, fragte er.

»Bestens«, sagte ich und hoffte, er bekam nicht täglich die *Cambridge Evening News* vor die Tür gelegt. Außerdem fragte ich mich, ob er so freundlich auch wäre, wenn er wüsste, dass Mark und ich in seinem Restaurant saßen, weil wir planten, in sein Revier einzudringen. »Und wie läuft das Geschäft hier?«, fragte ich im Plauderton.

»Ach, wie immer«, meinte er, ohne auszuführen, was ›wie immer‹ bedeutete.

Die Unterhaltung ging eine Weile so vage und unverbindlich weiter, da wir beide kein Urteil über das Können des Kollegen abgeben wollten. Die Welt der Haute Cuisine kann so verschlossen sein wie ein Geheimdienst.

Um nicht den letzten Zug nach Hause zu verpassen, brachen wir gegen elf Uhr auf, und Mark und ich gingen einträchtig am Themseufer entlang in Richtung Waterloo Station. Wir schlenderten an einigen der belebten Pubs, Bistros und Pizzerien vorbei, die das Gesicht der South Bank verändert hatten. Laute Musik und derbes Gelächter hallten jetzt am späten Freitagabend über das Pflaster zum Fluss hin.

»Wo und wann fangen Sie mit der Standortsuche an?«, fragte Mark.

»Ich weiß nicht, so bald wie möglich«, sagte ich und lächelte in der Dunkelheit. »Ich werde mal bei einem Immobilienmakler anfragen, was zu bekommen ist.«

»Halten Sie mich auf dem Laufenden?«, fragte er.

»Natürlich.« Wir kamen an einer Plakatwand vorbei. Auf einem Poster stand in dicken schwarzen Lettern auf weißem Grund »RPO IN DER RFH«. Dank Bernard Sims wusste ich, was RPO bedeutete – Royal Philharmonic Orchestra. »Was heißt RFH?«, fragte ich Mark.

»Bitte?«

»Was heißt RFH?«, wiederholte ich und zeigte auf das Plakat.

»Royal Festival Hall«, sagte er. »Wieso?«

»Nichts weiter, ging mir nur durch den Kopf.« Ich sah mir das Plakat genauer an. Das RPO, mit Caroline Aston an der Viola vermutlich, spielte nächsten Monat in der Royal Festival Hall. Vielleicht hörte ich mir das mal an.

Mark und ich verabschiedeten uns vor dem National Theatre, und er enteilte zu seinem Einmannwaggon auf dem Bahnhof, während ich mich entschloss, über die Golden-Jubilee-Fußgängerbrücke zur Embankment-U-Bahn-Station auf der anderen Seite des Flusses zu gehen. Auf halbem Weg stützte ich mich auf das Brückengeländer und blickte zu den hohen Gebäuden in der City mit ihren meist komplett beleuchteten Fensterfronten hinüber, die am Nachthimmel strahlten.

Vor den Hochhäusern, vergleichsweise schwach beleuchtet, sah ich die majestätische Kuppel von St. Paul's. Mein Geschichtslehrer in der Schule hatte diesen Bau leidenschaftlich geliebt und uns Schülern etliche Fakten darüber eingehämmert. Ich wusste noch, dass St. Paul's als Ersatz für eine 1666 beim großen Brand von London zerstörte ältere Kathedrale gebaut worden war. In nur fünfunddreißig Jahren vollendet, war sie erstaunlicherweise über ein Vierteljahrtausend Londons höchstes Bauwerk geblieben – bis in den sechziger Jahren die Glas- und Betontürme hochgezogen wurden. Während ich dort stand, fragte ich mich, ob Sir Christopher Wren jemals das Gefühl gehabt hatte, sich auf ein Unternehmen einzulassen, dem er nicht gewachsen war. Ließ ich mich jetzt auf ein Unternehmen ein, dem ich nicht gewachsen war?

Im Geist gratulierte ich ihm mit erhobenem Glas zu seiner großen Tat und brachte einen Trinkspruch aus: Sir Christopher, du hast es geschafft, und das kann ich auch.

8

Kidneybohnen!«
»Ja, Kidneybohnen, wahrscheinlich rote Kidneybohnen. Bei der Untersuchung der ins Krankenhaus eingelie-
ferten Gäste wurde festgestellt, dass etwas im Essen gewesen
sein muss, das sich Phythämagglutinin nennt, und davon ist
allen schlecht geworden. Man kennt es auch als Kidneybohn-
nen-Lektin.«

Es war später Samstagnachmittag, und ich hatte Carl und
Gary zu mir ins Büro gebeten, bevor wir für den Abend
aufmachten. Mittagessen gab es samstags bei uns nicht; da
waren zu viele meiner Kunden auf der Rennbahn.

»In dem Essen waren aber doch keine Kidneybohnen«,
sagte Carl.

»Das dachte ich auch«, antwortete ich. »Anscheinend wurden aber sechzehn verschiedene Personen untersucht, und
das Zeug war in sämtlichen Proben.«

Gary und Carl sahen sich an. »Begreif ich nicht«, sagte Gary.

»Wo könnten die Bohnen denn drin gewesen sein?«, fragte
Carl.

»Genau das gedenke ich herauszufinden«, sagte ich. »Dann
finde ich auch raus, wer sie reingetan hat.«

»Willst du damit etwa sagen, dass jemand absichtlich die
ganzen Leute vergiftet hat?«, fragte Carl.

»Was soll ich denn sonst denken?«, erwiderte ich. »Überleg mal. Jede Menge Leute, die da gegessen haben, waren hinterher krank, auch ich selber. Bei sechzehn Personen wurde Phydingsda nachgewiesen. Davon ist ihnen schlecht geworden, und es kommt nur in Kidneybohnen vor. Da drängt sich der Schluss auf, dass Kidneybohnen in dem Essen waren. Ich habe keine reingetan. Ergo muss jemand anderes sie reingetan haben, und zwar vorsätzlich, damit die Leute krank werden.«

»Aber warum?«, fragte Gary.

»Das weiß ich nicht.« Ich war wütend. »Es muss aber jemand gewesen sein, der Zugang zur Küche hatte.«

»Zugang hatten jede Menge Leute«, sagte Carl. »Wir hatten ja nicht grade eine Wache aufgestellt. Die Küchenhilfen von der Agentur und die ganzen Kellner waren da.«

»Und auch noch welche vom Rennbahnrestaurant«, sagte ich. »Aber glaubt mir, ich kriege raus, wer das war.«

»Müsste man nicht sehen, wenn irgendwo Kidneybohnen drin sind?«, fragte Gary.

»Dachte ich auch«, sagte ich. »Aber wenn sie kleingehackt sind, sieht man sie natürlich nicht.«

»Wie viele Bohnen braucht man denn, um über zweihundert Menschen zu vergiften?«, warf Carl ein. »Doch bestimmt so viele, dass man's rausschmeckt?«

»Das hab ich auf der Webseite der US-Lebensmittelbehörde im Internet nachgesehen«, sagte ich. »Schon von vier, fünf rohen Bohnen wird einem schlecht, heißt es da. Und auf maximal achtzig Grad erhitzt sind die Bohnen fünfmal so giftig wie im Rohzustand. Demnach könnte eine Bohne pro Person schon genügen. Außerdem soll das Gift zu hundert Prozent wirken – das heißt, jeder, der die Bohnen isst, wird krank.«

»Wo könnten sie denn drin gewesen sein?«, fragte Gary.

»Am ehesten wohl in der Sauce«, erwiderte ich. Und dachte bei mir, dass niemand eine einzelne erhitzte Kidneybohne herausgeschmeckt hätte, zumal wenn sie kleingehackt war und mit den Pfifferlingen, den Trüffeln und den Schalotten vermischt, ganz abgesehen von Weißwein, Cognac, Knoblauch und Sahne.

»Der Wein in der Sauce musste aber doch reduziert werden«, sagte Carl. Damit meinte er, dass die Sauce zum Verdampfen der überschüssigen Flüssigkeit gekocht werden musste. »Wenn tatsächlich Bohnen drin waren, wären sie dann doch harmlos gewesen.«

»Sie müssen nach dem Aufkochen dazugegeben worden sein«, sagte ich. »Die Sauce wurde ja mit Sahne abgeschmeckt. Mit der Sahne ist sie nicht mehr gekocht worden.« Um zu verhindern, dass sie durch die im Wein enthaltene Säure gerann.

Ich dachte an das Essen zurück. Die Sauce hatte ich in vier großen Alu-Kochtöpfen zubereitet, wie man sie auch im Haushalt kennt, nur größer, mit Griffen auf beiden Seiten. Die von Stress-Free Catering gestellten Töpfe fassten jeweils sechs Liter. Ich hatte fünfzig Milliliter Sauce pro Person gerechnet. Bei zweihundertfünfzig Portionen brauchte ich also zwölfeinhalb Liter. Ich hatte sie in vier Töpfen zubereitet für den Fall, dass sie in einem Topf gerann. Am Ende war die Sauce in allen vier Töpfen gelungen, und ich hatte eine Menge übrig. Daran erinnerte ich mich gut, denn ich mochte die Sauce und hatte mir Nachschlag genommen. Zu meinem Pech.

Die vier halbvollen Töpfe hatten im Anrichteraum gestanden, wo wir das Essen auf die Teller verteilt hatten – gefüllte Hühnchenbrust, Röstkartoffeln, Zuckererbsen und Sauce, die Kartoffeln garniert mit einem Petersilienzweig. Die Töpfe waren ein paar Minuten lang nicht mehr direkt erhitzt worden, da ich davon ausgegangen war, dass sie die Temperatur bis zum Servieren hielten, wenn sie auf der warmen Edelstahlanrichte standen. Ich hatte eine der Küchenhilfen die Sauce umrühren lassen, damit sie sich nicht absetzte. Zu viel mehr war der Mann nicht zu gebrauchen gewesen, und ich erinnerte mich an ihn, weil ich einige Mühe hatte, mich ihm verständlich zu machen, da er nur wenig Englisch konnte. Ich nahm an, er sei aus Polen oder Tschechien oder sonst einem osteuropäischen Land, wie so viele heutzutage in der Catering-Branche.

Es gab einen Zeitraum von rund zehn Minuten, in dem die Bohnen der Sauce hinzugefügt worden sein konnten, bevor sie aufgetragen wurde. In dieser Zeit war ich meist gleich um die Ecke in der Küche oder draußen in der Loge gewesen. Jedenfalls hatte ich in den entscheidenden Minuten die Töpfe nicht im Blick gehabt. Von ihrem Standort zwischen Küche und Loge her hätte jeder vom Personal an dem Abend Gelegenheit gehabt, etwas in die Töpfe zu tun. Aber es musste jemand gewesen sein, der wusste, was er wollte, und mein Saucenrührer hätte ihn mit Sicherheit gesehen. Ich konnte mir immer noch keinen Reim darauf machen.

»Was sollen wir also tun?«, sagte Gary.

»Wir können ja gar nichts tun«, erwiderte ich, »wir können nur weitermachen wie immer. Fürs Abendessen haben wir fünfundsechzig Reservierungen, und heute hat bisher noch niemand abgesagt.«

Das Telefon auf meinem Schreibtisch klingelte. Warum hielt ich nur mein blödes Maul nicht, dachte ich, als ich den Hörer abnahm.

»Hallo«, sagte ich. »Restaurant Hay Net.«

»Max? Sind Sie das?«, fragte eine Frauenstimme.

»Derselbe«, sagte ich.

»Gut. Hier ist Emma Kealy. Sie haben gestern auf Elizabeths Beerdigung mit George gesprochen, nicht wahr?«

»Ja«, sagte ich. »Mein Beileid wegen Elizabeth.«

»Ja«, sagte sie. »Danke. Eine schreckliche Geschichte, besonders für den armen Neil.« Sie schwieg einen Moment. »Aber für uns andere muss das Leben weitergehn.«

»Was kann ich für Sie tun?«, fragte ich.

»Na ja, George sagt, er hat unseren Tisch für heute Abend abbestellt.«

»Stimmt. Er sagte, Sie wollten vorerst keinen mehr.«

»Der alte Dummkopf«, meinte sie. »Wir haben noch Übernachtungsgäste und nichts zu essen im Haus. Wie stellt er sich das vor? Soll ich vielleicht zum *Raj of India* gehen?«

Der *Raj of India* war ein schmuddliger indischer Take-away in der Palace Street. Es wäre mir nie in den Sinn gekommen, dass Emma Kealy ihn überhaupt kannte, geschweige denn, dass sie dorthin gehen könnte. »Kriegen Sie um halb neun noch vier Personen unter?«, fragte sie beschwörend. »Ich habe vollstes Verständnis dafür, wenn es nicht unser gewohnter Tisch sein kann.«

»Natürlich kriegen wir Sie unter«, sagte ich. »Ich freue mich auf Sie.«

»Wunderbar. Dann bis später.« Die Erleichterung in ihrer Stimme war nicht zu überhören. Es hatte wohl ordentlich gekracht zwischen ihr und George.

Ich legte auf und sah Gary und Carl an. »Vier Personen mehr für heute Abend«, sagte ich lächelnd. Ein Hoch auf die Kealys.

Die beiden anderen gingen in die Küche, um mit den Vorbereitungen fürs Abendessen anzufangen, während ich am Schreibtisch sitzen blieb, um noch etwas Büroarbeit zu erledigen. Ich sah den schon zurechtgelegten Stapel Papiere nach offenen Rechnungen durch, die sofort bezahlt werden mussten. Dabei stieß ich auf den Lieferschein von Leigh Foods, meinem Lieferanten für das Diner. Als könnten mir die Kidneybohnen bisher entgangen sein, schaute ich die Posten noch einmal durch. Nichts da. Natürlich nicht. Ich hätte auf das Grab meines Vaters geschworen, dass ich keine einzige verdammte Kidneybohne bei dem Essen verwendet hatte.

Ich rief Suzanne Miller auf ihrem Handy an.

»Tag, Suzanne«, sagte ich, »Max Moreton hier. Entschuldigen Sie, dass ich Sie am Samstagnachmittag behellige. Hätten Sie einen Moment Zeit?«

»Schießen Sie los«, sagte sie. »Ich bin sowieso im Büro. Wir hatten heute eine Hochzeitsgesellschaft, deshalb arbeite ich noch.«

»Ich wusste gar nicht, dass es auf der Rennbahn Hochzeiten gibt«, staunte ich.

»Aber ja«, sagte sie. »Fast jeden Samstag im Sommer – wenn keine Rennen stattfinden, versteht sich. Für die Feier nehmen wir die Hong-Kong-Suite und für den Empfang oft das Champion's Gallery Restaurant. Läuft ganz gut so.«

»Man lernt nie aus«, sagte ich.

»Was kann ich für Sie tun?«, fragte sie.

»Könnten Sie mir vielleicht eine Kopie der Gästeliste vom vorigen Freitagabend schicken?«

»Gern«, sagte sie. »Kein Problem. Die hab ich auf meinem Computer. Ich maile sie Ihnen.«

»Danke«, sagte ich. »Und noch etwas. Haben Sie auch eine Liste mit den Namen der Küchenhilfen, die Sie über die Agentur bekommen haben?«

»Nein«, erwiderte sie. »Die Agentur hat mir nur gesagt, wie viele kommen, aber nicht, wie sie heißen.«

»Ein paar sind aber nicht aufgetaucht, wie Sie wissen, dafür mussten im letzten Moment Leute von Ihnen einspringen«, sagte ich. »Haben Sie noch die Namen der nicht Aufgetauchten und der Ersatzleute, die wir herangezogen haben?«

»Ich maile Ihnen die Telefonnummer der Agentur, dann können Sie sie direkt fragen. Wozu brauchen Sie die Namen meines Personals?«

Wie viel sollte ich ihr sagen? Sie hatte mich prompt hängenlassen, als ihr der Brief von Caroline Aston auf den Tisch geflattert war. Würde sie jetzt nicht bloß denken, ich suchte einen Sündenbock?

»Ich habe Grund zu der Annahme, dass jemand etwas in das Essen getan hat, was nicht hineingehörte«, sagte ich, »und ich versuche die Namen aller Personen zu ermitteln, die dort waren und Zugang zu dem Essen hatten, damit ich den Schuldigen finde.«

Am anderen Ende trat ein langes Schweigen ein.

»Soll das heißen, Sie trauen meinem Personal zu, dass es Leute vergiftet hat?«, fragte sie ziemlich frostig.

»Nein«, beeilte ich mich zu erwidern. »Das will ich damit nicht sagen, und ich glaube es auch nicht. Ihre Leute sind alle auf den letzten Drücker eingesprungen, sie können es nicht gewesen sein.« Ich hielt es für sehr unwahrscheinlich, dass jemand so kurzfristig die Kidneybohnen gekauft und zubereitet hatte. »Ich möchte nur ihre Namen, damit ich sie als Verdächtige ausschließen kann.« Jetzt hörte ich mich schon an wie ein Kriminalbeamter.

»Ich werde nachsehen«, sagte sie. »Aber Sie bekommen die Namen nur, wenn die Leute damit einverstanden sind.«

»Das soll mir recht sein«, sagte ich.

»Glauben Sie wirklich, dass das Essen vorsätzlich vergiftet wurde?«

»Suzanne«, sagte ich, »klar hört es sich verrückt an, aber ich habe einfach keine andere Erklärung. Labortests haben eindeutig ergeben, dass in dem Essen etwas war, das ich nicht reingetan habe – was soll ich davon halten?«

»Was war denn drin?«, fragte sie.

»Das möchte ich lieber nicht sagen«, antwortete ich. Ich weiß nicht, warum es mir ratsam erschien, einige Fakten geheim zu halten. Vielleicht hoffte ich, der Täter würde sich dadurch verraten, dass er »Kidneybohnen« sagte, obwohl davon keine Rede gewesen war. Ich hatte mal einen Krimi gelesen, in dem so etwas passierte, und damit hatte der Inspektor den Fall augenblicklich gelöst.

»Das klingt mir alles sehr abenteuerlich«, meinte sie. »Und auch ein bisschen weit hergeholt, wenn Sie mich fragen. Warum sollte einer denn so viele Leute vergiften wollen?«

»Weiß ich auch nicht«, sagte ich. »Warum haben so viele

Leute Lust, was kaputtzumachen? Vielleicht war es nur Jux und Tollerei. Es gibt nicht für alles eine logische Erklärung.«

»Sucht die Polizei nach den Tätern?«, fragte sie.

»Nicht, dass ich wüsste«, sagte ich. »Ich glaube, die Polizei ist vor allem hinter dem Bombenleger vom Samstag her.«

»Da haben Sie wahrscheinlich recht«, sagte sie. »Zumindest sind sie noch hier auf der Rennbahn, und beinah hätten wir deswegen heute die Hochzeit absagen müssen, aber zum Glück brauchen wir die Frontal-Tribüne nicht. Die bleibt jetzt auf Monate gesperrt. Aber meinen Sie nicht, Sie sollten mit Ihrem Verdacht bezüglich des Essens zur Polizei gehen?«

»Sollte ich vielleicht«, sagte ich, wobei ich insgeheim dachte, die Polizei würde genau wie Angela Milne annehmen, ich hätte ungare Kidneybohnen aufgetischt und wollte es bloß nicht zugeben.

»Wollen Sie sonst noch was unternehmen?«, fragte sie.

»Wahrscheinlich nicht«, sagte ich. »Eine kleine Lebensmittelvergiftung, die keine bleibenden Schäden hervorgerufen hat, ist gegenüber dem Bombenanschlag nicht so wichtig.« Und für meinen Ruf und mein Restaurant, dachte ich, könnte es besser sein, wenn ich zusah, dass der Vorfall langsam aus dem Gedächtnis der Leute verschwand, und ihn nicht immer wieder aufrührte.

»Melden Sie sich, wenn ich Ihnen behilflich sein kann«, sagte Suzanne.

»Danke«, sagte ich. »Und denken Sie bitte an die Gästeliste und die Agenturdaten.«

»Geht gerade an Sie raus.« Ich hörte ihre Finger auf der Tastatur. »Voilà«, sagte sie. »Wird gleich bei Ihnen sein.«

»Prima. Vielen Dank.« Wir legten auf, und ich wandte mich meinem Computer zu.

»Sie haben Post«, teilte er mir mit, und tatsächlich erschien nach ein paar Mausklicks die Gästeliste des Galadiners vor meinen Augen. Wie sind wir bloß ohne E-Mail zurechtgekommen?

Ich sah die Liste durch, da ich aber weder genau wusste, wonach ich suchte noch warum, druckte ich sie aus und legte sie auf meinem Stapel unerledigter Post ab. Dann ging ich ins Internet.

Ich suchte nach RPO und fand schon bald ausführliche Angaben zu den Konzerten und Opern der Königlichen Philharmoniker. Das Konzert in der Royal Festival Hall wurde wärmstens empfohlen, und wenn ich wollte, konnte ich mit ein paar Mausklicks Karten dafür kaufen. Ich sah, dass das Orchester heute Abend und fast die ganze nächste Woche Sibelius und Elgar in der New Yorker Carnegie Hall spielte. Wie schön für Caroline Aston, dachte ich. Ich war letztes Frühjahr in New York gewesen und hatte jede Sekunde genossen.

Ich sah mir Miss Astons Telefonnummer an, die ich mir am Mittwochmorgen bei dem Anruf von Bernard Sims notiert hatte. Wenn sie in New York war, konnte sie jetzt nicht zu Hause sein. Drei Mal tippte ich ihre Nummer ein bis auf die Endziffer. Ich fragte mich, ob sie eine Ansage hatte – ob ich ihre Stimme hören könnte. Beim vierten Mal tippte ich die Nummer ganz ein und ließ es zweimal klingen, ehe ich den Mut verlor und auflegte. Vielleicht wohnte sie nicht allein, und es meldete sich doch jemand.

Ich tändelte noch ein Weilchen mit dem Telefon und

wählte die Nummer noch einmal. Schon nach dem ersten Klingeln meldete sich jemand.

»Hallo«, sagte eine Frauenstimme.

Ups, dachte ich, keine Ansage vom Band. Ein richtiges Gegenüber.

»Ist da Caroline Aston?«, fragte ich im Vertrauen darauf, dass ebendie fünftausend Kilometer entfernt war.

»Ja«, erwiderte sie. »Kann ich Ihnen helfen?«

»Ähm«, sagte ich übertölpelt, »hätten Sie Interesse daran, Doppelglasfenster zu kaufen?«

»Nein, danke«, sagte sie. »Wiederschaun!« Sie legte auf.

Blödmann, sagte ich zu mir, wobei mir das Herz bis zum Hals klopfte. So was Dummes. Ich legte den Hörer auf, und sofort klingelte das Telefon wieder.

»Hallo«, sagte ich.

»Hätten *Sie* Interesse daran, Doppelglasfenster zu kaufen?«

»Bitte?«, sagte ich.

»Na, sehen Sie. Warum sollte ich Doppelglasfenster von jemandem kaufen wollen, der mich aus heiterem Himmel anruft? Davon halte ich genauso wenig wie Sie.«

Ich wusste nicht, was ich sagen sollte. »Entschuldigung.« Auch für mich klang das albern.

»Wer sind Sie überhaupt«, sagte sie. »Eine Verkaufskanone jedenfalls nicht.«

»Woher haben Sie denn meine Nummer?«, fragte ich.

»Anrufererkennung«, sagte sie. »Hätte nicht gedacht, dass Leute wie Sie eine Nummer haben, die angezeigt wird. Was aber wichtiger ist, woher haben Sie meine Nummer?«

Die Wahrheit konnte ich ihr schlecht sagen, aber alles andere hätte mich jetzt noch mehr in die Bredouille gebracht. Ein eleganter Rückzug schien mir das Beste zu sein.

»Bitte entschuldigen Sie, ich muss Schluss machen. Wiederhören.« Ich legte schnell auf. Meine Hände waren feucht. Zu blöd aber auch!

Ich ging hinaus in die Küche, wo Carl gerade einem der Springer ziemlich bissig erklärte, dass es wirklich nötig war, beim Spülen alle Speisereste aus den Pfannen zu entfernen.

Ungeachtet ihres Namens trifft man Springer seltener beim Springen als beim Tauchen an, da sie den Abwasch besorgen und ihre Arme meistens bis zu den Ellbogen in heißem Wasser stecken. Im Hay Net hatten wir zwei. So war es zumindest vorgesehen, aber nur zu oft verschwanden Springer von einem Augenblick zum anderen. Keine Erklärung, kein Tschüs, auf einmal waren sie weg, und man sah sie nie wieder. Zu den aktuellen Inhabern des Postens gehörte ein Mann in den Fünfzigern, dessen Vater 1940 von Polen nach England gekommen war, um in der Air Force gegen die Nazis zu kämpfen. Er hatte einen zungenbrecherischen polnischen Namen mit vielen Ps und Zs, sprach aber mit derbem Essexer Akzent und »klaubte« immer. »Ich klaub, ich geh ma heim«, sagte er zum Beispiel. »Ich klaub, ich trink ma 'n Tee.« Er war schon fast ein Jahr bei uns, viel länger als der Durchschnitt, aber er blieb für sich und unterhielt sich selten mit dem anderen Personal.

Der andere Springer hieß Jacek (*Jatscheck* gesprochen), stand in der vierten Woche und nahm es mit dem Auswaschen der Bratpfannen offenbar nicht so genau. Er war ziemlich typisch für die Leute, die uns das Arbeitsamt vermittelte – Mitte bis Ende zwanzig, aus einem der neueren EU-Länder, mit dürftigen Englischkenntnissen. Immerhin hatte er mich aber fragen können, wie er es anstellen musste, seiner Frau und seiner kleinen Tochter, die noch in der Heimat waren, jede Woche Geld zu überweisen. Er schien zufrieden mit dem Leben, und mit seinem unverwüstlichen Lächeln und dem ewigen Liedchen auf den Lippen hatte er vorige Woche der Moral in der Küche wirklich gutgetan. Jetzt stand er mit gesenktem Kopf vor Carl, als bäte er ihn um Verzeihung. Weil er dabei immer wieder nickte, fragte ich mich, wie viel von Carls Tirade er eigentlich verstand. Den Sarkasmus bekam er sicher gar nicht mit. Er tat mir leid, so weit weg von zu Hause in einer fremden Umgebung und von seiner Familie getrennt.

Ich zog Carls Blicke auf mich. »Das reicht«, sagte ich ihm stumm mit den Lippen. Jacek war ein tüchtiger Angestellter, und ich wollte ihn jetzt wirklich nicht verlieren, schon weil er sich mit seinem Kollegen ganz gut verstand und weil sie beide keine Trinker waren, wie man sie unter Springern häufig findet.

Carl unterbrach sich praktisch mitten im Satz und entließ den Missetäter mit einer kurzen Handbewegung. Jacek kam auf dem Rückweg zu einem Platz an der Spüle an mir vorbei, und ich sah ihn lächelnd an. Er zwinkerte mir zu und erwiderte das Lächeln. Oho, dachte ich, der Mann war nicht ohne.

Am Samstagabend sah es aus, als wäre das Hay Net wieder im Geschäft. Wir waren zwar nur zu zwei Dritteln belegt, doch an der Bar und in der Gaststube ging es lebhaft zu, und die Schrecken der Vorwoche waren, wenn vielleicht auch nur vorübergehend, vergessen.

George und Emma Kealy erschienen mit ihren beiden Gästen pünktlich um halb neun, bekamen ihren gewohnten Tisch und schienen sich angenehm zu unterhalten oder jedenfalls wohl zu fühlen. Über mein Gespräch mit George bei der Beerdigung wurde kein Wort verloren, doch als sie aufbrachen, wandte sich Emma zu mir und sagte: »Bis nächste Woche, wie gewohnt.«

»Für sechs Personen?«, fragte ich.

»Reservieren Sie für sechs«, sagte sie. »Ich gebe Ihnen am Freitag Bescheid.«

»Gern«, sagte ich und lächelte sie an.

»Haben Sie schon rausgefunden, wovon letzte Woche allen schlecht geworden ist?«, fragte sie. George machte ein Gesicht, als entsetzte ihn die Taktlosigkeit seiner Frau.

»Nicht direkt«, sagte ich. »Anscheinend war aber etwas im Abendessen.«

»Was denn?«, fragte Emma.

»Ich weiß es noch nicht genau«, antwortete ich. Und mir war selbst nicht klar, ob ich von den ungekochten Kidneybohnen nur deshalb nichts sagte, weil es mir peinlich war. »Ich überlege noch, wie da etwas ins Essen gelangen konnte.«

»Wollen Sie etwa sagen, da war Absicht dahinter?«, fragte sie.

»Das ist für mich der einzig mögliche Schluss«, antwortete ich.

»Das klingt mir aber etwas abwegig«, meinte George.

»Ihnen vielleicht«, sagte ich, »aber wie soll ich mir das sonst erklären? Nehmen wir mal an, George, Sie hätten ein Pferd, das im Training wie der Wind fliegt, sich auf der Rennbahn aber eher als Karrengaul erweist und dann positiv auf

Doping getestet wird. Wenn Sie genau wissen, dass Sie dem Pferd nichts gegeben haben, das es langsam macht, kommen Sie zu dem Schluss, dass jemand anderes Hand angelegt hat. So auch hier. Ich weiß genau, dass ich nichts in dem Essen verwendet habe, was auf den Magen schlagen kann, aber Tests haben gezeigt, dass ein Giftstoff vorhanden war, also muss den jemand anderes hinzugefügt haben. Und das kann meines Erachtens nur mit Absicht geschehen sein. Und ich will unbedingt herausfinden, wer dafür verantwortlich ist.«

Eigentlich fand ich, ich sollte ihnen nicht gar so viel erzählen, aber sie unterstützten mich zu einer Zeit, wo andere sich von mir abwandten, daher war ich ihnen vielleicht etwas schuldig.

»Na, für uns war es jedenfalls ein Segen«, sagte Emma.

»Wieso?«, fragte ich.

»Wir waren zu dem Lunch geladen, bei dem die Bombe hochging«, sagte sie. »Wir sind nur deshalb nicht hingegangen, weil wir eine grässliche Nacht hinter uns hatten. Was für ein Glück. Obwohl ich zugeben muss, dass ich an dem Samstagmorgen stinkwütend auf Sie war.« Sie bohrte mir einen Finger in die Brust. »Ich hatte mich so auf den Guineas-Tag gefreut. Am Ende war's dann nur zu unserem Besten.« Sie lächelte mich an. »Deshalb verzeihe ich Ihnen.«

Ich erwiderte das Lächeln und legte ihr eine Hand auf den Arm. »Das freut mich«, sagte ich. Wenn Kundinnen, die vom Alter her meine Mutter hätten sein können, mit mir schäkerten, ging ich immer gern darauf ein. Es war gut fürs Geschäft.

»Komm, Emma«, sagte George ungeduldig. »Wir müssen los. Peter und Tania warten.« Er wies mit einer Handbewegung auf ihre beiden Gäste, die geduldig an der Eingangstür standen.

»Schon gut, George«, erwiderte sie gereizt. »Ich bin ja schon da.« Sie reckte sich mit ihren einssechzig, um mir einen Kuss zu geben, und ich beugte mich ein wenig zu ihr runter. »Gute Nacht«, sagte sie. »Es war ein reizender Abend.«

»Danke, dass Sie gekommen sind«, sagte ich von Herzen.

»Und Sie dürfen uns jederzeit wieder vergiften, wenn Sie uns damit das Leben retten.« Sie lächelte.

»Danke«, sagte ich, da mir sonst keine passende Antwort einfiel.

George tänzelte von einem Fuß auf den anderen. »Komm, mein Schatz«, sagte er genervt. Mit einem Seufzer fügte sich Emma. Durchs Fenster sah ich zu, wie sie alle vier in einen neuen Mercedes der Spitzenklasse einstiegen und davonfuhren.

Damit waren es jetzt schon drei Leute, die in der zerbombten Loge hätten sein sollen, wegen der Essensvergiftung aber nicht dort gewesen waren. Der arme Neil Jennings wünschte, er wäre mit Elizabeth zusammen dort gewesen, aber die Kealys waren froh, dass ihre Bauchschmerzen sie vor Schlimmerem bewahrt hatten. Hier passte vielleicht wirklich das Wort vom Glück im Unglück.

Weniger Gäste konnten schneller bedient werden, und so gingen die letzten um kurz vor elf. Samstags war es schon vorgekommen, dass wir noch nach Mitternacht Portwein und Brandy ausschenkten, und ein oder zwei Mal war es nach eins geworden, bis ich die Bummelanten zur Tür und in die Nacht hinauskomplimentiert hatte.

Ich saß an meinem Schreibtisch im Büro und hoffte im Stillen, dass das Schlimmste überstanden war: Wenn ich das Gerichtsverfahren abwenden und glaubhaft versichern konnte, dass ich von den giftigen Kidneybohnen nichts geahnt hatte, dann würde sich die Lage im Hay Net vielleicht normalisieren, zumindest für ein paar Monate, bis ich so weit war, meinen Umzug nach London bekanntzugeben. Wie man sich täuschen konnte!

Ich sah auf die Uhr. Viertel nach elf. Zeit, nach Hause zu gehen, dachte ich. Mal früher Feierabend.

Das Telefon klingelte neben mir.

»Hallo«, sagte ich. »Restaurant Hay Net.«

Am anderen Ende war es still.

»Hallo«, wiederholte ich. »Restaurant Hay Net. Was kann ich für Sie tun?«

»Wieso haben Sie mir weisgemacht, dass Sie Doppelglasfenster verkaufen?«

»Ähm.« Ich wusste nicht, was ich sagen sollte.

»Ja, bitte?«, sagte sie. »Ich warte.«

»Ich weiß nicht, warum«, brummelte ich.

»Haben Sie ein Rad ab, oder was?«

Ja, es sah fast so aus. »Nein«, sagte ich. »Darf ich Ihnen das bitte erklären?«

»Ich warte«, sagte sie erneut.

»Nicht hier, nicht jetzt, nicht am Telefon. Können wir uns vielleicht treffen?«

»Wie sind Sie denn an meine Nummer gekommen?«, wollte sie wissen.

»Über die Auskunft.«

»Ich habe eine Geheimnummer.«

»Ach so. Ich weiß nicht mehr. Über das Orchester vielleicht.«

»Die haben nur meine Handynummer.«

Ich ritt mich immer tiefer rein.

»Hören Sie«, sagte ich, »wenn wir uns treffen, kann ich alles erklären. Darf ich Sie zum Essen einladen?«

»Nach Newmarket komme ich nicht«, sagte sie. »Meinen Sie, ich gebe Ihnen noch mal Gelegenheit, mich zu vergiften?«

»Sie sagen, wo, und ich zahle. Sie können es sich aussuchen.«

Es war kurz still, während sie überlegte. »Gordon Ramsay«, sagte sie schließlich.

»Im Claridge's?«, fragte ich.

»Nein, natürlich nicht. Das Restaurant Gordon Ramsay in der Royal Hospital Road. Bis Freitag bin ich diese Woche jeden Abend frei.«

Abgesehen davon, dass Gordon Ramsay zu den teuersten Restaurants der Welt gehörte, war es auch bekannt dafür, dass man nur schwer reinkam. Reservierungen wurden zwei Kalendermonate im Voraus ab neun Uhr früh entgegengenommen, und um halb elf war oft schon alles ausgebucht. Aussichten auf einen Tisch in der kommenden Woche hatte ich nur, wenn ich meine Beziehungen zu einem Kollegen spielen ließ.

»Ich ruf Sie an«, sagte ich.

»Ja, tun Sie das.« Bildete ich es mir ein, oder drückte ihr Tonfall aus, dass ich keinen Tisch bekommen würde?

»Wieso sind Sie nicht in New York?«, fragte ich nun auch noch tollpatschig.

»Dafür hat Ihr verdammtes Essen gesorgt«, antwortete

sie böse. »Ich kam am Samstag nicht rechtzeitig zum Flughafen und wurde ersetzt.«

»Oh.«

»Ja, oh. Auf die New-York-Reise hatte ich mich seit Monaten gefreut, und Sie haben sie mir gründlich vermasselt.«

»Das tut mir leid.«

»Ist das ein Schuldeingeständnis?«

Ich konnte mir vorstellen, was Bernard Sims mit mir angestellt hätte. »Aber keineswegs«, sagte ich.

»Mein Agent meint, ich soll Sie fertigmachen«, sagte sie. »Er meint, ich müsste mindestens zehntausend dafür kriegen.«

Ich dachte an Marks Rat zurück und kam zu dem Schluss, dass sie sich mit einem Hunderter vielleicht doch nicht würde abspeisen lassen.

»Ich glaube, Ihr Agent übertreibt«, sagte ich.

»Finden Sie? Mir ist ja nicht nur das Geld für die Tour entgangen. Ich habe keine Gewähr dafür, dass ich in das Orchester wieder aufgenommen werde, wenn es zurückkommt. Die Orchesterleitung ist ziemlich heikel. Gerade erst bin ich zur ersten Viola aufgestiegen, und dann passiert so ein Scheiß.« Auf jeden Fall nahm sie kein Blatt vor den Mund.

»Da fällt mir ein«, sagte ich, um das Thema zu wechseln, »was ist der Unterschied zwischen einer Violine und einer Viola?«

»Was?«, schrie sie durch die Leitung. »Haben Sie nicht zugehört? Ich sagte gerade, Sie haben mich vielleicht meine verdammte Karriere gekostet.«

»So schlimm wird's schon nicht kommen«, sagte ich. »Sie sollten sich beruhigen. Das ist besser für Ihren Blutdruck.«

Eine Pause entstand. »Sie sind widerlich.«

»Das hat mein Bruder auch immer gesagt.«

»Er hatte völlig recht.« Sie schwieg. »Also?«

»Also was?«, fragte ich.

»Was wollen Sie dagegen tun?«

»Gar nichts«, sagte ich.

»Gar nichts! In dem Fall sehen wir uns vor Gericht.«

»Okay«, antwortete ich. »Aber was ist denn nun der Unterschied?«

»Der Unterschied?«

»Zwischen einer Violine und einer Viola«, sagte ich.

»Zwischen Geige und Bratsche?«

»Ja.«

»Eine Bratsche brennt länger.«

»Bitte?«, sagte ich.

»Oh, pardon«, lachte sie. »Das ist ein alter Witz unter Musikern. Wir Violaspieler bekommen traditionell die bösesten Orchesterwitze ab. Daran gewöhnt man sich. Ich glaube, die anderen sind bloß eifersüchtig.«

»Und was ist nun der Unterschied?«

»Es sind verschiedene Instrumente.«

»Das weiß ich«, sagte ich. »Aber sie sehen gleich aus.«

»Nein«, widersprach sie. »Eine Viola ist viel größer als eine Violine. Da könnte man genauso gut sagen, eine Gitarre sieht wie ein Cello aus.«

»Nein. Das ist Quatsch«, gab ich zurück. »Zunächst mal wird ein Cello senkrecht gehalten und eine Gitarre waagerecht.«

»Ha!«, trumpfte sie auf. »Jimi Hendrix hat seine Gitarre meistens senkrecht gespielt.«

»Versteigen Sie sich nicht«, sagte ich und lachte. »Sie wissen, was ich meine. Violine wie Viola wird mit einem Bogen unterm Kinn gespielt.«

»Auch mit den Fingern«, sagte sie. »*Pizzicato*. Und das Instrument liegt weniger unterm Kinn als auf der Schulter.«

»Heißt das, Sie recken das Kinn in die Luft?«

»Manchmal«, sagte sie. Ich hörte an ihrem Tonfall, dass sie lächelte. Vielleicht war es ganz gut, mich jetzt loszueisen, bevor sie noch mal nachfragte, woher ich denn ihre Privatnummer kannte und wusste, was sie machte.

»Ich ruf Sie wegen des Essens an«, sagte ich. »Es wird wahrscheinlich Dienstag.« Dienstagabends war es im Hay Net meistens ruhig, oft kochte ich dann woanders oder besuchte irgendwelche Veranstaltungen.

»Meinen Sie wirklich, Sie bekommen einen Tisch?«, fragte sie.

»Selbstverständlich«, erwiderte ich. »Kein Problem.«

Ich hoffte, ich hatte recht. Dann konnte ich vielleicht zehn Riesen sparen.

9

Wir bekamen einen Tisch für zwei an der Wand neben der Tür. Klar war es nicht der beste Platz, aber Caroline war trotzdem beeindruckt.

»Ich hätte nie gedacht, dass Sie hier einen Tisch besorgen können«, meinte sie zur Begrüßung. »Ehrlich gesagt, wenn ich gewusst hätte, dass Sie das hinkriegen, hätte ich es nicht vorgeschlagen. Ich bin mir keineswegs sicher, ob ich hier sein möchte.« Und ihr finsterer Gesichtsausdruck bewies es.

Ich wusste nicht genau, was ich von der Bemerkung halten sollte, aber sie war gekommen, und das allein zählte für mich. In den vergangenen Tagen hatte ich mich redlich bemüht, mir das Streichquartett von dem Galadiner ins Gedächtnis zu rufen. Ich wusste, dass alle vier lange schwarze Kleider getragen und Pferdeschwänze gehabt hatten, aber an ihre Gesichter konnte ich mich beim besten Willen nicht erinnern. Als Caroline zur Tür des Restaurants Gordon Ramsay hereingekommen war, hatte ich sie jedoch gleich erkannt.

Der Tisch war schwer zu ergattern gewesen, und dafür hatte ich manche Dankesschuld eingefordert und etliche Gefälligkeiten zugesagt. »Leider nicht«, hatte man mir etwas belustigt über meinen Optimismus am Telefon gesagt, »Tische werden normalerweise zwei Monate im Voraus bestellt.« Man sparte sich den Hinweis, dass weniger als zwei Tage im Voraus ein Ding der Unmöglichkeit sei.

Aber ich war nicht umsonst ein Starkoch, wenn auch nur ein Leichtgewicht. Die Welt der Meisterküchen mochte noch so konkurrenzbetont sein und die Meisterköche eifersüchtig bis aufs Messer, doch im Innersten wussten wir, dass wir einander brauchten, nicht nur, um das allgemeine Interesse an der Kochkunst wachzuhalten, sondern auch, damit einer in des anderen Fernsehshow als Gast auftreten konnte.

Nachdem ich meine Seele zwar nicht direkt dem Teufel, aber dem Hüter seiner Küche verkauft und Versprechungen gemacht hatte, die schwierig bis unmöglich einzulösen waren, bot man mir zum Dank dafür »einen kleinen Extratisch um neun, der noch in die ausgebuchte Gaststube passt. Kann aber in Türnähe sein.«

»Wunderbar«, hatte ich gesagt. Ich wäre auch mit dem Gehsteig vor der Tür zufrieden gewesen.

»Sie müssen Gordon Ramsay sehr gut kennen, wenn Sie den Tisch gekriegt haben«, sagte Caroline.

»Gefälligkeit unter Kollegen«, meinte ich lächelnd. »Wir Gourmetköche halten zusammen.« Quatsch hoch zwei, aber besser, als ihr zu sagen, dass ich für den Tisch hatte betteln müssen. Auf lange Sicht wäre eine 10000-Pfund-Klage vielleicht günstiger gewesen.

»Ist er nett?«, fragte sie. »In seinen Sendungen kommt er immer so ungehobelt rüber.«

»Sehr nett«, sagte ich. »Im Fernsehen gibt er sich nur so.« In Wahrheit kannte ich Gordon Ramsay gar nicht persönlich, aber ich hatte nicht vor, das Caroline zu sagen, jedenfalls noch nicht.

»Und Sie?«, wechselte ich das Thema. »Erzählen Sie doch mal, was Sie so machen.«

»Ich mache Musik«, erwiderte sie. »Und Sie machen Essen. Das heißt, Sie verköstigen die Menschen, und ich unterhalte sie.« Sie lächelte über ihren Scherz. Dabei veränderte sich ihr Gesicht. Es war, wie wenn man am Morgen die Vorhänge aufzieht und die Sonne hereinlässt.

»Wird Musik nicht als Nahrung für die Seele bezeichnet?«, sagte ich.

»Eigentlich bezieht sich das Zitat auf Leidenschaft«, antwortete sie. »›Es kennt die Menschenseele keine Leidenschaft, die in der Musik nicht Nahrung fände.‹ Ich weiß nicht mehr, von wem das ist, aber es war auf einer Tafel in der Eingangshalle unserer Musikschule in Holz geschnitzt.«

»Welche Schule?«

»RCM«, sagte sie. »Royal College of Music.«

»Aha«, sagte ich. »Und wieso die Viola?«

»Das geht auf die Grundschule zurück. Die Musiklehrerin war Bratschistin, und ich wollte so sein wie sie. Sie war großartig.« Caroline lächelte wieder. »Von ihr habe ich die Freude am Auftreten gelernt. Dafür werde ich ihr immer dankbar sein. Viele meiner Orchesterkollegen lieben die Musik, treten aber eigentlich nicht gern damit auf. Es ist ein Jammer. Für mich ist der Auftritt die Musik. Deshalb sage ich auch, ich mache Musik, und nicht, ich spiele.«

Ich sah sie mir an. Meine Erinnerung hatte nicht getrogen. Sie war schlank und elegant, nicht in Schwarz heute, sondern in einem cremefarbenen Rock und einer silbernen Wickelbluse, die mein Herz jedes Mal höherschlagen ließ, wenn sie sich vorbeugte. Ihr Haar war eher hellbraun als blond und auch heute wieder zu einem Pferdeschwanz gebunden.

Ein Kellner kam und fragte, ob wir gewählt hätten. Wir sahen auf die Speisekarten.

»Was ist *pied de cochon*?«, fragte Caroline.

»Wörtlich heißt es Schweinefuß«, sagte ich. »Schweinshaxe. Schmeckt sehr gut.«

Sie zog die süße Nase kraus. »Ich nehme die Hummerravioli und danach das Lamm, glaube ich. Was sind Morcheln?«

»Morcheln sind Speisepilze«, sagte ich.

»Gut, dann nehme ich die Morchelsauce zum Lamm.« Das erinnerte mich an die andere Pilzsauce neulich, von der ihr schlecht geworden war. Ich behielt es für mich.

»Und ich nehme *pied de cochon* und den Seebarsch.«

»Danke sehr«, sagte der Kellner.

»Was möchten Sie trinken?«, fragte ich.

»Roter wäre mir ja lieber, aber Sie essen Fisch.«

»Rotwein ist wunderbar.« Ich bestellte einen halbwegs erschwinglichen Médoc, erschwinglich zumindest für diese Weinkarte; bei mir im Hay Net wäre er mit Abstand der teuerste gewesen. Ich würde mich an die Londoner Preise erst noch gewöhnen müssen.

»Also, wovon ist mir so schlecht geworden?«, kam sie unvermittelt zur Sache. »Und wie sind Sie an meine Telefonnummer gekommen? Und woher wissen Sie so viel über mich?«

»Sagen Sie mal«, überging ich ihre Fragen, »wieso haben Sie in Newmarket in einem Streichquartett auf der Rennbahn gespielt, wenn Sie sonst für das RPO spielen?«

»Ich spiele *im*, nicht für das RPO«, korrigierte sie flink. »Das ist ein ganz wesentlicher Unterschied.«

Ich musste an meinen Vater denken, dem man nicht sagen durfte, er sei vom Pferd gefallen, wenn aus seiner Sicht das Pferd gestürzt und er einfach mit runtergegangen war. Für ihn lag darin auch ein ganz wesentlicher Unterschied.

»Und wieso nun das Streichquartett?«

»Freundinnen vom College«, sagte sie. »Wir vier haben abends und an Wochenenden zusammen gespielt, um unser Studium zu finanzieren. Wir sind bei allen möglichen Feiern aufgetreten, von Hochzeiten bis zu Beerdigungen. Das war eine gute Übung. Zwei von uns sind jetzt Profis, eine unterrichtet Musik. Die Vierte, Jane, ist Vollzeitmama in Newmarket. Sie kam auf die Idee, uns vorige Woche zusammenzubringen. Wir machen das immer noch, wenn es sich einrichten lässt, nur ergibt sich das leider immer seltener, weil wir anderweitige Verpflichtungen haben. Es macht aber Spaß. Vorige Woche natürlich ausgenommen. Das hat keinen Spaß gemacht – jedenfalls hinterher nicht.«

»Ja«, sagte ich. »Das tut mir aufrichtig leid. Aber falls es Sie tröstet, mir war auch furchtbar schlecht.«

»Gut«, meinte sie. »Geschieht Ihnen recht.«

»Das ist aber nicht sehr mitfühlend.«

Sie lachte. »Warum sollte ich Mitgefühl mit dem berüchtigten Newmarketer Giftmischer haben?«

»Also, der bin ich nicht.«

»Wer denn dann?«

»Das«, sagte ich ernst, »ist die Eine-Million-Dollar-Frage.«

Bernard Sims hätte es bestimmt nicht gutgeheißen, doch

ich erzählte ihr alles, was ich über die Vergiftung wusste, was unterm Strich so viel auch wieder nicht war.

Unsere Vorspeisen kamen, als ich mitten dabei war, die grässlichen Auswirkungen des Phythämagglutinin auf den menschlichen Verdauungstrakt zu schildern, und mir war, als sähe Caroline sich ihre Ravioli sehr genau an, um nicht etwa eine verirrte Kidneybohne mitzuessen.

Zum Glück sah meine Schweinshaxe nicht so aus, als hätte sie Lust, auf dem Teller herumzuspazieren, und war einfach köstlich. Ich fand mein Essen wirklich gut, aber als Mann vom Fach hatte ich zu den Kreationen anderer Köche ein ganz besonderes Verhältnis. Ob aus Standesdünkel oder was auch immer, ich fand ein perverses Vergnügen daran, Sachen zu essen, die ich selbst besser zubereitet hätte. Umgekehrt fühlte ich mich leicht minderwertig, wenn ich etwas kostete, das ich nicht hinbekommen hätte, und bei diesem Essen war das so. Der *pied de cochon* mit dem pochierten Wachtelei und der Hollandaise würde mir ein Ansporn sein, künftig in der Küche noch besser zu werden.

»Was glauben Sie denn, wer es war?«, fragte Caroline schließlich, als sie die Gabel hinlegte.

»Wichtiger scheint mir die Frage, warum«, sagte ich.

»Und?«

»Ich weiß es nicht«, sagte ich. »Darüber habe ich fast die ganze letzte Woche nachgedacht. Mein erster Gedanke war, dass jemand mich und mein Restaurant damit ruinieren wollte, aber ich wüsste nicht, wer. Um Newmarket herum gibt's nicht gar so viele Restaurants, und keins, das meinetwegen darben müsste.«

»Was ist mit Ihrem Personal?«, fragte sie.

»Daran habe ich auch gedacht«, sagte ich. »Aber was hätten die davon?«

»Vielleicht will jemand Ihren Job.«

»Mir gehört doch das Restaurant«, sagte ich. »Wenn sie mich brotlos machen, ist Schluss mit Jobs, mit ihren wie meinem.«

»Vielleicht neidet Ihnen jemand Ihren Erfolg«, sagte Caroline.

»Auch daran habe ich gedacht, aber ich kann mir nicht vorstellen, wer. Es ergibt einfach keinen Sinn.« Ich trank einen Schluck Wein. »Ich habe noch eine andere wilde Theorie, nur hört die sich ziemlich verrückt an.«

»Her damit«, sagte sie und ließ, als sie sich vorbeugte, mein Herz wieder hüpfen. Augen geradeaus, ermahnte ich mich.

»Ich frage mich inzwischen, ob die Vergiftung bei dem Abendessen und der Bombenanschlag auf der Rennbahn irgendwie zusammenhängen«, sagte ich. »Ich weiß, dass sich das blöd anhört, aber ich versuche mir einfach zu erklären, warum jemand hingeht und absichtlich über zweihundertfünfzig Menschen vergiftet.«

»Wie meinen Sie, zusammenhängen?«

»Na ja«, sagte ich, »vielleicht spinne ich, aber nehmen wir mal an, das Abendessen wurde vergiftet, damit jemand am Samstagnachmittag nicht zum Pferderennen kommt und folglich nicht von der Bombe zerrissen wird.«

»Was hat das mit Spinnerei zu tun? Klingt mir überaus einleuchtend.«

»Es würde aber bedeuten, dass entgegen dem allgemeinen Konsens die Bombe das Ziel getroffen hat, für das sie bestimmt war. Es würde bedeuten, dass sie nicht dem Araberprinzen galt und dass sämtliche Zeitungen sich irren.«

»Wieso bedeutet es das?«, fragte sie.

»Weil jemand, der am Abend vor dem Bombenanschlag das Essen vergiftet hat, gewusst haben dürfte, dass einige Tage vorher die Loge umbelegt worden ist. Ich glaube auch nicht, dass irgendjemand von den Dinergästen auf der Gästeliste des Prinzen stand, weil der den Zeitungen zufolge mit seinem ganzen Anhang erst am Morgen des Rennens eingeflogen ist. Dagegen sind sieben Personen, die zum Lunch in der Bombenloge erwartet wurden, an dem Tag nicht aufgetaucht, und von dreien weiß ich sicher, dass sie zu Hause geblieben sind, weil sie sich am Abend vorher die Vergiftung zugezogen hatten.«

»Wow!«, meinte sie. »Haben Sie das auch schon anderen erzählt?«

»Nein«, sagte ich. »Ich wüsste nicht, wem. Jedenfalls hätte ich Angst, dass man mich auslacht.«

»Meinen Sie?«

»Haben Sie das nicht in der Zeitung gelesen? Die ganze Woche über war nur von der Nahostverbindung die Rede. Auch die Fernsehberichte gehen davon aus, dass der Prinz das eigentliche Ziel war.«

»Vielleicht haben die ja mehr Informationen als Sie«, meinte Caroline. »Den Geheimdiensten liegt bestimmt was vor.«

»Mag sein«, sagte ich. »Laut der *Sunday Times* hat sich aber noch keine Gruppe zu dem Anschlag bekannt.«

»Bekennen die sich denn auch, wenn sie scheitern?«

»Ich weiß es nicht«, sagte ich.

Unsere Hauptgänge kamen, und wir unterhielten uns eine Weile über Alltäglicheres wie unsere Familien, unsere Schulen, unsere liebsten Filme und liebste Musik. Ohne sie direkt danach zu fragen, kam ich zu dem Schluss, dass sie derzeit keinen Freund hatte und schon gar nicht den befürchteten 2-Meter-Bodyguard, der mich zum Frühstück verspeisen könnte. Offenbar war das allabendliche Bratschenspiel der Partnersuche genauso wenig zuträglich wie der Kochberuf.

»Die meisten Orchestermusiker, die ich kennengelernt habe«, sagte sie, »sind leider ziemlich langweilig, nicht ganz mein Typ.«

»Wer ist denn Ihr Typ?«, fragte ich.

»Hm«, sagte sie. »Gute Frage.«

Vielleicht war sie ja wirklich gut, aber da ich keine Antwort bekam, wechselte ich das Thema. »Schmeckt das Lamm?«, fragte ich.

»Köstlich«, sagte sie. »Möchten Sie mal probieren?«

Wir tauschten ein Häppchen auf der Gabel, ihr Lamm gegen meinen Fisch. Dabei sah ich ihr Gesicht ganz nah. Sie hatte strahlend blaue Augen, hohe Wangenknochen, eine eher lange, schmale Nase über einem breiten Mund und ein eckiges Kinn. Keine klassische Schönheit vielleicht, aber ich fand, sie sah ziemlich gut aus.

»Was starren Sie so?«, fragte sie. »Hab ich Morchelsauce am Kinn?« Sie wischte sich mit der Serviette übers Gesicht.

»Nein«, sagte ich und lachte. »Ich habe mir nur die Frau, die mich verklagen will, genau angesehen, damit ich sie vor Gericht wiedererkenne.« Ich lächelte dabei, doch sie erwiderte das Lächeln nur halb.

»Ja, irgendwie ist das schon schade.«

»Sie könnten die Klage ja auch fallenlassen«, meinte ich.

»Mein Agent ist dahinter her. Er verzichtet nicht gern auf seine Provision.«

»Ist er an allen Ihren Einnahmen beteiligt?«

»Genau«, antwortete sie. »Er bekommt fünfzehn Prozent.«

»Wow«, sagte ich. »Leicht verdientes Geld.«

»Nein, er tut was dafür«, erwiderte sie. »Er hat meinen RPO-Vertrag ausgehandelt, und andere Agenten hätten längst nicht so viel Geld für mich herausgeholt. Außerdem trete ich solo auf, wenn ich nicht im Orchester spiele, und er macht sämtliche Buchungen und Verträge für mich. Ich brauche nur hinzufahren und zu spielen.«

»Er versorgt Sie also mit Aufträgen?«

»Und ob«, sagte sie. »Diese Woche bin ich nur frei, weil New York weggefallen ist. Ehrlich gesagt finde ich es fabelhaft, abends mal daheim auf dem Sofa rumhängen und fernsehen zu können.«

»Tut mir leid, dass ich Sie mit meiner Verabredung da rausgerissen habe.«

»Unsinn, ich bin gern hier.«

»Gut«, sagte ich. »Ich auch.«

Wir aßen eine Weile in wunschlosem Schweigen. Es gefiel mir wirklich mit ihr. Eine hübsche, kluge und begabte Tischgenossin, ein wundervolles Essen und eine annehmbare Flasche Bordeaux. Was gab es Besseres?

»Zu wem wollen Sie mit Ihrer verrückten Theorie denn gehen?«, fragte Caroline beim Kaffee.

»Was schlagen Sie vor?«

»Zur Polizei natürlich«, sagte sie. »Aber erst mal müssen Sie Ihre Fakten klarmachen.«

»Wie denn?«, fragte ich.

»Haben Sie die Gästeliste von dem Galadiner?«

»Ja«, sagte ich. »Aber die gibt nicht so viel her, weil nicht jeder Einzelne aufgeführt ist. An etlichen Tischen saßen Gruppen von zehn Personen, und auf der Liste steht nur der Tischherr – ›und Gäste‹, wie es dann heißt. Ich habe auch eine Kopie der Tischordnung, aber da ist es genauso. Nur etwa die Hälfte der Gäste ist namentlich aufgeführt.«

»Haben Sie denn eine Gästeliste von der Loge, in der die Bombe explodiert ist?«, fragte sie.

»Die konnte ich nicht bekommen«, sagte ich. »Ich glaube, die Einzige, die die vollständige Gästeliste kannte, war die Marketingchefin des Sponsors, und die ist bei der Explosion ums Leben gekommen. Wer da war, lässt sich trotzdem leicht feststellen, denn sie stehen entweder auf der Liste der Toten oder der Verletzten. Mich interessieren aber mehr die Namen der sieben Personen, die eingeplant, aber nicht da waren.«

»Irgendjemand muss doch die Namen der Geladenen haben«, meinte sie.

»Ich hab mich drum bemüht«, sagte ich. »Aber ohne Erfolg.« Ich hatte den größten Teil des Montagmorgens hindurch versucht, die Liste aufzutreiben. Suzanne Miller vom Rennbahnrestaurant hatte nur »Gäste von Delafield Industries« in ihren Unterlagen, und William Preston, der Rennbahndirektor, konnte sogar nur mit »Sponsor und Gäste« aufwarten.

»Und die Sponsorenfirma?«, fragte sie. »Haben Sie sich an die gewandt?«

»Nein«, sagte ich. »Ich halte es eher für unwahrscheinlich, dass die wissen, wer eingeladen war, abgesehen von ihren aus den Staaten eingeflogenen Mitarbeitern. Ich glaube,
MaryLou Fordham – das ist die getötete Marketingchefin –
hat die britischen Gäste erst auf die Liste gesetzt, als sie hier
war und sich ein Bild davon gemacht hatte, wer in Frage kam.
Ich weiß noch, dass sie über zwei Trainer aus Newmarket,
die im letzten Moment abgesagt haben, sehr verärgert war.
Und ich glaube, wer die beiden waren, weiß ich sowieso.«

»Können Sie die dann nicht fragen?«

»Einen habe ich gestern gefragt«, sagte ich. Ich hatte
George Kealy angerufen. »Aber der meinte, man könne
schlecht wissen, wer zu einer Party geladen war, die man
selbst nicht besucht hat.«

»Das stimmt auch wieder«, sagte sie. »Und die Verletzten
von der Sponsorenfirma? Jemand von denen könnte doch
wissen, wer eingeladen war.«

»Daran habe ich auch schon gedacht«, sagte ich. »Laut der
Lokalzeitung von gestern liegen zwei noch auf der Intensivstation, die anderen sind bereits zurück in die Staaten geflogen worden.«

Ich bat einen vorbeikommenden Kellner um die Rechnung und zuckte nur ein kleines bisschen zusammen, als sie
kam. Von dem selben Geld hätte sich im Hay Net leicht eine
Familie satt essen können und im Schnellimbiss eine halbe
Armee, aber niemand wäre dabei so auf seine Kosten gekommen wie ich hier mit Caroline.

Als ich ihr anbot, sie heim nach Fulham zu bringen,
beharrte sie darauf, dass ich sie nur in ein Taxi zu setzen
brauchte.

Widerstrebend rief ich eins, und sie stieg allein in den schwarzen Wagen.

»Darf ich Sie wiedersehen?«, fragte ich durch die offene Tür.

»Klar«, antwortete sie. »Wir sehen uns vor Gericht.«

»Das hatte ich eigentlich nicht gemeint«, sagte ich.

»Was haben Sie denn gemeint?«

»Ich weiß nicht«, sagte ich. »Noch mal ein Abendessen? Ein Besuch auf der Rennbahn?« Am liebsten hätte ich sie zu einem Besuch in meinem Bett eingeladen.

»Was machen Sie denn am Donnerstag in vierzehn Tagen?«, fragte sie.

»Nichts«, erwiderte ich. Nichts, außer dass ich sechzig Mittagessen und hundert Abendessen im Hay Net kochen musste.

»Da gebe ich mit dem Orchester ein Bratschenkonzert in der Cadogan Hall. Kommen Sie doch hin.«

»Liebend gern«, sagte ich. »Und danach Abendessen?«

»Wunderbar«, antwortete sie. Die beiden Zahnreihen in ihrem Mund blendeten mich, bis sich die Tür schloss und das Taxi davonfuhr. Dann war sie fort, und ich stand etwas betreten allein auf dem Gehsteig. War ich schon so verzweifelt, fragte ich mich, dass ich mich auf die erste Frau stürzte, die mir über den Weg lief? Caroline wollte mich auf zehntausend Pfund Schadenersatz verklagen, und ich hätte vielleicht gut daran getan, ihr nicht so viel zu erzählen. Vielleicht würde sie das Gesagte gegen mich verwenden. Aber wir hatten einen Draht zueinander, das war ganz offensichtlich. Schon am Freitagabend am Telefon war ich überzeugt gewesen, dass wir uns verstehen würden, und wir hatten uns verstanden. Ich war nicht verzweifelt, sagte ich mir, sondern klar im Kopf. Warum tat es dann aber so weh, nicht mehr bei ihr zu sein?

Ich rief noch ein Taxi und bat den Fahrer widerstrebend, mich zur King's Cross Station zu bringen statt zur Tamworth Street in Fulham.

Den letzten Zug nach Cambridge erwischte ich in letzter Minute. Als er den Bahnhof verließ und die siebzigminütige Fahrt nach Nordosten vor mir lag, dachte ich über das nach, was ich mit Caroline besprochen hatte.

In Worte gefasst, war das alles für mich plausibler geworden. Dennoch war ich nach wie vor der Meinung, die Polizei würde meine Theorien als Phantasterei abtun. Aber waren sie wirklich phantastischer als die Annahme, eine Terrorgruppe aus dem Nahen Osten habe auf der Heide von Newmarket einen Mordanschlag auf einen ausländischen Kronprinzen verübt?

Ich glaubte nicht recht daran, aber wenn meine Vermutung zutraf, dass das Essen vergiftet worden war, um zu verhindern, dass jemand Bestimmtes in die Luft gesprengt wurde, dann durfte ich getrost davon ausgehen, dass die Bombe ihr vorgesehenes Ziel getroffen hatte. Was also war so Besonderes an Delafield Industries, dass jemand sie an ihrem großen Tag in England in die Luft jagen wollte? Wer konnte es darauf abgesehen haben, Elizabeth Jennings oder Brian und June Walters umzubringen oder zu verstümmeln, und warum? Oder waren Leute wie Rolf Schumann und MaryLou Fordham das eigentliche Ziel?

Ich wusste, dass Delafield Traktoren und Mähdrescher

herstellte, aber was machten sie sonst noch? Ich nahm mir vor, am nächsten Morgen im Internet ein paar Recherchen anzustellen, zu der Firma, aber auch zu Mr. Schumann.

Ich ließ mich gegen die Kopfstütze zurücksinken und dachte an angenehmere Dinge wie Donnerstag in zwei Wochen, den Abend in der Cadogan Hall. An sich war ich kein großer Freund von klassischer Musik, aber ich würde mich für alles begeistern, wenn ich hinterher mit Caroline essen gehen konnte. Schon der Gedanke daran zog mir die Mundwinkel nach oben, obwohl es noch geschlagene fünfzehn Tage hin war, eine viel zu lange Zeit. Vielleicht konnte ich sie etwas früher nach Newmarket locken, morgen oder so.

Der Zug fuhr um fünf vor halb zwei in den Bahnhof Cambridge ein. Wie immer im Nachtverkehr musste ich mich mit Gewalt wach halten, um nicht in King's Lynn oder sonstwo zu landen.

Wie üblich, wenn ich abends nach London musste, hatte ich meinen Wagen in Cambridge auf dem Bahnhofsparkplatz abgestellt. Um fünf war da noch alles voller Pendlerautos gewesen, aber jetzt stand mein Golf allein am hinteren Ende des Parkplatzes und wartete auf meine Rückkehr. Ich hatte den ganzen Abend allenfalls eine halbe Flasche Wein getrunken und dazu eine komplette Mahlzeit mit Kaffee gehabt. Da Caroline und ich den Wein vor fast drei Stunden getrunken hatten, nahm ich an, dass ich im grünen Bereich war und beruhigt fahren durfte.

Mich wunderte ein wenig, dass der Wagen nicht abgeschlossen war. Die Fahrertür war nicht ganz zu. Ich konnte mich zwar nicht erinnern, sie unverschlossen gelassen zu haben, aber andererseits wäre es bei weitem nicht das erste

Mal gewesen. Nach so vielen Jahren schonungsloser Behandlung musste man die Tür schon ordentlich zuwerfen, damit sie sich richtig schloss. Der Mann von der Autowerkstatt hatte schon oft und engagiert versucht, mich zum Kauf eines neuen Türschlosses zu bewegen, doch ich hatte mich immer dagegen gesperrt, weil das Schloss kaum weniger gekostet hätte, als der ganze Wagen wert war.

Ich sah mir den Wagen gut an. Ich prüfte die Reifen, aber sie schienen in Ordnung. Ich kniete mich hin und schaute unter das Fahrgestell. Nichts. Ich machte sogar die Haube auf und warf einen Blick auf den Motor. Da ich eigentlich nicht wusste, wie eine Bombe aussehen könnte, waren meine Chancen, eine zu entdecken, minimal, aber zumindest hingen keine verdächtigen Kästen an den Kabeln oder so etwas. Vielleicht litt ich allmählich an Verfolgungswahn. Das kam davon, wenn man ständig von Giftmischern und Bombenwerfern redete. Jedenfalls klopfte mir das Herz ein wenig lauter in der Brust, als ich den Schlüssel in die Zündung steckte und den Motor anließ.

Er sprang an, wie er sollte. Ich brachte ihn ein paar Sekunden auf Touren, und alles hörte sich gut an, kein Klappern, kein Scheppern. Ich drehte das Lenkrad, aber nichts Ungewöhnliches geschah. Ich fuhr auf dem Parkplatz ein Stück vor und bremste scharf. Der Wagen kam mit einem Ruck normal zum Stehen. Ich fuhr ein paarmal in beiden Richtungen im Kreis und riss das Steuer dabei scharf herum. Der Wagen reagierte genau wie erwartet. Ich litt tatsächlich unter Verfolgungswahn, sagte ich mir, und fuhr ohne Zwischenfall nach Hause, außer dass ich auf allen geraden Strecken wiederholt und energisch die Bremsen testete.

MaryLou Fordhams Beine oder vielmehr ihr Nichtvorhandensein suchte wieder eine unruhige Nacht hindurch mein Schlafbewusstsein heim. Mein Verstand, dachte ich, müsste doch in der Lage sein, diese Bilder abzustellen. Er müsste mich wecken, sobald der Traum anfängt, und diesem Elend ein Ende bereiten. Aber jedes Mal lief die ganze Bilderfolge ab, und jedes Mal wachte ich mit Schrecken im Herzen und Panik im Kopf auf. Meine nachlassende Erinnerung an MaryLous Gesicht minderte nicht das Entsetzen, das ihr beinloser Torso hervorrief.

Ich versuchte, darüber hinwegzugehen, indem ich mich einfach umdrehte, um weiterzuschlafen, und mir vornahm, von schöneren Dingen zu träumen wie etwa Kuscheln mit Caroline, doch ärgerlicherweise blieb ich wach, bis der Adrenalinspiegel in meinem Blut so weit gesunken war, dass ich wegdämmerte, worauf der Traum, wie es schien, gleich wieder einsetzte. Das alles rieb mich sehr auf.

Der Mittwoch, als er dann endlich kam, war ein Maitag, wie man ihn genießen kann, insbesondere morgens auf dem ebenen Land von East Anglia: wolkenloser blauer Himmel, unvergleichlich weite Sicht. Von meinem Schlafzimmerfenster aus konnte ich das weiße Bogendach der Millenniumtribüne auf der Rennbahn sehen, und in der klaren Luft und dem Sonnenschein kam es mir viel größer und näher vor als sonst.

Wäre mein Leben nur auch so klar, dachte ich.

Mein Handy klingelte.

»Hallo«, sagte ich in der blödsinnigen Hoffnung, es wäre Caroline, dabei hatte ich ihr doch gar nicht meine Nummer gegeben.

»Max. Hier ist Suzanne Miller. Leider habe ich ziemlich unangenehme Neuigkeiten. Ich habe heute Morgen einen Brief von der Bezirksverwaltung Forest Heath erhalten, dass sie ein Verfahren wegen Verstoßes gegen das Lebensmittelschutzgesetz von 1990, Paragraph 7, anstrengen wollen.«

Mist, dachte ich. Wenn sie das Rennbahnrestaurant verklagten, das die Veranstaltung nur organisiert hatte, dann verklagten sie mit Sicherheit auch den Koch, nämlich mich.

»Schreiben sie ausdrücklich, wen sie verklagen wollen?« fragte ich.

»Alle«, sagte sie ein wenig hilflos. »Ein Brief ist an mich persönlich, einer an die Firma. Für Sie liegt auch einer hier auf der Rennbahn, ›zu Händen von Max Moreton‹.«

Zweimal Mist. Dann lag im Hay Net wahrscheinlich auch noch einer.

»Was steht denn genau in Ihrem Brief?«, fragte ich.

Sie las ihn mir vor. Nicht ein Hauch von etwas Erfreulichem.

»Der Brief an mich wird sich damit decken«, sagte ich. »Wenn Sie wollen, hole ich ihn ab.«

»Ja, bitte. Also Max, für das Essen waren Sie allein verantwortlich, und das werde ich klarstellen müssen. Ich habe nur die Räumlichkeiten organisiert. Ich lasse mir nicht anhängen, gesundheitsschädliche Speisen aufgetischt zu haben, zumal ich Ende des Jahres in Pension gehe. Da darf mich das jetzt nicht um meine Rente bringen.« Sie weinte.

»Suzanne«, sagte ich so beruhigend wie möglich, »ich weiß das, und Angela Milne vom Grafschaftsrat weiß es auch. Wenn in dieser Sache irgendwelche Köpfe rollen, dann ist es meiner, okay?«

»Ja, danke.« Sie zog die Nase hoch.

»Aber, Suzanne, Sie müssen mir noch mal helfen. Ich brauche eine vollständige Liste der Leute, die an dem Essen teilgenommen haben, und so weit wie möglich die Namen des Personals. Außerdem brauche ich die Namen derer, die am Guineas-Tag in die Delafield-Loge geladen waren. Wenn Sie mir das alles besorgen, sage ich gern aus, dass Sie mit dem Essen bei der Gala nichts zu tun hatten.«

»Aber ich hatte doch wirklich nichts damit zu tun«, jammerte sie.

»Ich weiß«, antwortete ich. »Und ich sage das auch aus. Besorgen Sie mir nur die Listen.«

»Ich versuch's«, sagte sie.

»Lassen Sie nichts unversucht«, schloss ich und legte auf.

Ich rief die Redaktion der *Cambridge Evening News* an und verlangte Ms. Harding.

»Hallo«, sagte sie. »Möchten Sie nachhören, ob ich auch nicht vergessen habe, dass ich in Ihrem Restaurant zu Abend essen wollte?«

»Schon«, erwiderte ich. »Aber ich wollte Ihnen auch etwas mitteilen, bevor Sie es von anderer Seite erfahren.«

»Was denn?«, sagte sie, und ihr Journalistinneninstinkt drängte sich in den Vordergrund.

»Die Bezirksverwaltung will mich wegen Servierens gesundheitsgefährdender Speisen vor Gericht bringen«, sagte ich so lakonisch, wie ich es nur hinbekam.

»Ach ja?«, meinte sie. »Und haben Sie dazu etwas zu sagen?«

»Nichts außer Verwünschungen und Flüche«, erwiderte ich.

»Warum kommen Sie dann überhaupt zu mir?«, fragte sie.

»Ich bin davon ausgegangen, dass Sie's sowieso rausfinden, und wollte ein sauberes Gewissen haben.«

»Sauber wie Ihre Küche.«

»Danke. Ich nehme das als Kompliment und betrachte Sie als auf meiner Seite stehend.«

»Das würde ich nicht unbedingt sagen. Ich verkaufe Zeitungen, und auf wessen Seite ich stehe, weiß ich erst, wenn ich sehe, woher der Wind weht.«

»Das ist ja allerhand«, sagte ich. »Haben Sie keine Moral?«

»Persönlich schon«, erwiderte sie. »Im Beruf? Mag sein, aber nicht auf Kosten der Auflage. Diesen Luxus kann ich mir nicht leisten.«

»Ich schlage Ihnen einen Deal vor«, sagte ich.

»Was für einen Deal?«, erwiderte sie prompt. »Auf so was lasse ich mich nicht ein.«

»Ich halte Sie über die anstehende Vergiftungsklage auf dem Laufenden, und Sie räumen mir das Recht ein, auf alles zu antworten, was irgendjemand mir oder dem Restaurant nachsagt oder antut, Sie selbst eingeschlossen.«

»So ein toller Deal scheint mir das nicht zu sein«, bemerkte sie.

»Dann lege ich noch ein garantiertes Exklusivinterview am Ende des Verfahrens drauf«, sagte ich. »Es liegt bei Ihnen.«

»Okay«, sagte sie. »Abgemacht.«

Ich erzählte ihr von den Briefen, die im Rennbahnrestaurant eingetroffen waren. Und ich sagte ihr, dass ich entschlossen war, mich gegen die Anschuldigungen zur Wehr zu setzen.

»Es sind aber doch Leute krank geworden«, meinte sie. »Das lässt sich nicht bestreiten.«

»Nein«, sagte ich. »Ich bestreite auch nicht, dass Leute krank geworden sind. Mir war selbst speiübel. Ich bestreite aber vehement, dass ich für ihr Krankwerden verantwortlich war.«

»Wer denn sonst?«, fragte sie.

»Ich weiß es nicht«, sagte ich. »Jedenfalls lag es nicht an mir.« Ich entschloss mich, von dem Kidneybohnen-Lektin nichts zu sagen. Vorläufig nicht. Verstieß ich damit gegen unsere Abmachung? Nein, dachte ich. Ich nahm es nur nicht so genau damit. »Wenn ich den Verantwortlichen finde, dann sage ich Ihnen auf alle Fälle, wer es ist.« Ich würde es hinausposaunen.

»Und was schreibe ich bis dahin?«, wollte sie wissen.

»Mir wäre es am liebsten, Sie würden gar nichts schreiben«, sagte ich. »Sonst schreiben Sie eben, was Sie wollen. Aber ich darf darauf antworten.«

»Okay«, meinte sie ein wenig unschlüssig. Zeit, die Richtung zu wechseln, dachte ich.

»Gibt es was Neues über die Leute, die bei dem Bombenanschlag verletzt wurden?«, fragte ich. »In Ihrer Zeitung habe ich gelesen, dass die meisten Amerikaner wieder zu Hause sind, aber zwei noch hier auf der Intensivstation liegen.«

»Nur einer noch«, sagte sie. »Die andere ist gestern gestorben. An ihren Verbrennungen.«

»Oh«, sagte ich. »Wie viele Tote sind das jetzt?«

»Neunzehn«, erwiderte sie.

»Sie wissen nicht zufällig, was aus einem Mr. Rolf Schumann geworden ist? Er ist der Präsident von Delafield Industries.«

»Bleiben Sie dran«, sagte sie. Ich hörte, wie sie jemanden fragte. »Offenbar ist er am Wochenende von Stansted aus mit einem Ambulanzflugzug zurück in die Staaten geflogen worden.« Und mich hatte man für den Guineas-Lunch noch nicht bezahlt.

»Wissen Sie etwas über seine Verletzungen?«, fragte ich.

Wieder hörte ich, wie sie die Frage weitergab. »Am Kopf«, sagte sie. »Anscheinend hat er einen Dachschaden.«

»Das haben Sie aber hoffentlich nicht in der Zeitung geschrieben.«

»Gott bewahre«, sagte sie. »Er leidet an einem mentalen Trauma.«

»Was ist mit den anderen Verletzten – den Nichtamerikanern?«

Erneut gab sie die Frage weiter. »Ein Ehepaar aus Nordengland liegt noch mit Wirbelsäulenverletzungen oder so etwas im Krankenhaus. Alle anderen sind aus Addenbrooke's entlassen worden, aber wir wissen von mindestens einem, der nach Roehampton verlegt worden ist.«

»Roehampton?«

»Reha-Zentrum«, sagte sie. »Künstliche Gliedmaßen.«

»Oh.« Die Bilder von fehlenden Armen und Beinen statteten meinem Bewusstsein den nächsten unwillkommenen Besuch ab.

»Hören Sie, ich muss jetzt Schluss machen«, sagte Ms. Harding. »Ich habe zu tun.«

Sie legte auf, und ich saß am Fußende meines Bettes und wünschte, sie hätte meine Erinnerungen an das Blutbad nicht geweckt, die zwar schon verblassten, aber leicht wie ein Korken in einem Eimer Wasser wieder an die Oberfläche kamen.

Um mich aufzumuntern, rief ich Caroline an.

»Tag«, sagte sie. »Sie haben meine Nummer also noch.«

»Aber sicher«, sagte ich mit einem Lächeln. »Ich rufe an, um Ihnen für gestern Abend zu danken.«

»Dafür sollte ich Ihnen danken«, erwiderte sie. »Ich habe mich blendend amüsiert.«

»Ich auch. Meinen Sie, ich könnte Sie heute oder morgen Abend zum Essen nach Newmarket locken?«

»Warum reden Sie nicht ein bisschen um den Brei herum?«, sagte sie. »Ein paar Worte zum Wetter oder so?«

»Warum?«

»Dann würden Sie sich vielleicht nicht ganz so forsch anhören.«

»Höre ich mich zu forsch an?«, sagte ich. »Pardon.«

»Entschuldigen Sie sich nicht«, meinte sie lachend. »Eigentlich gefällt's mir.«

»Dann kommen Sie also?«, fragte ich.

»Zum Abendessen?«

»Ja«, sagte ich.

»Und wo?«

»In meinem Restaurant.«

»Ich esse aber nicht allein, während Sie kochen.«

»Nein, natürlich nicht«, sagte ich. »Kommen Sie und schauen Sie mir beim Kochen zu, und dann essen wir zusammen.«

»Wird das nicht etwas spät?«, sagte sie. »Wie komme ich nach Hause?«

Ich hätte sie gern eingeladen, bei mir zu übernachten, in

meinem Bett, in meinen Armen, aber das war vielleicht nicht ratsam. »Entweder bringe ich Sie zum letzten Zug nach King's Cross, oder ich spendiere Ihnen eine Übernachtung im Bedford Lodge Hotel.«

»Für mich allein?«, fragte sie.

Ich zögerte ein wenig. »Das liegt bei Ihnen«, sagte ich schließlich.

Am anderen Ende war es genauso lange still. »Keine Versprechungen, keine Bedingungen?«

»Keine Versprechungen, keine Bedingungen«, stimmte ich zu.

»Okay.« Sie hörte sich aufgeregt an. »Wann und wo?«

»Kommen Sie, so früh Sie wollen, und ich hole Sie in Cambridge am Bahnhof ab.«

»Hat denn Newmarket keinen Bahnhof?«, fragte sie.

»Doch, aber Sie müssen in Cambridge sowieso umsteigen, und die Verbindungen sind nicht besonders gut.«

»Okay«, sagte sie wieder. »Ich suche mir einen Zug raus und rufe Sie noch mal an. Unter dieser Nummer?«

»Ja«, sagte ich. Der Gedanke, sie so bald wiederzusehen, versetzte mich in Hochstimmung.

»Was soll ich anziehen?«, fragte sie.

»Was Sie wollen«, sagte ich.

Noch nicht mal die Aussicht, wegen Verstoßes gegen das 1990er Lebensmittelgesetz verklagt zu werden, dämpfte meine Freude, als ich die Treppe hinuntersprang. Ich lachte laut und stieß die Fäuste in die Luft, als ich meine Jacke holte und hinaus zum Wagen ging. Caroline kam zum Abendessen! In meinem Restaurant! Und sie blieb über Nacht! Schade nur, dass sie nicht vorhatte, bei mir zu übernachten.

Die Bremsen meines Golfs versagten ausgangs der Wood-ditton Road.

Es ging mir gut, und mein Tempo war, wie meine Erwartungen wahrscheinlich auch, etwas zu hoch. Ich setzte den Fuß auf die Bremse, und nichts geschah. Ich stieg fester drauf. Nichts. Der Wagen beschleunigte vielmehr auf dem Weg nach unten, zur Einmündung in die Dullington Road. Ich habe wohl in Gedanken nicht gerade schnell geschaltet. Ich hätte die Handbremse ziehen oder vielleicht runterschalten können, um das Tempo zu verlangsamen. Als letztes Mittel hätte ich den Wagen nach links durch die Hecke und auf den Acker dahinter lenken können. Stattdessen hielt ich panisch das Steuer fest und rammte das unnütze Bremspedal immer noch fester in den Boden.

In gewisser Weise hatte ich Glück. Ich fuhr nicht wie mein Vater frontal in einen Steintransporter. Mein teures Autochen wurde von einem dreiundfünfzigsitzigen, vollklimatisierten Reisebus mit einzeln zu bedienenden Videoschirmen erfasst. Das wusste ich, weil sich der Golf hinter dem Bus auf die Seite legte und ich die in großer weißer Schrift auf rotem Grund angepriesenen Vorzüge des Busses lesen konnte. Komisch, wie der Verstand arbeitet. Ich prägte es mir ein, während ich langsam das Bewusstsein verlor: dreiundfünfzig Sitze.

10

Ich wurde auf einem Krankenhausbett durch einen grauen Flur geschoben. Ich konnte die Deckenbeleuchtung sehen. Aber sie bestand nicht aus den üblichen hellen Rechteckfeldern; sie war anders. Sie bestand aus runden Glaskugeln. Und es gab Fenster, viele sonnendurchflutete Fenster. Und Stimmen auch, viele Stimmen, von Männern und Frauen.

»Ich glaube, er kommt wieder zu sich«, sagte eine männliche Stimme über mir.

»Hallo«, rief eine weibliche zu meiner Linken. »Mr. Moreton, können Sie mich hören?«

Ein Gesicht erschien. Das Gesicht lächelte mich an.

»Mr. Moreton«, sagte das Gesicht noch einmal. »Sie hatten einen kleinen Unfall, aber bald geht es Ihnen wieder gut.«

Gut zu hören, dachte ich.

Schmerzen hatte ich weiter nicht, aber mein Körper schien seltsam losgelöst von meinem Kopf zu sein. Es war, als sähe ich einen fremden Leichnam vor mir. O nein, dachte ich, ich hab mir doch wohl nicht das Rückgrat gebrochen?

Ich geriet in Panik und wollte mich aufrecht setzen.

»Bleiben Sie schön liegen und entspannen Sie sich«, sagte die Frau und drückte mit fester Hand meine Schulter zurück. Sie sah mir ins Gesicht. »Sie haben sich bös den Kopf gestoßen.«

O Gott, ich musste mir den Hals gebrochen haben.

Ich versuchte mit den Zehen zu wackeln und wurde mit dem Anblick der über meinen Füßen wackelnden Bettdecke belohnt. Eine Welle der Erleichterung überlief mich. Ich hob die Hand zum Gesicht und wischte mir den kalten Schweiß von der Stirn. Alles in Ordnung, dachte ich, nur die Empfindungen waren etwas ungewöhnlich.

»Sie haben wahrscheinlich eine Gehirnerschütterung«, sagte sie. »Wir machen jetzt erst mal eine Hirnszintigraphie.«

Ich hoffte, sie fanden was zum Szintigraphieren.

Wo war ich? Ich wusste, dass ich in einem Krankenhaus war, aber wo? Und warum war ich im Krankenhaus? Da die Fragen mein benebeltes Gehirn überforderten, machte ich es mir einfach und tat, was man mir sagte. Ich ließ den Kopf wieder aufs Kissen sinken und schloss die Augen.

In den nächsten beiden Stunden bekam ich undeutlich mit, wie ich hochgehoben und gepiekst wurde, wie man über mich redete, aber nicht mit mir. Ich ließ alles geschehen.

Mir fehlte die Erinnerung, weshalb ich hier war. Leider konnte ich mich überhaupt an herzlich wenig erinnern. Wer bin ich, fragte ich mich und tröstete mich damit, immerhin zu wissen, dass es eine wichtige Frage war. Verrückt schien ich jedenfalls nicht zu sein. Wenn ich verrückt wäre, dachte ich, hätte ich mir die Frage erst gar nicht gestellt. Aber wie lautete die Antwort?

Gedanken ohne jeden Zusammenhang gingen mir durch den Kopf. Komm, sagte ich mir, sortier das mal. Das Wichtigste zuerst. Wer bin ich? Warum bin ich hier? Und wo bin ich hier?

»Mr. Moreton? Mr. Moreton?«, rief eine Frau zu meiner Linken, und jemand streichelte meinen Arm. War ich Mr. Moreton? Ich musste es wohl sein. Wollte ich wirklich schon ins Land der Lebenden zurückkehren? Es musste wohl sein.

Ich schlug die Augen auf.

»Er ist zu sich gekommen«, sagte die Frau. »Hallo, Mr. Moreton, wie fühlen Sie sich?«

Ich wollte sagen, dass es mir gutging, brachte aber nur ein Krächzen heraus. Die Frau hielt es offenbar für ein gutes Zeichen, dass ich überhaupt reagiert hatte. Sie beugte sich vor und lächelte mir ins Gesicht. »Sehr schön«, sagte sie. »Ihnen geht's bald wieder gut.«

Wieso kam es mir vor, als versuchte sie ebenso sehr sich selbst zu überzeugen wie mich?

Ich nahm noch einmal Anlauf. »Wo bin ich?«, krächzte ich.

»In der Addenbrooke-Klinik«, sagte sie. »In Cambridge.«

Über die Addenbrooke-Klinik weiß ich was, dachte ich. Aber was? Die Erinnerungsschaltkreise in meinem Kopf sirrten und surrten und präsentierten eine Antwort: In der Addenbrooke-Klinik wurden die Opfer der Lebensmittelvergiftung behandelt. Wieso dachte ich das? Wer waren die Opfer? Ging es ihnen gut? Ich beschloss, mir keine Gedanken über sie zu machen. Es wird ihnen schon gutgehen, sagte ich mir. Die Frau hatte es gesagt, und ich glaubte ihr. Ich schloss die Augen wieder. Zu mehr Teilnahme an der Welt war ich noch nicht bereit.

Als ich das nächste Mal aufwachte, war es dunkel. Rechts von mir war ein Fenster, und es war schwarz bis auf ein paar gelbe Straßenlaternen in der Ferne. Ich lag da und schaute hinaus. Ich wusste noch, dass ich im Krankenhaus war, in der Addenbrooke-Klinik in Cambridge, aber ich erinnerte mich nicht, warum. Ich fragte mich, was im Restaurant vor sich ging.

»Tag, Max«, sagte eine Stimme zu meiner Linken.

Ich drehte den Kopf. Es war Caroline. Ich lächelte sie an.

»Tag, Caroline«, sagte ich. »Schön, dass du da bist.«

»Du weißt also, wer ich bin?«, fragte sie.

»Natürlich«, sagte ich. »Auch wenn ich im Krankenhaus liege, blöd bin ich nicht.«

»Der Arzt meinte, du könntest dich vielleicht nicht erinnern, wer ich bin. Er sagte, anfangs hättest du nicht mal gewusst, wer du selber bist. Anscheinend bist du den ganzen Tag über immer wieder weggedriftet. Wie geht es dir?«

»Jetzt, wo ich dich sehe, besser. Aber warum bin ich hier?«

»Du hattest einen Unfall«, sagte sie. »Dein Wagen wurde von einem Bus gestreift, und du hast dir den Kopf angeschlagen. Am Fahrerfenster vermutlich. Du hättest eine kleine Gehirnerschütterung, hieß es, aber in ein paar Tagen wärst du wieder obenauf.«

Ich konnte mich weder an einen Unfall noch an einen Bus erinnern. »Woher wusstest du denn, dass ich hier bin?«, fragte ich sie.

»Ich habe auf deinem Handy angerufen, um dir zu sagen, mit welchem Zug ich komme, und eine Krankenschwester meldete sich. Sie sagte mir, du seist hier in der Klinik, da bin ich gleich hergekommen.« Caroline lächelte.

Das war nett, fand ich. »Wie spät ist es?«, sagte ich.

»Gegen zwei«, antwortete sie.

»Zwei Uhr früh?«

»Ja.«

»Tut mir leid mit dem Essen«, sagte ich. »Wo übernachtest du?«

»Hier«, sagte sie. Auch das war nett. »Ich musste ihnen zwar ein bisschen zureden, aber dann waren sie einverstanden, dass ich bleibe.«

»Du brauchst doch was, wo du schlafen kannst«, sagte ich.

»Das geht schon so.« Sie lächelte mich an. Ich war selig. »Morgen früh suche ich mir was zum Schlafen.«

Wow, dachte ich.

»Willst du mich immer noch verklagen?«, fragte ich.

»Unbedingt«, antwortete sie und lachte dabei. Ihr Lachen verwandelte sich in Tränen, die ihr über die Wangen liefen. Sie lachte und weinte zugleich. »O Gott, ich bin ja so froh, dass es dir gutgeht. Tu mir das nie wieder an.«

»Was denn?«

»Jag mir nie wieder so einen Schrecken ein. Die Schwester auf dem Handy sagte mir, es würde ein Hirn-Scan bei dir gemacht, um festzustellen, ob eine Drucksteigerung vorliegt. Sie wüssten noch nicht, ob es zu bleibenden Hirnschäden komme.« Sie weinte bei der Erinnerung. »Ich will dich nicht verlieren, wo ich dich gerade erst gefunden habe.«

»Ich dachte, ich hätte dich gefunden.«

»Ja.« Sie drängte das Schluchzen zurück. »Stimmt. Wie kam das eigentlich? Vielleicht ist es besser, wenn ich das nicht weiß.« Sie beugte sich vor und gab mir einen Kuss auf die Stirn, dann küsste sie mich sanft auf die Lippen. Daran könnte ich mich gewöhnen, dachte ich.

»Entschuldigung«, sagte ich. »Das kommt jetzt etwas ungelegen, aber ich müsste mal aufs Klo.«

»Ich rufe eine Schwester«, sagte sie und verschwand. Sie kam mit einer dicken mittelalterlichen Frau in blauer Schwesterntracht zurück.

»Ah, wieder aufgewacht, Mr. Moreton?«, fragte die Schwester. »Wie fühlen Sie sich jetzt?«

»Ganz gut«, sagte ich. »Hab ein bisschen Kopfweh und müsste mal aufs Klo.«

»Flasche oder Bettpfanne?«, sagte sie. Es dauerte ein paar Sekunden, bis ich verstand, was sie meinte.

»Ach so«, sagte ich. »Bettpfanne. Aber kann ich denn nicht zur Toilette gehen?«

»Ich schau mal nach einem Rollstuhl«, sagte sie. »Nach so einem Schlag auf den Kopf sollten Sie nicht schon wieder laufen. Sie haben eine Gehirnerschütterung, da könnte Ihr Gleichgewicht gestört sein.«

Sie kam mit einem Rollstuhl wieder und half mir aus dem Bett. Ich trug etwas, das man nur als ein hinten offenes Nachthemd beschreiben konnte und das mein Schamgefühl wachhielt, da mein Hinterteil für alle sichtbar daraus hervorschaute, als die Schwester mich sanft auf den Stuhl sinken ließ. Mit meinem Gleichgewicht war es wirklich nicht weit her, und man konnte das ganze Manöver schwerlich als elegant bezeichnen. Ich hoffte sehr, dass Caroline nicht zugesehen hatte.

Die Schwester fuhr mich den Gang hinunter zur Toilette. Da es ziemlich dringend wurde, machte ich Anstalten, mich allein vom Rollstuhl auf das wc zu befördern.

»Einen Augenblick«, sagte die Schwester. »Lassen Sie mich erst mal die Bremse ziehen.«

Die Bremse. War da nicht noch etwas mit Bremsen? Ich versuchte mich daran zu erinnern.

Als wäre es nicht schon schlimm genug, ein hinten offenes Nachthemd anzuhaben, bestand die Schwester darauf, während der Prozedur neben mir zu stehen und mich an der Schulter festzuhalten, damit ich nicht vom Sitz kippte und auf die Nase fiel. Der Stolz, schien mir, fiel im Krankenhaus zuerst.

Sehr erleichtert, aber immer noch peinlich berührt von dem Ganzen, wurde ich von der Schwester zurück zu meinem Bett gekarrt. Sie bremste den Rollstuhl. Ich saß da. Wieso hoffte ich, die Bremse würde nicht wieder versagen?

»Caroline« rief ich laut.

»Scht«, sagte die Krankenschwester. »Sie wecken die Leute auf.«

»Hier bin ich«, sagte Caroline und ging in die Hocke, um mit mir auf Augenhöhe zu sein.

»Die Bremsen meines Wagens haben versagt«, sagte ich.

»Das weiß ich«, erwiderte sie. »Ein Polizist sagte den Ärzten, Bremsversagen sei wohl die Unfallursache.«

»Es war kein Unfall«, sagte ich.

»Wie soll ich das verstehen?«

»Ich glaube, jemand hat versucht, mich umzubringen.«

»Du meinst das wirklich ernst, ja?«

»Unbedingt«, sagte ich.

Ich hatte ihr erzählt, dass mein Wagen am Bahnhof Cambridge nicht abgeschlossen gewesen war und dass ich am Dienstagabend befürchtet hatte, mit den Bremsen oder der Lenkung könnte etwas nicht in Ordnung sein.

»Du weißt aber nicht hundertprozentig, dass jemand die Bremsen manipuliert hat«, wandte sie ein. »Du sagst ja, auf der Heimfahrt ist dir nichts aufgefallen.«

»Stimmt«, sagte ich. »Aber nichts führt an der Tatsache vorbei, dass sie am Mittwochmorgen versagt haben.«

»Das kann ein Zufall gewesen sein«, meinte sie.

Ich sah sie mit hochgezogenen Augenbrauen an.

»Schon gut«, sagte sie. »Aber es gibt solche Zufälle.« Sie ergriff meine Hand. Das gefiel mir. »Was unternehmen wir nun also?«

»Ich frage mich, ob es bei der Polizei jemanden gibt, der sich die Bremsen an meinem Wagen mal ansehen könnte, um festzustellen, ob sie manipuliert worden sind?«

»Unfallsachverständige vielleicht?«, sagte Caroline. Sie gähnte. »Entschuldige.«

»Du musst dich ausschlafen«, sagte ich.

»Es geht schon«, sagte sie und gähnte wieder.

Ich hätte sie gern gebeten, zu mir ins Bett zu kommen und neben mir zu schlafen, aber ich nahm an, das wäre der Krankenschwester nicht recht gewesen.

»Du kannst nicht die ganze Nacht hierbleiben«, sagte ich.

»Wo soll ich denn hin?«

»Fahr zu mir nach Hause«, sagte ich. »Irgendwo muss der Schlüssel sein.«

Sie sah bei meinen Sachen nach, die jemand vorsorglich in einer weißen Plastiktüte im Nachttisch verstaut hatte. Kein Schlüssel.

»Jetzt weiß ich's wieder«, sagte ich. »Er ist am selben Ring wie der Wagenschlüssel.« Wahrscheinlich noch im Wagen, dachte ich.

»Allein möchte ich sowieso nicht zu dir nach Hause«, sagte Caroline. »Schon gar nicht, wenn dir wirklich jemand nach dem Leben trachtet. Nein, ich bleibe hier.«

Schließlich schlief sie auf dem Stuhl neben meinem Bett. Es war ein Stuhl mit verstellbarer Rückenlehne, wie er verwendet wird, um die Schlafhaltung bettlägeriger Patienten zu variieren. Caroline klappte ihn zurück, deckte sich mit einer Wolldecke von meinem Bett zu und schlief innerhalb von Sekunden ein.

Ich betrachtete sie eine Weile und überlegte, auf was für ein seltsames Rezept für eine Liebelei ich da gestoßen war: Man vergifte die Zukünftige, brüskiere sie anschließend mit albernen Telefonanrufen und bearbeite sie gründlich beim Abendessen, bevor man sie mit einem lebensgefährlichen Autounfall erschreckt, um ihr schließlich die Theorie eines Mordkomplotts aufzutischen. Offenbar hatte es bestens funktioniert.

Am nächsten Tag ließen sie mich nach Hause. Caroline hatte den Ärzten glaubhaft versichert, dass ich zu Hause gut aufgehoben sei, wenn sie sich um mich kümmere. Hätte ich da vielleicht widersprechen sollen?

Ein schwarzgelbes NewTax-Taxi setzte uns gegen eins an meinem Cottage ab. Ich hatte die Frau, die ab und zu bei mir putzte, angerufen, damit sie uns ihren Schlüssel gab und wir reinkonnten. Das Mittagessen stellte uns vor das nächste Problem. Außer fürs Frühstück hatte ich selten viel Essbares im Haus, da ich mittags und abends normalerweise im Restaurant aß. Caroline sah sich kurz das Haus an und stöberte dann im Kühlschrank.

»Ich habe einen Bärenhunger«, sagte sie. »Du hast in der Klinik wenigstens Frühstück bekommen. Ich habe seit gestern Morgen nichts mehr gegessen.«

Sie fand gezuckerte Cornflakes im Schrank und Milch im Kühlschrank, also setzten wir uns an meinen winzigen Küchentisch und aßen jeder eine Schale Frühstücksflocken zu Mittag.

Carl hatte in aller Frühe in der Klinik angerufen, um sich nach meinem Befinden zu erkundigen, und ganz wie erwartet hatte er so getan, als sei er etwas enttäuscht, dass ich nicht nur noch am Leben war, sondern auch ein unzermatschtes Hirn besaß, das nach wie vor zum klaren Denken taugte. Die Klinikzentrale hatte ihn zu dem Telefon an meinem Bett durchgestellt.

»Du weilst also noch unter uns?«, hatte er in leicht frustriertem Ton gesagt.

»Ja, tut mir leid«, hatte ich geantwortet. »Wie läuft's im Hay Net?«

»Gut ohne dich«, hatte er geantwortet und hinzugefügt: »Wie immer«, was er sich aus meiner Sicht auch hätte sparen können. Frecher Hund.

So brummig sich Carl auch gab, ich konnte mir nicht vorstellen, dass er etwas mit einem Komplott zu meiner Ermordung zu tun hatte. Bestimmt war es nur wieder sein verdrehter Humor. So lästig sie mitunter auch waren, etwas richtig Finsteres konnte ich an seinen kleinen Sticheleien nicht entdecken.

Je mehr ich darüber nachdachte, desto unwahrscheinlicher kam es mir vor, dass mir überhaupt jemand nach dem Leben trachtete. Vielleicht war das Bremsversagen doch ein Zufall gewesen. Jedenfalls schienen mir Spielereien an fremden Bremsen nicht die beste Methode zu sein, jemanden um die Ecke zu bringen, es sei denn, der Betroffene fuhr eine steile Bergstraße voller Haarnadelkurven hinunter, und steile Bergstraßen fielen in Newmarket vor allem durch Abwesenheit auf.

Nach unserem Frühstücksflocken-Lunch legte ich mich aufs Sofa und rief im Restaurant an, während Caroline die obere Etage erkundete.

»Rückfall gehabt?«, fragte Carl hoffnungsvoll, als ich sagte, ich käme nicht vorbei.

»Nein«, sagte ich. »Die Ärzte meinten, ich solle es ein paar Tage ruhig angehen lassen. Dann seh ich weiter.«

»Lass dir ruhig Zeit«, sagte Carl obenhin.

»Hör mal«, hakte ich ein, »was für eine Laus ist dir über die Leber gelaufen. Warum bist du so verdammt unfreundlich?«

Es war ziemlich lange still am anderen Ende.

»So rede ich halt«, sagte er. »Tut mir leid.« Eine neuerliche Pause. »Ich freu mich riesig, wenn du wiederkommst, ehrlich.«

»Übertreiben musst du's auch nicht gleich«, sagte ich und lachte. »Sonst weiß ich gar nicht mehr, woran ich bin.«

»Tut mir leid«, sagte er nochmals.

»Schon verziehen. Wie war das Mittagessen?«

»Es ging«, sagte er. »Aber gestern Abend war gut. Zu rund achtzig Prozent voll.«

»Prima.«

»Alle haben nach dir gefragt. Richard hat ihnen von deinem Unfall erzählt, und der war dann Gesprächsthema

Nummer eins«, sagte er. »Viele, viele Leute wünschen dir gute Besserung. Und die Belegschaft sorgt sich auch um dich.«

»Danke.« Der allzu freundliche Carl stieß mir fast noch mehr auf als der ungehobelte, aber ich sprach ihn lieber nicht noch mal darauf an. »Sag allen, dass es mir gutgeht und dass ich wieder zur Arbeit komme, sobald ich kann, wahrscheinlich Mitte nächster Woche.«

»Okay«, meinte Carl. »Fürs Wochenende habe ich bei der Agentur in Norwich einen Aushilfskoch gebucht, ich hoffe, das geht in Ordnung.«

»Klar«, sagte ich. »Gut gemacht, Carl.« Das gegenseitige Schulterklopfen war nicht mehr auszuhalten. »Jetzt schwirr ab und mach dich wieder an die Arbeit.« Im Auflegen hörte ich ihn lachen. Carl gehörte zu den Guten, da war ich mir sicher. Oder?

Als Nächstes rief ich die Polizei Sussex an, um herauszufinden, was mit meinem Wagen passiert war.

»Er ist von Brady's Abschlepp- und Pannendienst in Kentford abgeschleppt worden«, hieß es. »Da wird er sein.«

»Hat ihn jemand untersucht?«, fragte ich.

»Der Einsatzbeamte am Unfallort wird sich das Fahrzeug kurz angesehen haben, bevor es weggebracht wurde.«

»Anscheinend«, sagte ich, »hat jemand von der Polizei gegenüber einem Klinikarzt geäußert, der Unfall gehe auf Bremsversagen zurück.«

»Darüber weiß ich nichts, Sir.«

»Hätte ich vielleicht die Möglichkeit, mit dem Beamten, der den Unfall aufgenommen hat, zu sprechen?«, sagte ich.

»Würden Sie bitte warten?« Ich kam nicht dazu, ja oder

nein zu sagen, bevor ich auch schon eine Stimme vom Band hörte, die mir das Dienstleistungsangebot der Polizei Suffolk vortrug. Mindestens drei Mal hörte ich mir den Sermon an, bevor sich wieder jemand live meldete.

»Tut mir leid, Sir«, sagte er. »Der gewünschte Beamte ist derzeit nicht zu sprechen.«

»Wann ist er denn zu sprechen?«, fragte ich. »Können Sie ihm bitte ausrichten, er möchte mich zurückrufen?« Ich gab ihm meine Handynummer, hegte jedoch keine große Hoffnung, dass die Nachricht durchkam.

Sie hätten viel zu tun, hieß es, aber sie würden schauen, was sich machen ließe.

Ich rief den Abschleppdienst an. Ja, hieß es, sie hätten den Golf, aber es sei nicht mehr viel los damit. Ich fragte, ob ich ihn mir ansehen könne. Jederzeit, hieß es.

Caroline kam nach ihrem Streifzug durch mein Häuschen zurück ins Wohnzimmer.

»Hübsch hier«, meinte sie. »Besser als meine Hütte in Fulham.«

»Willst du einziehen?«, fragte ich.

»Nicht so hastig, Mr. Moreton«, sagte sie lächelnd. »Ich habe mich nach einem Plätzchen umgesehen, wo ich heute Nacht schlafen kann.«

»Du bleibst also?«, fragte ich, vielleicht etwas zu eifrig für ihren Geschmack.

»Ja«, sagte sie, »aber nicht in deinem Schlafzimmer. Wenn dir das nicht recht ist, fahre ich jetzt nach London zurück.«

»Schon okay«, sagte ich. Und dachte bei mir, nicht super, aber okay.

Ich nahm ein paar Schmerztabletten für meinen Brummschädel, und dann fuhren Caroline und ich mit dem Taxi nach Kentford, um meinen Wagen in Augenschein zu nehmen. Wie der Mann vom Abschleppdienst gesagt hatte, war nicht mehr viel los damit. Ich musste mir sogar zeigen lassen, welches Autowrack es war, da ich es gar nicht erkannte. Schon, weil kein Dach mehr dran war.

»Was in aller Welt ist damit passiert?«, fragte ich einen der Leute. Mein treues altes Prachtstück war nur noch ein Haufen Blech.

»Die Feuerwehr hat das Dach abgeschnitten, um den Insassen rauszukriegen«, sagte er. »Der Wagen lag auf der Seite, als ich mit meinem Schlepper hinkam, und das Dach war schon ab. Vielleicht liegt's da noch im Graben.«

Es spielte keine Rolle. Auch in meinen Augen war der Wagen ein Schrotthaufen. Nicht nur das Dach war verschwunden, der vordere Kotflügel auf der Fahrerseite war komplett abgerissen, und das Lenkrad hing schief. Das musste beim Aufprall auf den Bus passiert sein, dachte ich.

»Hat jemand den Wagen untersucht?«, fragte ich.

»Nicht, dass ich wüsste, aber er steht seit gestern Morgen hier, und ich schiebe nicht direkt Wache.«

Mit »hier« meinte er: neben der Werkstatt, hinter zwei Abschleppwagen.

»Ich war der Fahrer«, sagte ich zu ihm.

»Himmel, dann hatten Sie aber Glück. Für mich sah das nach einem tödlichen aus, als ich hinkam.«

»Wieso?«, fragte ich.

»Feuerwehr und Rettungsleute haben ewig lange gebraucht, um Sie da rauszuholen. Das ist nie ein gutes Zeichen. Man hatte Ihnen so 'ne Halskrause verpasst. Sie sahen wirklich nicht gut aus, Mann. Keine Bewegung und alles. Ich dachte, Sie wären übern Jordan.«

»Herzlichen Dank«, meinte ich sarkastisch.

»Nein«, sagte er. »Mich freut, dass Sie noch am Leben sind. Ist auch einfacher für mich.«

»Wieso?«, fragte ich.

»Wär's ein tödlicher gewesen«, sagte er, »dann müsste ich den Schrotthaufen hierbehalten, bis ihn die Polizei untersucht, und das zieht sich immer eine Ewigkeit hin. Da Sie wohlauf sind, kann ich ihn raushauen, sobald der Typ von Ihrer Versicherung einen Blick drauf geworfen hat. Außerdem«, setzte er mit einem Grinsen hinzu, »kann ich Ihnen, da Sie noch leben, jetzt auch die Rechnung fürs Bergen und Abschleppen schicken.«

Ich nahm mir vor, die Versicherung anzurufen, auch wenn sie mir wahrscheinlich nicht viel zahlen würde. Der Wagen war vermutlich nicht viel mehr als den Selbstbehalt wert, aber vielleicht reichte es immerhin, um dem Mann die Rechnung für das Entsorgen des Wracks zu bezahlen.

»Ich glaube, ich bin verunglückt, weil meine Bremsen versagt haben«, tippte ich an. »Kann man sehen, ob das so war?«

»Gucken Sie doch, es ist Ihr Wagen.« Er wandte sich ab. »Ich muss arbeiten.«

»Nein«, sagte ich schnell. »Ich wüsste gar nicht, worauf ich da achten muss. Könnten Sie für mich mal nachsehen?«

»Das kostet«, sagte er.

»Okay«, sagte ich. »Wie viel?«

»Der übliche Tarif«, erwiderte er.

»Können Sie ihn sich jetzt gleich ansehen? Wo ich schon mal hier bin.«

»Denk ich schon.«

»Okay«, sagte ich. »Der übliche Tarif.«

Er inspizierte rund zwanzig Minuten lang, was von meinem Wagen übrig war, kam aber zu keinem eindeutigen Ergebnis.

»Könnten die Bremsen gewesen sein«, meinte er schließlich. »Schwer zu sagen.«

Ich versicherte ihm, dass der Unfall definitiv durch das Versagen der Bremsen verursacht worden war.

»Wenn Sie das so genau wissen, warum wollten Sie dann, dass ich nachsehe?«

Ich möchte wissen, ob an den Bremsen herumgepfuscht wurde«, sagte ich.

»Was, mit Absicht?« Er starrte mich an.

»Ich weiß es nicht«, erwiderte ich. »Das wollte ich von Ihnen hören.«

»Himmel«, sagte er nochmals. Er beugte sich wieder über den Wagen.

»Gucken Sie mal«, sagte er. Ich beugte mich wie er über die Stelle auf der Fahrerseite, wo einmal der vordere Kotflügel gewesen war. Er zeigte auf ein Gewirr von Metallröhren und Hebeln. »Die Bremse an diesem alten Golf war ein simples, nicht stromunterstütztes Hydrauliksystem.« Ich nickte. Das wusste ich. »Wenn man das Bremspedal tritt, treibt man einen Kolben in den Zylinder hier.« Er wies auf ein etwa fünf Zentimeter langes Metallrohr von zwei bis drei Zentimeter Durchmesser. »Der Kolben treibt Bremsflüssigkeit durch die Leitungen zu den Rädern, und durch den Druck werden die Bremsklötze gegen die Bremsscheiben gepresst. Das bringt den Wagen zum Stehen.«

»Wie bei einer Fahrradbremse?«, fragte ich.

»Na ja, nicht direkt. Beim Fahrrad geht ein Kabel vom Bremshebel zu den Bremsklötzen. Beim Auto überträgt sich der Druck durch die mit Bremsflüssigkeit gefüllten Leitungen.«

»Verstehe«, sagte ich. Dabei war ich mir nicht sicher, ob ich wirklich alles verstand. »Wodurch haben denn die Bremsen versagt?«

»Bremsen versagen, wenn statt Bremsflüssigkeit Luft in die Leitungen kommt. Tritt man dann aufs Pedal, drückt man bloß die Luft zusammen, und die Bremse funktioniert nicht.« Er sah meinen fragenden Blick. »Weil Bremsflüssigkeit sich nicht zusammendrücken lässt, Luft aber schon.« Ich nickte. Das wusste ich noch aus dem Chemieunterricht in der Schule.

»Es brauchte also nur jemand Luft in das System zu pumpen, damit die Bremsen ausfielen.«

»Ja«, sagte er. »Aber so einfach ist das nicht. Schon weil der Wagen zwei Bremssysteme hat, damit, wenn eines ausfällt, immer noch eins bereit ist.«

»Meine haben überhaupt nicht reagiert, als ich auf das Pedal getreten bin.«

»Dann muss Luft in den Hauptbremszylinder gekommen sein«, sagte er. »Das ist zwar sehr ungewöhnlich, aber einmal hab ich's schon erlebt. Da lag's daran, dass sich die Leitung vom Bremsflüssigkeitsbehälter zum Hauptzylinder gelöst hatte.« Ich konnte ihm nicht mehr folgen.

»Aber lässt sich feststellen, ob absichtlich etwas manipuliert wurde?«, fragte ich ihn.

»Schwer zu sagen«, meinte er wieder. »Möglich wär's. Die Verbindungsstellen sind dicht, also müsste jemand das Metallrohr beschädigt haben.« Er zeigte darauf. »Das geht zum Beispiel, indem man ein paarmal daran dreht, bis es einen Riss bekommt. Wie so ein Drahtbügel, den man hin und her biegt, bis er bricht.«

»Würden die Bremsen dann sofort versagen?«

»Nicht unbedingt«, sagte er. »Es könnte etwas dauern, bis die Luft von der kaputten Zuleitung in den Hauptzylinder dringt. Dazu muss man vielleicht erst ein paarmal ordentlich das Pedal durchtreten.«

Ich dachte daran, wie ich auf der Heimfahrt vom Bahnhof Cambridge mehrmals energisch auf die Bremse gestiegen war.

»Können Sie erkennen, ob das hier passiert ist?«, fragte ich.

Er sah sich noch einmal das Gewirr von zerrissenen Leitungen an. »Scheint durch den Unfall alles kaputtgegangen zu sein. Unmöglich zu sagen, ob da vorher schon jemand die Finger dran hatte.«

»Kennen die Unfallermittler der Polizei sich eventuell besser damit aus?«

Er schien etwas gekränkt, dass ich seine Fähigkeiten in Frage gestellt hatte. »Bei dem Wust kann kein Mensch erkennen, wie es vorher aussah«, sagte er ungehalten.

Davon war ich zwar nicht restlos überzeugt, aber das behielt ich lieber für mich. Ich bezahlte ihm eine halbe Arbeitsstunde in bar und rief per Handy ein Taxi.

»Haben Sie die Schlüssel von dem Wagen?«, fragte ich den Mann.

»Nein, Kumpel«, sagte er. »Nie zu Gesicht bekommen. Dachte, die lägen noch drin.«

Sie lagen nicht drin. Ich hatte nachgesehen. »Egal«, sagte ich. »Viel wäre damit jetzt ja sowieso nicht mehr anzufangen.« Aber ich hatte sie an einem silbernen Schlüsselanhänger gehabt. Ein Geburtstagsgeschenk meiner Mutter zum Einundzwanzigsten.

»Kann ich ihn jetzt also auf den Schrottplatz bringen?«, fragte er.

»Noch nicht«, sagte ich. »Warten Sie, bis der Mann von der Versicherung ihn sich angesehen hat.«

»Mach ich«, erwiderte er. »Aber denken Sie dran, die Lagerung bezahlen Sie.«

Welche Überraschung.

»Sehr überzeugend war das ja nun nicht«, meinte Caroline in dem Taxi, das uns zurück nach Newmarket brachte. »Was willst du jetzt tun?«

»Nach Hause will ich. Ich fühle mich mies.«

Wir fuhren über den Supermarkt in Newmarket nach Hause. Ich blieb im Taxi sitzen, während Caroline etwas zum Abendbrot und eine Flasche Rotwein kaufte. Meine Schmerztabletten vertrugen sich bestimmt nicht allzu gut mit Alkohol, aber wen kümmerte das.

Ich legte mich aufs Sofa und hielt meinen Brummkopf still, während Caroline in der Küche herumwirbelte. Ein- oder zweimal kam sie und setzte sich zu mir, aber dann war sie auch schon wieder weg.

»Entspann dich«, sagte ich zu ihr. »Ich fress dich schon nicht.«

Sie seufzte. »Nein, nein. Ich bin unruhig, weil ich meine Viola nicht dabeihabe. Normalerweise übe ich jeden Tag mindestens zwei Stunden, auch wenn ich abends auftrete. Seit vorgestern habe ich nicht eine Note gespielt, deshalb leide ich an Entzugssymptomen. Ich brauche meinen Schuss.«

»So ist es bei mir mit dem Kochen«, sagte ich. »Manchmal überkommt mich der Drang zu kochen, obwohl niemand Hunger hat. Die Gefrierschränke im Restaurant sind voll mit Sachen, die ich irgendwann mal essen müsste.«

»Schade, dass nichts davon hier ist«, meinte sie.

»Ich könnte anrufen und uns was bringen lassen.«

»Nein«, sagte sie lächelnd. »Ich bin mal mutig und koche für den Koch. Außerdem ist es vielleicht besser, wenn du dein Personal da raushältst.«

»Warum?«

»Sonst kommen sie vielleicht auf falsche Gedanken.«

»Und was wären das für falsche Gedanken?«, fragte ich.

»Ach, ich weiß nicht«, sagte sie. »Wenn sie wüssten, dass ich über Nacht bleibe, würden sie vielleicht die falschen Schlüsse daraus ziehen.«

Mir gefiel nicht ganz, wie das Gespräch lief. Jede Situation bekam etwas Törichtes, wenn man sie lange genug analysierte; ungezwungenes und unreflektiertes Handeln dagegen spiegelte oft genau die wahre Gefühlslage wider.

Die spontanen, ehrlichen Empfindungen von gestern Abend im Krankenhaus liefen Gefahr, allzu vernünftigem und die Konsequenzen abwägendem Denken zum Opfer zu fallen.

»Was spielst du, wenn du übst?«, fragte ich, um das Thema zu wechseln. »Und sag jetzt nicht, Viola.«

»Fingerübungen meistens«, erwiderte sie. »Sehr langweilig.«

»Tonleitern?« Als Kind hatte ich stundenlang Tonleitern auf dem Klavier spielen müssen. Es war mir verhasst.

»Genau«, sagte sie. »Aber ich spiele auch Stücke. Tonleitern allein hält keiner aus, auch kein Berufsmusiker.«

»Hast du ein Lieblingsstück?«

»Bachs Violinkonzert in E-Dur«, sagte sie. »Nur spiele ich es eben auf der Viola.«

»Klingt das dann nicht ganz verkehrt?«

Sie lachte. »Nein, natürlich nicht. Es hört sich gut an. Nimm zum Beispiel ›Yesterday‹, du weißt schon, den Beatles-Song. Er lässt sich auf dem Klavier spielen, auf Gitarre, Geige oder sonst was. Er hört sich immer nach ›Yesterday‹ an, oder?«

»Stimmt«, sagte ich und summte ein paar Takte davon.

Ich sah auf die Uhr. Es war sechs. Die Sonne stand schon nah am Horizont, jedenfalls ein ganzes Stück unterm Zenith, und so öffnete ich eine Flasche Wein, die wir gemütlich miteinander tranken.

Caroline bereitete frischen Lachs mit Petersiliensauce, Frühkartoffeln und Salat zu, und es war lecker. Wir setzten uns aufs Sofa und hielten die Teller auf den Knien, während wir uns eine Satiresendung im Fernsehen anschauten. Richtig häuslich.

Wie sie es sich vorgenommen hatte, schlief Caroline nicht in meinem Schlafzimmer.

Ich allerdings auch nicht.

11

Caroline stand zeitig auf und bestellte sich ein Taxi.
»Hab ich was Falsches gesagt?«, fragte ich.

»Aber nein.« Sie lachte. »Ich muss nur zurück nach London. Ein Termin beim RPO in Clerkenwell Green. Ich möchte sie überreden, dass sie mich für den Rest der Tour noch rüberfliegen lassen.«

Sie saß am Fußende des Betts in meinem Gästezimmer und zog sich schwarze Socken an. Ich setzte mich auf und zog sie nach hinten, bis sie wieder in meinen Armen lag.

»Ich wollte zwar nicht, dass es so kommt«, sagte sie. »Aber ich bin froh darüber.«

Ich hatte es gewollt und freute mich genauso. Ich küsste sie.

»Kommst du nach deiner Besprechung wieder hierher?«, fragte ich.

»Ich kann nicht«, sagte sie. »Das Orchester spielt heute zum letzten Mal in New York und fährt zum zweiten Teil der US-Tournee dann weiter nach Chicago. Da will ich unbedingt wieder dabei sein. Wenn heute alles gutgeht, fliege ich am Sonntag nach Chicago.«

Jetzt war Freitag. Sonntag fand ich viel zu früh, um sie über den weiten Atlantik entweichen zu lassen.

»Du hast doch noch gar nicht mein Restaurant gesehen«, sagte ich. »Wie wär's mit morgen? Zum Abendessen?«

»Nicht so drängen, Mr. Moreton. Ich habe mein eigenes Leben. Und ich muss noch einiges erledigen, wenn ich nächste Woche weg bin.« Sie setzte sich und zog sich fertig an.

»Und wann kommst du aus den Staaten zurück?«, fragte ich.

»Noch steht ja nicht fest, dass ich fahre. Das Orchester wird nächstes Wochenende zurückerwartet, dann wollen wir uns auf die Saison in der Festival Hall vorbereiten. In dieser Zeit gebe ich auch die Solovorstellung in der Cadogan Hall. Willst du da immer noch dabei sein?«

»Wenn du danach immer noch mit mir essen gehst«, sagte ich.

»Abgemacht.« Wir besiegelten es mit einem Kuss.

Wir gingen nach unten, und Caroline machte uns Frühstück.

»Vorsicht mit dem Toaster«, sagte ich zu ihr. »Er ist kaputt und wirft die Scheiben nicht raus. Das vergesse ich immer, und dann gibt der Rauchmelder Alarm.«

Sie behielt ihn im Auge, so dass alles gutging, und wir setzten uns an den Küchentisch und verputzten jeder zwei Scheiben Toast mit Marmelade.

Das Taxi hupte draußen. Zu früh, dachte ich, viel zu früh.

Als Caroline fort war, lungerte ich den ganzen Morgen zu Hause herum und wünschte, sie wäre noch da. Mindestens dreimal räumte ich die Küche auf, und den Fußboden im Wohnzimmer saugte ich, bis ich von dem Krach Kopfschmerzen bekam. Ich aß eine Schale Haferflocken und Schmerztabletten zu Mittag.

Mit gemischten Gefühlen nahm ich gegen eins Carolines Anruf entgegen. Sie war ganz aufgeregt, weil das Orchester sie in Gnaden wieder aufgenommen hatte, und vollauf mit den Reiseplänen für Chicago beschäftigt. Ich freute mich für sie, aber ich hätte mir etwas vorgemacht, wenn ich mir nicht eingestanden hätte, dass ich enttäuscht war, weil sie flog.

»Das ist nicht wahr!«, sagte Bernard Sims ungläubig. »Ich hab ja schon gehört, dass Klientinnen mit ihren Anwälten was hatten, dass Geschworene miteinander ins Bett gehen und auch mal eine Richterin mit einem Anwalt, aber noch nie, dass der Beklagte mit der Klägerin schläft, noch nicht mal, wenn sie miteinander verheiratet waren.« Er lachte laut. Ich wünschte, ich hätte es ihm nicht erzählt.

Er hatte am frühen Nachmittag angerufen, um mir mitzuteilen, dass er einen zweiten Brief von Miss Astons Anwälten erhalten habe, in dem sie die Gründe für ihre Klage nannten und uns aufforderten, zum Ausgleich für den Verdienstausfall und die Unannehmlichkeiten, die Miss Aston erlitten hatte, ein annehmbares Angebot vorzulegen.

Dummerweise hatte ich ihm gesagt, dass ich sie seinem Rat entsprechend zum Essen eingeladen hatte und dass sich daraus eine Beziehung zwischen uns ergeben hatte.

»Aber haben Sie mit ihr geschlafen?«, hatte er hartnäckig gefragt.

»Tja«, sagte ich schließlich. »Und wenn?«

Jetzt hatte er einen Riesenspaß an der Sache.

»Hat sie die Klage zugleich mit ihren Hüllen fallenlassen?«

»Bernard«, ermahnte ich ihn, »das reicht. Nein, sie hat die Klage nicht fallengelassen. Ihr Agent besteht darauf, dass sie das durchzieht. Er will seine Provision haben.«

»Vielleicht schläft sie auch mit ihm.« Er war nicht mehr zu halten.

»Bernard, ich sagte, es reicht!« Ich war laut geworden.

»Es ist Ihnen ernst mit ihr, was?«, fragte er.

»Ja.«

»Verdammt. Was soll ich denn ihren Anwälten sagen?«

»Kein Wort. Unterstehen Sie sich«, sagte ich.

»Doch nicht davon«, antwortete er. »Was sage ich von wegen Angebot?«

»Lassen Sie mich darüber am Wochenende nachdenken. Ich rufe Sie am Montag an. Sie fährt jetzt für acht Tage weg, da können Sie ihr sowieso nichts sagen.«

»Fährt sie mit Ihnen weg?«, fragte er.

»Nein. Und das ginge Sie auch gar nichts an.«

»Alles, was Sie betrifft, geht mich was an«, sagte er mit einem Lachen. »Ich bin Ihr Anwalt, schon vergessen?« Als er auflegte, lachte er immer noch. Ich fragte mich, ob ihm alle Klienten so viel Freude machten.

Gegen halb drei rief ich Carl an und bat ihn, mich abzuholen.

»Ich dachte, du müsstest dich ein paar Tage ausruhen«, sagte er.

»Das tu ich auch«, antwortete ich. »Ich will nicht arbeiten. Ich brauche nur meinen Computer, um ins Internet zu kommen.«

»Gut«, sagte er. »Ich bin in fünf Minuten da.«

Es gab fast eine Million Treffer, als ich »Rolf Schumann« in die Suchmaschine eintippte. Die meisten Treffer waren deutschsprachig. Rolf und Schumann waren offensichtlich sehr verbreitete Namen in Deutschland, Österreich, der Schweiz und auch in Holland.

Ich gab »Wisconsin« als Suchwort hinzu und war überrascht, dafür immer noch mehr als achtundzwanzigtausend Treffer zu bekommen. Auch in Wisconsin waren Schumann und Rolf offenbar ziemlich gängige Namen.

Ich fand heraus, dass mehr Menschen aus Deutschland nach Amerika ausgewandert waren als aus irgendeinem anderen Land, einschließlich Irland und England, und dass viele sich im Staat Wisconsin angesiedelt hatten, weil das Klima und die Landwirtschaft dort ähnlich waren wie zu Hause. Einer Webseite zufolge war der Zustrom so groß, dass im Jahre 1900 ein Drittel der Gesamtbevölkerung des Staates gebürtige Deutsche waren. Milwaukee, die größte Stadt Wisconsins, keine fünfzig Kilometer von Delafield entfernt, wurde im 19. Jahrhundert sogar als »deutsches Athen« bezeichnet.

Mit Delafield als zusätzlichem Suchwort verringerte sich die Trefferzahl auf einige Hundert, und so fand ich ihn: Rolf Schumann, Präsident der Delafield Industries Inc., mit Geburtsdatum, Werdegang, Familienstammbaum und allem, was dazugehörte. Gutes altes Internet.

In der darauffolgenden Stunde bekam ich nicht allzu viel Brauchbares über Mr. Schumann heraus. Er war siebenundsechzig Jahre alt und – als ihr ehemaliger Finanzdirektor – seit sieben Jahren Präsident von Delafield Industries. Die Stadt Delafield schätzte ihn als Stütze der Gemeinde und als Förderer oder Vorstand mehrerer wohltätiger Organisationen. Ich erfuhr, dass er eine wichtige Rolle in der Handelskammer von Delafield spielte und zum Presbyterium einer evangelischen Kirchengemeinde der Stadt gehörte. Nirgends

war etwas zu finden, das nahelegte, er könnte anderthalb-
tausend Kilometer von seinem Heimatort entfernt zur Zielscheibe eines Bombenlegers geworden sein.

In den vierziger Jahren des 19. Jahrhunderts hatte Delafield Industries als Schmiedewerkstatt angefangen, die Werk-
zeuge für die neuen Siedler Wisconsins herstellte, damit sie
das Land bestellen und Mais ernten konnten. Als der Ver-
brennungsmotor aufkam, hatte die Firma neue Geräte in ihr
Programm aufgenommen, zuerst den Traktor und dann land-
wirtschaftliche Maschinen aller Art. Ihrer eigenen Webseite
zufolge war sie jetzt der größte Mähdrescherlieferant des
Mittleren Westens, und sogar ich wusste, dass es im amerikanischen Mittelwesten eine Unmenge Mais gab. Gigantischen
Geschäftserfolg und Riesengewinne als Mordmotiv für die
neidische Konkurrenz einmal beiseite gelassen, konnte ich
keinen Grund erkennen, weshalb Delafield Industries Ziel
einer Bombe hätten sein sollen.

So richtig gut kam ich als frischgebackener Detektiv nicht
voran.

Carl trat ins Büro und gab mir einen Brief. »Der ist vorgestern gekommen«, sagte er.

Es war der Brief von der Bezirksverwaltung Forest Heath,
in dem ich über das anstehende Gerichtsverfahren informiert wurde. Mir fiel ein, dass ich auf dem Weg zu Suzanne
Miller und dem anderen Brief gewesen war, als meine Bremsen versagt hatten. Ich rief sie im Büro an.

»Tag, Suzanne«, sagte ich. »Max Moreton hier.«

»Tag, Max«, trällerte sie. »Geht's Ihnen gut? Ich hab von
Ihrem Unfall gehört.«

»Nichts passiert, Suzanne, danke«, sagte ich. »Nur eine

leichte Gehirnerschütterung, mein Wagen ist allerdings hin.«

»Ach je«, sagte sie. »Das tut mir leid.«

»Und mir tut's leid, dass ich deshalb nicht dazu gekommen bin, den Brief von der Bezirksverwaltung bei Ihnen abzuholen.«

»Machen Sie sich deswegen keine Gedanken«, sagte sie. »Er liegt noch für Sie bereit.«

»Die haben mir auch einen ans Restaurant geschickt.«

»Das dachte ich mir schon.«

»Hat es mit den Listen geklappt, um die ich Sie gebeten habe?«, kam ich zum eigentlichen Zweck meines Anrufs.

»Mit der Gästeliste für das Galadiner kann ich leider nicht dienen. Es gibt nur die, die Sie schon haben. Man müsste die Leute anrufen, die auf der Liste stehen, und sie nach den Namen ihrer Gäste fragen – sonst fällt mir auch nichts ein. Bei der Delafield-Liste hatte ich etwas mehr Glück. Anscheinend hat die Special Branch Namenslisten von den Gästen sämtlicher Logen verlangt. Als Schutzmaßnahme für diesen Araber.« Sie schien nicht sonderlich beeindruckt von der Sonderabteilung der Polizei. »Hat ja echt was gebracht.«

Wie alle anderen außer mir glaubte sie immer noch, dass die Bombe dem Prinzen gegolten hatte.

»Wo sind die Listen?«, fragte ich.

»Bei der Special Branch, nehme ich an. Ich weiß von den Listen nur, weil mir ein anderer Logenhalter davon erzählt hat. Er war ziemlich empört, dass er der Polizei die Namen seiner Gäste nennen musste. Wenn Sie mich fragen, der war nur sauer, weil er seine Geliebte dabeihatte und ihren Namen gern geheimgehalten hätte.«

»Meinen Sie?«

»Na klar«, sagte sie. »Meinen Leuten gegenüber hat er sie als seine Nichte ausgegeben, aber das war sie offensichtlich nicht. Wir haben ihnen aber den Spaß gelassen und mitgespielt.« Sie lachte in den Hörer.

Das hätte ich nicht von ihr gedacht. »Wer war es denn?«, fragte ich interessiert.

»Das sage ich besser nicht«, meinte sie, sagte es dann aber doch. Die Versuchung war zu stark. Ich kannte den Mann. Jeder im Rennsport hätte ihn gekannt. Dann verriet sie mir auch noch den Namen der Geliebten. Delikat. »Erzählen Sie's aber nicht weiter«, bat sie allen Ernstes. Das brauchte ich gar nicht; Suzanne würde es früher oder später selbst besorgen.

»Wie bekomme ich denn die Liste von der Special Branch?«, fragte ich.

»Bitten Sie doch drum«, meinte sie.

Und das tat ich auch.

Ich gab »Special Branch UK« in meinen Computer ein und erfuhr auf einer Webseite, dass jede Polizeitruppe im Land ihre eigene Sonderabteilung hat. Also rief ich die Polizei Suffolk an und erfuhr, dass für den Prominentenschutz die Sonderabteilung der Polizei London zuständig sei. Freundlicherweise erhielt ich eine Telefonnummer.

»Wir geben der Öffentlichkeit keine Auskünfte«, teilte mir der zuständige Detective Inspector Turner mit.

»Aber ich bin nicht bloß ein Vertreter der Öffentlichkeit, ich war dabei«, sagte ich. »Ich war von der Explosion betroffen und musste ins Krankenhaus.« Wobei ich ihm verschwieg, dass ich nur ein dickes Knie und ein verschrammtes Bein hatte.

»Und um was geht es Ihnen jetzt?«, fragte er.

Ich erklärte ihm, dass ich das Essen für die Loge, in der die Bombe hochging, zubereitet hatte und dass eine meiner Angestellten durch die Bombe ums Leben gekommen war. Ich sagte ihm, meines Wissens habe die Special Branch eine Liste aller in diese Loge geladenen Gäste erhalten, und ich sei an dieser Liste interessiert, da ich die Überlebenden zur Teilnahme an einer im Namen meiner toten Kellnerin gegründeten therapeutischen Selbsthilfegruppe einladen wolle. Um sie bei der Bewältigung des Bombentraumas zu unterstützen.

Etwas Besseres fiel mir auf die Schnelle nicht ein.

»Ich will sehen, was ich tun kann, Sir«, sagte er.

Ich dankte ihm und gab ihm meine E-Mail-Adresse und meine Telefonnummer.

Ich schaute auf die Uhr. Es war fast halb fünf. Ich rief Caroline an.

»Hallo«, staunte sie durch die Leitung. »Gerade hab ich an dich gedacht.«

»Nur Gutes hoffentlich«, sagte ich.

»Überwiegend.« Ihr Ton gab mir zu denken.

»Du bereust doch letzte Nacht nicht, oder?«, fragte ich.

»Ach, na ja. Alles ein bisschen plötzlich.«

»Ja«, stimmte ich zu. Was mich betraf, geschah alles Gute im Leben ein bisschen plötzlich, und sie war keine Ausnahme. Aber forcieren wollte ich auch nichts. Von wem war noch mal der Spruch »Dem Wartenden fliegt alles zu«?

»War dein Nachmittag schön?«, fragte ich.

»Wunderbar«, sagte sie. »Ich habe drei Stunden am Stück auf meiner Viola gespielt. Die Finger sind müde, aber ich fühle mich umso lebendiger. Musik ist wie Sauerstoff, ohne sie würde ich eingehen.«

»Ich dachte, du packst«, sagte ich.

»Ich fliege erst am Montag«, sagte sie. »Der erste Auftritt in Chicago ist am Mittwochabend, und übers Wochenende fährt das Orchester zu den Niagarafällen. Ich bin am Montagabend in Chicago dann wieder dabei.«

»Kommst du dann vorher noch mal nach Newmarket?«, fragte ich.

»Geht nicht«, sagte sie. »Morgen um vier lasse ich mir die Haare machen, und ich muss ja alles für die Reise vorbereiten.«

»Aha«, meinte ich ziemlich düster. »Wann sehen wir uns denn?«

»Sei doch nicht so trübselig«, sagte sie. »Ich kann zwar nicht nach Newmarket kommen, aber du kannst zu mir kommen, wenn du willst.«

Ich wollte. »Wann?«

»Jederzeit. Komm morgen und bleib bis Montagfrüh. Dann kannst du mir helfen, mein ganzes Zeug nach Heathrow zu schaffen, und mir zum Abschied winken.«

An einen Abschied von ihr mochte ich nicht denken. »Okay«, sagte ich. »Ich bin morgen gegen Mittag bei dir.«

»Nein, später«, antwortete sie. »Vor meinem Friseurtermin muss ich noch einkaufen. Komm um sieben, dann gehen wir zum Abendessen ins Pub.«

»Wunderbar«, sagte ich. »Ich rufe dich noch an.«

Wir legten auf, und ich saß grinsend an meinem Schreibtisch. Noch nie im Leben war ich so wild darauf gewesen, bei jemandem zu sein. War das die große Liebe? Es kam alles etwas plötzlich, und es war mir nicht ganz geheuer.

Ich fragte meinen Computer, von wem der Wartespruch stammte. Abraham Lincoln, verriet er mir. Aber das vollständige Zitat lautete: »Dem Wartenden fliegt alles zu, was die, die keine Zeit verlieren, übrig lassen.« Ich nahm mir vor, künftig keine Zeit zu verlieren.

Die nächste Stunde hindurch fahndete ich am Computer nach einem Anhaltspunkt für die Richtung, in der ich suchen musste. Ich grub die Ausgabe der *Cambridge Evening News* aus, in der die Toten aufgelistet waren, und suchte im Internet nach Hinweisen zu den einzelnen Namen. Nichts. Allerdings fand ich heraus, dass eines der Todesopfer von Delafield, Gus Witney, mit dem Pferdesport in Verbindung stand, und zwar über einen Poloclub. Den Lake Country Polo Club, genau gesagt.

Ich schaute nach. Der Club hatte eine umfangreiche Webseite und war offensichtlich ein expandierendes Unternehmen. Gus Witney, stellte sich heraus, war der Präsident des Vereins, und es gab sogar ein Foto von ihm mit lächelndem Gesicht. Besonders schnell im Aktualisieren ihrer Webseite waren die Herrschaften offensichtlich nicht, da ihr Präsident seit nunmehr fast zwei Wochen tot war, hier aber noch nichts davon zu lesen stand. Der Club wurde erwartungsgemäß von Delafield Industries gesponsert, und Rolf Schumann war in der Liste der Schirmherren und Vorstandsmitglieder aufgeführt.

Es gab einen Link zum US-amerikanischen Poloverband, und es überraschte mich, dass Polo drüben ein so verbreiteter Sport war. Natürlich kam es nicht an Baseball oder Football heran, doch es gab vier Mal so viele Poloclubs wie Galopprennbahnen in den USA. Und etwa zehn Mal so viele Clubs wie in England. Das verblüffte mich dann doch. Ich hatte Polo immer für eine unbedeutende und obendrein spezifisch britische Sportart gehalten, die nur von britischen Kavallerie-Offizieren auf dem indischen Flachland gespielt wurde, weil man sich in dem langen Auslandseinsatz irgendwie die Zeit vertreiben musste.

»Sie haben Post«, meldete ein blaues Kästchen unten rechts auf dem Bildschirm meines Computers.

Es war eine Mail von Detective Inspector Turner: die Gästeliste vom Tag des 2000 Guineas. Sehr schön. Allerdings fiel sie nicht ganz wie gewünscht aus. Er hatte ein Blatt Papier eingescannt, auf dem ursprünglich die komplette Gästeliste abgedruckt war, doch irgendjemand hatte die Namen der sieben nicht erschienenen Gäste mit einem dicken schwarzen Balken durchgestrichen. Sechzehn der übrigen Namen waren mit einem *V* versehen, das vermutlich für »verstorben« stand, denn Elizabeth Jennings, MaryLou Fordham und die Walters hatten jeweils ein *V.* Außerdem hatte jemand handschriftlich »Louisa Whitworth« und »Elaine Jones« der Liste hinzugefügt. Auch sie waren mit einem *V* versehen. Ich erinnerte mich an den Bericht in der *Cambridge Evening News*, wonach Elaine Jones von umherfliegendem Gebälk erschlagen worden war.

Beklagen durfte ich mich nicht. Ich hatte um eine Liste der Überlebenden gebeten, und genau die hatte D. I. Turner mir geliefert, zusammen mit den Namen der Verstorbenen. Was mir immer noch fehlte, waren die Namen der sieben Personen, die eingeladen, aber nicht erschienen waren.

Ich wählte die Nummer von neulich.

»Ist Detective Inspector Turner da?«, fragte ich.

Ich musste ein paar Minuten warten, bevor er an den Apparat kam. Danke für die Liste, sagte ich, aber könnte er mir ausnahmsweise noch mal helfen? Geduldig ließ er sich erklären, dass ich gern die Namen derer hätte, die knapp dem Tod entronnen waren, damit auch sie aus der Selbsthilfegruppe Nutzen ziehen könnten. Ob er die sieben fehlenden Namen habe?

Er schien zu zögern, erklärte sich dann aber bereit, nach der Originalliste zu suchen.

»Kann nicht versprechen, dass wir die noch haben«, sagte er. »Abwesende sind ja nicht so wichtig für uns, zumal der Anschlag ihnen gar nicht galt.«

Ich dachte daran, ihm meine Theorie zu unterbreiten, dass ihnen der Anschlag sehr wohl gegolten haben könnte, aber sie hörte sich immer noch ziemlich verwegen an, und es fehlten mir die Fakten, mit denen ich sie hätte untermauern können. Meine nachmittägliche Suche im Internet hatte kaum zu etwas geführt, und mir kamen langsam ernste Zweifel an der Annahme, dass mein Autounfall bewusst herbeigeführt worden sei. Ich bedankte mich bei D. I. Turner und sagte ihm, ich würde auf die Liste warten.

»In einer halben Stunde hab ich Feierabend«, sagte er. »Mal sehen, was ich tun kann.«

Ich legte auf. Hatte ich recht oder die Polizei? Vielleicht hätte ich meine Gedanken mit dem Inspector teilen sollen, dann hätte er mich zumindest auf Denkfehler hinweisen können. Wie Caroline gesagt hatte, konnte es ja sein, dass die Polizei mehr Informationen hatte als ich, etwa vom MI5 oder von anderen Nachrichtendiensten. Vielleicht hielten sie an der Theorie vom Araberprinzen aber auch nur fest, weil sie keine andere hatten.

Ich dachte daran, Neil Jennings anzurufen, wollte ihn in seiner noch frischen Trauer jedoch nicht mit der Frage behelligen, wie er zu der Einladung von Delafield gekommen war. Stattdessen rief ich die Kealys an.

»Tag, Max«, sagte Emma. »Wollten Sie nachhören, ob wir morgen kommen?«

Ich musste überlegen, wovon sie redete. »Nein«, sagte ich. »Davon geh ich mal aus.«

»Ah ja. Wir werden wohl zu sechst sein, wie üblich.«

»Prima«, sagte ich. Dass ich nicht im Restaurant sein würde, verschwieg ich lieber. Caroline und ich würden ins Pub gehen. Ich konnte mich nicht erinnern, wann ich zuletzt an einem Samstagabend »im Pub« gewesen war. Ich freute mich drauf. »Nein, eigentlich rufe ich an, weil ich fragen wollte, ob Sie noch wissen, wie Sie zu der Lunch-Einladung am Guineas-Tag gekommen sind.«

»Ach so«, sagte sie. »Wir hatten einen Starter im Guineas. Ich glaube, das war der Grund.«

»Aber sie können doch nicht alle Trainer eingeladen haben«, wandte ich ein.

»Da bin ich überfragt«, meinte Emma. »Wir waren's jedenfalls, und ich weiß, dass Neil und Elizabeth ebenfalls eingeladen waren. Elizabeth und ich hatten darüber gesprochen.« Sie schwieg kurz. »Arme Elizabeth.«

»Ja«, sagte ich. Ich wartete ein paar Sekunden. »Emma, es tut mir leid, Sie damit zu behelligen, aber wissen Sie noch, wann Sie die Einladung bekommen haben?«

»Oh.« Eine Pause entstand. »Nein, leider nicht. Ich weiß nur, dass es schon länger her ist.«

»War es eine förmliche Einladung, auf Karton gedruckt?«

Neuerliche Pause. »Ich glaube nicht«, sagte sie. »Ich wüsste nicht, dass sie auf dem Kaminsims stand. Da stellen wir nämlich unsere Einladungen hin.« Ich konnte mir vorstellen, dass ihr Kaminsims immer ziemlich voll war.

»Na gut«, sagte ich. »Danke auch.«

»Gern geschehen. Ich frage George, wenn er nach Hause kommt. Er ist auf so einer blöden Ausschusssitzung des Vereins, dem er vorsteht. Ich ruf Sie an, wenn ihm noch was einfällt.«

»Danke. Tschüs dann.« Ich legte auf. Wieder eine Sackgasse.

Ich sah mir noch einmal die Liste von Detective Inspector Turner an. Von den siebzehn nicht durchgestrichenen Namen ohne ein *V* daneben kannte ich elf. Diejenigen, die ich nicht kannte, waren vermutlich Leute von Delafield, darunter die Person, die laut Ms. Harding von der Zeitung inzwischen an ihren Verbrennungen gestorben war. Zu den elf, die ich kannte, zählten ein Ehepaar, das regelmäßig ins Hay Net kam, und vier Gelegenheitskunden aus der Umgebung. Die übrigen fünf wohnten weiter weg: ein Trainer und seine Frau aus Middleham in Yorkshire, die Frau des ums Leben gekommenen irischen Geschäftsmanns und ein ehemaliger Jockey aus Westengland, der sich jetzt mit Wett-Tipps für betuchte Rennbahnbesucher über Wasser hielt. Ich konnte mich nicht erinnern, dass er vor dem Lunch seine Empfehlungen abgegeben hätte, aber da war ich vielleicht in der Küche gewesen. Keiner dieser vier sah mir nach einer Zielscheibe für Terroristen aus.

Der Letzte war Rolf Schumann. War er die Zielscheibe?

Ich rief noch einmal meine E-Mails ab. Nichts Neues.

Ich sah auf die Uhr, und die halbe Stunde war um. D. I. Turner hatte für heute, wenn nicht fürs Wochenende, Feierabend, ich würde mich also gedulden müssen.

Es war halb sieben, und da im Restaurant jetzt gerade der Abendbetrieb anlief, ging ich in die Küche, um nach dem Rechten zu sehen, wurde von Carl aber prompt wieder hinausgeschickt.

»Du bist krank«, sagte er. »Fahr nach Hause und lass uns in Ruhe arbeiten.«

»Ich bin nicht krank«, widersprach ich. »Ich habe nur Kopfschmerzen. Eine Gehirnerschütterung ist nicht ansteckend.«

Er grinste mich an. »Egal. Wir kommen schon ohne dich zurecht. Das ist Oscar.« Carl zeigte mir ein neues Gesicht in der Küche. »Er macht sich gut.« Oscar grinste. Gary nicht. Er hatte offensichtlich keinen guten Tag. Ich ließ sie allein und kehrte ins Büro zurück. Nur zu gern wäre ich nach Hause gefahren, aber ich wollte noch ein wenig im Internet recherchieren, und zu Hause hatte ich keinen Computer.

Noch einmal schaute ich vergebens in meine Mailbox. Als ich langsam endgültig an D. I. Turner verzweifelte, klingelte das Telefon. Er war dran.

»Entschuldigung«, sagte er. »Ich habe die Originalliste gefunden, aber ich komme mit dem verdammten Scanner nicht klar, und die Sekretärin ist schon weg. Außerdem muss ich nach Hause. Ich soll mit meiner Teuersten zum Geburtstag ins Kino und bin sowieso spät dran. Ich schick Ihnen die Liste nächste Woche.«

»Könnten Sie sie mir nicht einfach vorlesen?«, fragte ich. »Dann schreibe ich mit.«

»Na gut. Aber schnell.«

Ich schnappte mir einen Stift und notierte die Namen auf der Rückseite einer alten Speisekarte. Wie erwartet war Neil Jennings dabei, ebenso George und Emma Kealy, und zwei von den vier Übrigen kannte ich auch – Patrick und Margaret Jacobs, die eine gutgehende Sattlerei in der Stadt betrieben. Von dem anderen Ehepaar hatte ich noch nie gehört. Sie hießen Pjotr und Tatjana Komarov.

Ich dankte ihm, wünschte ihm einen schönen Abend mit seiner Frau und sagte, die Verspätung könne er ja auf mich schieben. Er sagte, das habe er auch vor, und legte auf.

Ich sah mir die Namen auf der Speisekarte an. Wieso hatte ich angenommen, der Schlüssel zu dem Ganzen seien die Namen derjenigen, die eine Einladung für die Bombenloge erhalten hatten, aber nicht erschienen waren? Patrick und Margaret Jacobs waren nette Leute, die sich charmant und kompetent um ihre Kunden bemühten. Sie waren geachtet und sogar beliebt bei den meisten Trainern am Ort, einige hatten sie auch schon zum Essen ins Hay Net eingeladen. Ich ging die Gästeliste des Freitag-Diners durch, und tatsächlich waren Mr. und Mrs. Patrick Jacobs auch dort verzeichnet.

Für die Komarovs traf das nicht zu, sie fehlten auf der Freitagsliste. Was nicht unbedingt hieß, dass sie nicht teilgenommen hatten, doch sie waren nicht namentlich aufgeführt.

Ich gab »Komarov« in meinen Computer ein. Google spuckte über eine Million Treffer aus. Mit »Pjotr Komarov« kam ich nur noch auf rund achtunddreißigtausend. Der, den ich suchte, konnte jeder davon sein, es waren vorwiegend Russen. Ich setzte die Suchmaschine auf »Tatjana Komarov« an. »Meinten Sie Tatjana *Komarova*?«, fragte sie mich. Mir fiel ein, dass im Russischen und in anderen slawischen Sprachen die Nachnamen von Frauen auf *a* enden. Ich probierte »Tatjana Komarova« aus. Noch mal achtzehntausend Treffer. »Pjotr und Tatjana Komarov« zusammen ergaben sechzehntausend. Es war, als suchte man die richtige Stecknadel in einem Stecknadelhaufen, ohne zu wissen, wie die richtige aussah.

Ein Treffer stach mir ins Auge. Ein gewisser Pjotr Komarov war als Präsident des St. Petersburger Poloclubs aufgeführt. Das muss er sein, dachte ich. Pjotr Komarov und Rolf Schumann hatten sich wahrscheinlich übers Polo kennengelernt.

Ich suchte nach dem Poloclub St. Petersburg. Die unerwartet vielen Treffer erklärten sich dadurch, dass die meisten sich auf St. Petersburg in Florida bezogen. Der Club, um den es mir ging, saß in der 1703 von Zar Peter dem Großen gegründeten Stadt an der baltischen Küste, dem ursprünglichen St. Petersburg.

Der Webseite des Clubs zufolge war Polo im nachsowjetischen Russland eindeutig im Kommen. Die Clubs sprossen offenbar wie Pilze aus dem Boden, und die neue Mittelklasse schien ihrem amerikanischen Vorbild darin nacheifern zu wollen, dass sie das Polospiel zum angesagten gesellschaftlichen Ereignis kürte. In Russland wurde Polo während des langen Winters sogar im Schnee gespielt, mit einem aufblasbaren, fußballgroßen Ball in Orange statt des herkömmlichen weißen aus massivem Holz. Der von einem großen Schweizer Uhrenhersteller gesponserte Schneepolo-Cup, hieß es, sei der Höhepunkt der St. Petersburger Wintersaison, hier könne man sich im Kreis der Schönsten und Reichsten zeigen und vergnügen.

Und weiter? Was sollte Polo mit dem Bombenanschlag auf der Rennbahn von Newmarket zu tun haben? Ich war mir nicht sicher, dass es wirklich zusammenhing, aber Polo war unbestreitbar eine Verbindung zwischen mehreren Bombenopfern und jemandem, der nicht dabei gewesen war, obwohl er es hätte sein sollen.

12

Wieder verbrachte ich eine ruhelose Nacht. Statt des nur zu vertrauten Alptraums von MaryLou und ihren fehlenden Beinen beschäftigten mich aber, während ich wach lag und an Caroline zu denken versuchte, immer wieder die brennenden Fragen: Wer hatte das Essen vergiftet? Und warum? War es wirklich vergiftet worden, damit jemand am nächsten Tag nicht zur Rennbahn kam? Und wenn ja, wer? Hatte mich wirklich jemand umbringen wollen, indem er die Bremsen meines Wagens manipulierte? Und wenn ja, wer? Und warum? Und schließlich, hatte das irgendetwas mit der Polo-Verbindung zu tun? Viele Fragen, aber herzlich wenig Antworten.

Den größten Teil des vorhergehenden Abends hatte ich im Internet zugebracht. Ich hatte allerhand Neues und für mein Seelenheil wohl Verzichtbares über Polo erfahren. Fünf Mal war Polo auf der Olympiade gespielt worden, zuletzt 1936, als es Gold für Argentinien gab. Argentinien war anscheinend immer noch die Großmacht im internationalen Polo, und die meisten eingesetzten Ponys kamen nach wie vor aus Südamerika.

Die Hurlington Polo Association war der maßgebende Verband in England, obwohl in Hurlington selbst kein Spiel mehr stattgefunden hatte, seit die Polofelder 1939 umgegraben worden waren, um der kriegsgebeutelten Londoner Bevölkerung Nahrung zu liefern.

Auf der Verbandswebseite hatte ich die Spielregeln nachgesehen. Sie gingen über fünfzig dichtbedruckte Seiten, und mich wunderte, dass sie überhaupt jemand verstand, so kompliziert waren sie. Lustig fand ich die Regel für Torschüsse mit kaputtem Ball: Zerbrach der im Durchmesser 8,25 cm große Ball durch Schläger- oder Hufeinwirkung in zwei ungleiche Hälften, zählte ein Treffer, wenn der größere Teil des Balls zwischen den Torstangen hindurchging. Ich konnte mir gut vorstellen, was ein Abwehrspieler, der die falsche Ballhälfte abwehrte, zum Besten gab. In den Regeln war sogar schriftlich festgehalten, dass die beiden berittenen Schiedsrichter während des Spiels ihre Handys nicht benutzen durften und der nichtberittene Oberschiedsrichter an der Seitenlinie weder telefonieren noch mit den Umstehenden sprechen, noch sich sonstwie ablenken lassen sollte.

Außerdem hatte ich herausgefunden, dass Poloponys gar keine echten Ponys waren. Vielfach waren es argentinische Criollo-Pferde oder aber ehemalige Galopprennpferde, die sich als zu langsam erwiesen hatten, um auf dem Turf zu siegen. In den Vereinigten Staaten wurden oft Vollblüter mit dem Quarter Horse gekreuzt, um schnelle, trittsichere Pferde zu erhalten, die leicht das Tempo beschleunigen oder herausnehmen können und die raschen Drehungen und Wendungen meistern, auf die es ankommt. Ponys waren sie jedenfalls nicht mit ihrer Durchschnittsgröße von anderthalb Metern, gemessen am Widerrist, denn das echte Pony soll unter 1,47 Meter groß sein.

So hatte ich den Kopf voller ziemlich unnützer Informationen, ohne eine Antwort auf meine Fragen zu bekommen. Allerdings erfuhr ich, dass am kommenden Sonntag im Guards Polo Club in der Nähe von Windsor das Finale eines Poloturniers stattfand. Vielleicht würde ich hinfahren. Oder noch besser, vielleicht zusammen mit Caroline.

»Bist du verrückt?«, sagte Caroline, als ich sie anrief. »Ich habe keine Zeit, mir ein blödes Polospiel anzusehen. Und du sollst dich doch ausruhen. Wegen der Gehirnerschütterung, erinnerst du dich?«

»Es ist doch nur der Nachmittag«, meinte ich. »Und Gehirnerschütterungen trüben nun mal das Gedächtnis.«

»Du willst da wirklich hin, ja?«

»Unbedingt«, sagte ich.

»Aber ich versteh überhaupt nichts von Polo«, wandte sie ein.

»Na und? Ich doch auch nicht.«

»Warum willst du dann hingehen?«

»Na, du kennst doch meine wilde Theorie von dem Bombenanschlag und dem vergifteten Essen«, sagte ich. »Ich werde das Gefühl nicht los, dass das was mit Polo zu tun haben könnte. Klar, es hört sich doof an, und vielleicht bin ich auf dem falschen Dampfer, aber ich möchte mir mal ein Polomatch ansehen und ein paar Fragen stellen.«

»Warum sagst du das nicht gleich?«, meinte sie. »Natürlich komme ich mit. Soll ich meine Sherlockmütze aufsetzen und eine Lupe mitnehmen?«

»Höre ich da eine gewisse Skepsis heraus?«, fragte ich und lachte. »Ehrlich gesagt, ich habe auch meine Zweifel, aber ich weiß nicht, wo ich sonst suchen soll.«

»Was zieh ich also an?«, fragte Caroline.

»Tweedkostüm und grüne Gummistiefel.«

»Ich habe kein Tweedkostüm.«

»Gut«, sagte ich. »Irgendwas halbwegs Elegantes, das warm hält, denn für Sonntag ist kein schönes Wetter angekündigt.«

»Brauche ich einen Hut?«

»Weiß ich nicht.«

»Was soll man mit so jemandem anfangen?«, sagte sie. »Ich dachte, du kennst dich aus in der Welt der Pferde.«

»Im Rennsport«, sagte ich. »Nicht mit Polo.«

»Ist doch dasselbe. Hier wie da wird mit Pferden herumgespielt.«

Sie musste noch viel lernen.

Am Samstag wuselte ich die meiste Zeit im Haus herum, beobachtete die elend langsam kreisenden Zeiger meiner Armbanduhr und wünschte, sie würden einen Zahn zulegen, damit ich mich auf den Weg nach Fulham machen könnte, auf den Weg zu Caroline.

Ganz vergeudet war der Tag aber nicht. Am Vormittag rief ich Margaret Jacobs in ihrem Sattlereigeschäft an. Sie war nicht besonders freundlich.

»Was wollen Sie?«, fragte sie ziemlich unwirsch.

»Was ist los, Margaret?«, fragte ich zurück.

»Patrick und ich sind von Ihrem Essen so krank geworden, dass ich dachte, wir würden sterben.«

»Es tut mir leid«, sagte ich. »Falls es Ihnen ein Trost ist, mir ging es danach auch sehr schlecht. Und ich habe die Leute nicht absichtlich krank gemacht.«

»Nein, das wohl nicht.« Sie war ein wenig besänftigt. »Aber in der Zeitung stand, dass Ihr Restaurant zur Dekontaminierung geschlossen war. Da muss ja irgendwas damit gewesen sein. Und erst eine Woche vorher hatten wir da gegessen.«

»Mit dem Restaurant war gar nichts«, sagte ich ihr. »Die Lebensmittelaufsicht hat uns kontrolliert und uns ein Gesundheitsattest ausgestellt. Mit dem Restaurant ist nie etwas gewesen.«

»Irgendwas schon«, meinte sie. »Warum ging es uns denn sonst so schlecht?«

Ich wollte ihr nichts von den Kidneybohnen und meinem Verdacht erzählen, dass jemand vorsätzlich das Essen vergiftet hatte. Stattdessen wechselte ich die Schiene.

»Margaret«, sagte ich. »Ich weiß, dass Sie und Patrick am 2000-Guineas-Tag zu dem Mittagessen von Delafield Industries geladen waren. War Ihre Übelkeit der Grund, warum Sie da nicht hingegangen sind?«

»Ja«, antwortete sie entschieden. »Ich hatte mich wirklich darauf gefreut, aber wir waren die ganze Nacht auf gewesen.«

»Eigentlich war es ja gut, dass Sie nicht hingegangen sind«, sagte ich.

»Wieso?«, fragte sie.

»Wissen Sie das denn nicht?«, sagte ich. »Die Bombe auf der Rennbahn ist in der Loge explodiert, in der das Essen stattfand. Die Todesopfer waren alles Leute von Delafield und deren Gäste.«

Am anderen Ende war es lange still.

»Margaret«, sagte ich. »Sind Sie noch da?«

»Mir war nicht klar, dass dort die Bombe hochgegangen

ist«, erwiderte sie fassungslos. »Mein Gott. Wir hätten sterben können.«

»Aber Sie leben noch«, meinte ich beruhigend.

»Ich war so sauer, dass wir zu Hause bleiben mussten«, sagte sie. »Eigentlich wollte ich sogar noch hin, obwohl es mir so mies ging. Patrick wollte aber partout nicht, und wir hatten einen Mordskrach deswegen.« Sie schwieg. »Die armen Leute.«

»Ja«, sagte ich. »Ich war dabei. Ich habe das Essen zubereitet.«

»So?«, meinte sie etwas überrascht. »Hätte ich das gewusst, wäre ich vielleicht nicht so scharf darauf gewesen.«

»Oh, danke.«

»Pardon«, sagte sie. Aber sie fügte nicht hinzu, dass sie es nicht so gemeint habe.

»Margaret«, sagte ich, »glauben Sie mir, das Hay Net Restaurant ist vollkommen unbedenklich.«

»Mhm.« Sie hörte sich nicht überzeugt an.

»Kommen Sie als Gast des Hauses zu uns, zusammen mit Patrick.«

»Mal sehen«, sagte sie. Oder auch nicht, dachte ich. Die Sattlerei von Patrick und Margaret Jacobs belieferte die meisten Ställe am Ort mit Reitzubehör, und ich musste zusehen, dass sie ihre Vorbehalte gegen mein Essen nicht weitertrugen. Man kam sehr leicht in Misskredit, ob verdient oder nicht, und hatte man einmal einen schlechten Ruf, wurde man ihn nur schwer wieder los.

»Überlegen Sie sich's«, sagte ich. »Und bringen Sie ruhig auch ein paar Freunde mit.« Wie weit musste ich noch gehen, bevor sie einwilligte?

»Wann?«, fragte sie. Sie hatte angebissen.

»Wann Sie wollen.« Ich holte die Leine ein. »Wie wär's mit nächstem Wochenende?«

»Samstag?«

»Gern«, sagte ich. »Ich merke Sie mit vier Personen vor. Um acht?«

»Okay«, sagte sie mit einem leichten Zittern in der Stimme. »Danke.« Der Fang war perfekt. Aber in meiner Suche nach Antworten brachte mich das kein Stück weiter.

Das Leben ohne Auto wurde allmählich öde. Die Erfindung des Verbrennungsmotors hat sich als der größte Freiheitsstifter in der Geschichte erwiesen, doch neigen wir dazu, diese Freiheit für selbstverständlich zu halten. Mein jüngster persönlicher Freiheitsstifter stand immer noch als Häuflein Schrott im Hinterhof des Abschleppdienstes, und ich vermisste schmerzlich die mit ihm verbundene Möglichkeit, schnell und unkompliziert von A nach B zu gelangen.

Ich rief die NewTax-Nummer an, die ich mittlerweile auswendig kannte, und bestellte ein Taxi zum Bahnhof Cambridge, um den Fünfuhrzug nach London zu bekommen. Dann warf ich ein paar Sachen in meine Reisetasche und wartete ungeduldig auf den Wagen. Warum kam ich mir bloß wie ein Lausbub vor, der die Schule schwänzt?

Für alle Fälle packte ich nachträglich noch meinen Reisepass ein. Ich sagte mir zwar, das sei albern, aber wen kümmerte das? Hieß es in Shakespeares *Wie es euch gefällt* nicht irgendwo, dass nur der geliebt hat, der sich erinnert, aus Liebe schon mal eine Dummheit begangen zu haben? War ich verliebt? Es sah mir ganz danach aus.

Die King's Cross Station war voller enttäuschter Fußball-fans, die nach der Niederlage ihrer Mannschaft im Pokal-Endspiel auf den Zug nach Norden warteten. Die Stimmung war düster und merklich aggressiv. Ich konnte mir jedoch das fröhliche Lächeln, das der Gedanke an zwei bevorstehende Nächte mit Caroline auf mein Gesicht zauberte, beim besten Willen nicht verkneifen. So zog ich die unwillkommene Aufmerksamkeit eines halben Dutzends junger Männer in roten Fußballtrikots auf mich, die alle ziemlich einen in der Krone hatten.

»Worüber grinst du denn?«, fragte einer von ihnen scharf und schob sein Gesicht so dicht an meins heran, dass ich eine deftige Kostprobe seiner Fahne bekam.

»Über gar nichts«, antwortete ich leise.

»Dann verpiss dich gefälligst«, sagte er mit etwas schwerer Zunge. Ich sah ihm an, was in seinem benebelten Gehirn vorging. Er war offensichtlich der Anführer der Gruppe, und die anderen beobachteten jede seiner Bewegungen. Ich hatte den Eindruck, dass er seine Möglichkeiten abwog und dass er meinte, vor seinen Anhängern das Gesicht zu verlieren, wenn er sich einfach umdrehte und mich in Ruhe ließ. Es hätte zum Lachen sein können, wäre es nicht so beängstigend gewesen. Ich sah ihn die Augen aufreißen, als er zu dem unsinnigen Schluss kam, dass ihm kein anderer Ausweg blieb als körperliche Gewalt.

Aber er bewegte sich so langsam, dass ich seinen wilden rechten Haken von ganz weit hinten kommen sah und ihm bequem ausweichen konnte. Er machte ein etwas überraschtes Gesicht, als seine Faust harmlos rund fünf Zentimeter an meiner Nasenspitze vorbeiflog. Der Schwung seines herausgeschleuderten dicken Arms brachte ihn dann auch noch aus dem Gleichgewicht, so dass er mit seiner ganzen Masse auf den Bahnsteig krachte. Zeit, mich aus dem Staub zu machen, befand ich. Ich drehte mich um und rannte.

Es folgten Minuten voller Angst, als ich, die übrige Meute auf den Fersen, durch den Bahnhof hetzte. Zum Glück hatten die meisten von ihnen nicht nur zu viel Bier im Bauch, sondern auch etliche Kilo zu viel um die Taille, und konnten mit meinem adrenalingetriebenen Fluchttempo nicht mithalten. Zwei waren allerdings trotz ihres Handicaps erstaunlich flink, so dass ich mehr als einmal ihre Finger schon an meiner Jacke spürte. Irgendwann schlug ich mit meiner Reisetasche nach dem einen und bekam ein Erfolg signalisierendes Ächzen zu hören.

Ich stürmte aus dem Bahnhof, sprang über die Fußgängersperre in den Verkehr auf der Euston Road und wich Bussen, Pkws und Taxen aus, während ich um mein Leben rannte. Zu meinem Glück führte ein Rest von Vernunft in Verbindung mit einem genau zur rechten Zeit auftauchenden Streifenwagen dazu, dass die beiden Verfolger mir nicht mehr hinterherkamen, als ich im Zickzack über die vierspurige Fahrbahn jagte und auf der anderen Straßenseite schwer atmend Richtung Westen lief.

Ich ging im Schritt weiter und lachte erleichtert auf. Dafür wurde ich von einigen Passanten komisch angesehen, aber gottlob war in ihren Augen nur Belustigung zu erkennen. Ich fühlte mich großartig und hüpfte buchstäblich den Gehsteig entlang, während ich im entgegenkommenden Verkehr nach einem freien Taxi Ausschau hielt, das mich nach Fulham bringen könnte.

Caroline lebte in einer sogenannten Souterrainwohnung. Wie viele Wohnstraßen in Westlondon bestand die Tamworth Street aus stuckverzierten Reihenhäusern, die in den 1920er und 30er Jahren für die stetig wachsende Stadtbevölkerung erbaut worden waren. Ursprünglich als Einfamilienhäuser gedacht, waren viele seither in Apartments unterteilt worden, als gegen Ende des zwanzigsten Jahrhunderts die Nachfrage nach Wohnungen weiter stieg. Die Souterrainwohnungen im ganzen Straßenzug waren aus den ehemaligen Kellerräumen entstanden, die einst die Dienstboten der oben wohnenden Familie beherbergt hatten. Carolines Domizil war nicht von der Haustür, sondern vom alten Dienstboteneingang aus zu erreichen – durch ein Eisentörchen und dann acht Stufen runter zu einem kleinen Betonviereck unter Straßenhöhe.

Sie öffnete die Tür mit einem unmissverständlichen Jauchzer, schlang mir die Arme um den Hals und drückte mir einen langen Begrüßungskuss auf die Lippen. Wenn sie es sich mit unserer Beziehung anders überlegt hatte, war das eine komische Art, es zu zeigen.

Ihre Wohnung ging über die ganze Länge des Hauses und führte hinten auf eine winzige Terrasse hinaus, die gerade groß genug für einen Tisch und ein paar Stühle war.

»Im Sommer fällt hier die Morgensonne herein«, sagte sie. »Ein hübscher kleiner Garten. Deswegen wollte ich die Wohnung haben.«

Wie konnten sich Menschen nur in diesem Großstadtdschungel wohl fühlen, dachte ich, wo man auf so engem Raum zusammenlebte, dass eine vier Quadratmeter große Betonplatte als Garten durchging und ein Grund zur Freude war? Mir waren die weiten offenen Räume der Heide um

Newmarket lieber, aber ich wusste auch, dass ich umziehen und mich in dieses Ballungsgebiet hier stürzen musste, wenn Marks ehrgeizige Pläne Wirklichkeit werden sollten.

Die Wohnung selbst war modern und minimalistisch gestaltet, mit vielen blanken Holzfußböden und verchromten Barhockern in der weißen Einbauküche. Sie hatte zwei Schlafzimmer, doch das kleinere war in einen Übungsraum umfunktioniert worden: Stuhl und Notenständer in der Mitte, Stapel von Notenblättern rings an den Wänden.

»Haben deine Nachbarn nichts dagegen?«, fragte ich.

»Nein«, sagte sie ohne Zögern. »Ich spiele nicht spät abends und nicht vor neun Uhr früh, und es hat sich noch niemand beschwert. Im Gegenteil, die Dame von oben sagt, sie hört mir gerne zu.«

»Spielst du mir was vor?«, fragte ich.

»Was, jetzt?«

»Ja.«

»Nein«, sagte sie. »Ich spiele erst für dich, wenn du mir was gekocht hast.«

»Das ist ungerecht. Ich hätte dir ja unter der Woche was gekocht, wenn mein Wagen nicht kaputtgegangen wäre.«

»Nichts als Ausreden«, lachte sie.

»Was hast du im Kühlschrank?«, fragte ich. »Ich koche dir jetzt was.«

»Kommt nicht in Frage«, sagte sie. »Wir gehen ins Pub. Ich musste den Barmann bestechen, damit wir einen Tisch bekommen.«

Der Samstagabend mit Caroline im Pub hielt alles, was ich mir davon versprochen hatte. Das fragliche Pub war The Atlas um die Ecke in der Seagrave Road, und es war gerammelt voll. Obwohl sie es irgendwie geschafft hatte, einen Tisch zu reservieren, handelte es sich eindeutig um eine Kneipe und nicht um ein Restaurant wie das Hay Net, und unser ausgebleichter Holztisch stand unter dem Fenster des Schankraums. Caroline setzte sich auf einen Stuhl mit gerader Rückenlehne, wie wir sie einst in der Schule hatten, während ich mich durch das Gewühl zum Tresen durchzwängte und eine Flasche Chianti Classico aus der mit Kreide an die stolze Tafel über der Spiegelwand geschriebenen Weinkarte auswählte.

Das Essen war gut und phantasievoll. Caroline nahm gegrillten Seebarsch mit Couscous-Salat, während ich mich für Cumberlandwürstchen mit Knoblauch-Kartoffelpüree entschied. Über den Knoblauch machte ich mir so meine Gedanken und Caroline offenbar auch. Sie stibitzte mit der Gabel ein wenig Kartoffelbrei. Unsere Blicke trafen sich, als sie die Gabel zum Mund führte. Einen Moment lang schauten wir beide tief ins Innerste des anderen und mussten lachen, als uns der unausgesprochene Grund dafür klar wurde.

Caroline war gespannt auf Chicago, und wir unterhielten uns über ihren Beruf und besonders über ihre Musik.

»Ich fühle mich so lebendig, wenn ich spiele«, sagte sie. »Dann existiere ich nur in meinem Kopf, und ich weiß, das hört sich blöd an, aber die Hände am Bogen und an den Saiten sind wie vom Körper losgelöst. Sie haben ihren eigenen Willen, und den setzen sie um.«

Ich schaute sie nur an, da ich sie nicht unterbrechen wollte.

»Selbst bei einem neuen Stück, das ich noch nie gespielt habe, muss ich meinen Fingern nicht erst bewusst sagen, was sie tun sollen. Ich schaue nur auf das Notenblatt, und meine

Finger tun es wie von selbst. Ich erlebe es mit. Es ist wundervoll.«

»Hörst du denn bei all den anderen Instrumenten um dich herum, was du selber spielst?«, fragte ich.

»Aber ja«, sagte sie. »Nur spüre ich es eher. Über die Knochen spüre ich es. Wenn ich das Kinn fest an die Viola drücke, füllt sich mein ganzer Kopf mit Musik. Ich muss sogar aufpassen, dass ich nicht zu fest drücke, sonst höre ich das übrige Ensemble nicht mehr. In einem großen Orchester zu spielen ist wirklich aufregend. Trotz der grässlichen Leute.«

»Was für Leute?«, fragte ich.

»Die anderen Mitglieder«, sagte sie. »Die können so biestig sein, so primadonnenhaft. Wir sollten doch alle ein Team sein, aber es gibt überall kleine Rivalitäten. Jeder will die anderen übertreffen, besonders in der eigenen Instrumentengruppe. Alle Geiger wollen Konzertmeister werden, und die meisten anderen Instrumente können es nicht haben, dass der Konzertmeister immer ein Geiger ist. Es ist wie auf dem Schulhof. Die einen treten, die anderen werden getreten. Einige Ältere vertragen es nicht, wenn die Jüngeren daherkommen und die Soli kriegen, die ihrer Meinung nach ihnen selbst zustehen. Niemand kann wütender werden als ein Solist, der sich übergangen fühlt, das kann ich dir sagen. Einmal habe ich sogar gesehen, wie ein altgedientes Orchestermitglied sich am Instrument eines jüngeren Solisten zu schaffen gemacht hat. Ich hoffe bloß, dass ich nicht mal so werde.«

»Auch Köche können ziemlich hinterhältig sein«, sagte ich und fragte mich einmal mehr, ob mich jemand um meinen Erfolg beneidete und das der wahre Grund dafür war, dass jemand dem Festessen giftige Kidneybohnen beigemischt hatte.

»Aber du musstest bestimmt noch nie mit rund achtzig anderen zusammenarbeiten, die alle bemüht sind, den Nebenmann auszustechen, obwohl sie miteinander harmonieren müssen, um einem Stück Leben einzuhauchen.«

»Vielleicht nicht«, sagte ich. »Aber manchmal kommt es mir so vor.«

Sie lächelte. »Versteh mich nicht falsch«, sagte sie. »Ich bin glücklich, dass ich in einem richtig guten Orchester spiele. Es kann sehr bewegend sein und mich wunderbar ausfüllen. Der Höhepunkt einer Aufführung kann fantastisch sein. Tschaikowskis *Ouvertüre 1812* zum Beispiel, mit dem Kanonendonner und allem, vor siebentausend Zuhörern in der Royal Albert Hall, das ist unglaublich aufregend.« Sie lachte. »Besser als ein Orgasmus.«

Ich wusste nicht recht, was ich von der Bemerkung halten sollte. Übung, dachte ich. Ich brauchte einfach wieder Übung. »Wart's ab«, sagte ich.

»Ist das ein Versprechen?«, sagte sie lachend.

»Unbedingt«, erwiderte ich und streichelte ihr über den Tisch hinweg die Hand.

Wir beendeten unsere Mahlzeit in zufriedenem Schweigen, vielleicht, um den Zauber nicht zu brechen, bis ein Kellner kam und unsere leeren Teller mitnahm. Wir bestellten beide Kaffee, und ich goss den letzten Chianti in unsere Gläser. Weder sie noch ich erweckte den Anschein, als wollten wir so schnell wie möglich zu ihr nach Hause und schauen, was mein Versprechen wert war. So viel zum äußeren Eindruck. Innerlich brannte ich.

»Was spielst du denn in Chicago?«, fragte ich feuerwehr-
mäßig.

Ihr Gesicht leuchtete auf. »Hauptsächlich Elgar. Wir bringen die erste Symphonie und die Variationen, die gefallen mir
sehr. Sibelius steht auch auf dem Programm. Seine vierte
Symphonie, genau gesagt, darauf bin ich aber nicht so scharf,
sie ist mir zu heftig. Sehr düster.« Sie verzog das Gesicht.

»Wer bestimmt, was gespielt wird?«, fragte ich.

»Die Intendanz und der Dirigent, glaube ich. Genau weiß
ich das nicht. Die Amerikaner werden auch ein Wörtchen mit-
geredet haben. Elgar ist wohl dabei, weil er typisch englisch ist.
Und natürlich wegen seines hundertfünfzigsten Geburtstags.«

Natürlich, dachte ich.

»Sibelius war aber doch kein Engländer«, warf ich ein.

»Nein«, sagte sie. »Er war Finne. Aber die Amerikaner
mögen seine Musik, wie es scheint. Das hat bestimmt was
mit dem kargen Leben in den Blockhütten zu tun.« Sie lachte.
»Viel zu zäh. Zu dunkel.«

»Wie Sirup«, sagte ich.

»Genau. Nur nicht so süß.« Wieder lachte sie. Ein ungezwungenes, glückliches Lachen.

»Aber allein wegen Elgar lohnt sich die Reise«, sagte sie.
»Nimrod war eins der Stücke, die ich zur Aufnahme ins Royal
College vorspielen musste. Ich liebe es und spiele es immer,
wenn ich im Leben Trost brauche, was übrigens schon oft
vorgekommen ist, damit du's weißt. Meine Musik, zumal
meine Viola, sind mir manchmal ein großer Rückhalt.« Ihr
Blick ging über meinen Kopf hinweg, aber sie schaute nirgendwo hin. »Meine Viola ist mir so lieb, dass ich ohne sie
nicht leben könnte.«

Ich war eifersüchtig. Und kam mir albern vor. Natürlich liebte Caroline ihre Musik. Ich liebte ja auch das Kochen. Könnte ich leben, ohne zu kochen? Nein. Na also, sagte ich mir, dann sei auch nicht eifersüchtig auf eine Viola. Es war ein lebloser Gegenstand. Ich bemühte mich sehr, aber nur mit begrenztem Erfolg.

Schließlich gingen wir Arm in Arm zu ihrer Wohnung zurück und voller Ungeduld ins Bett, wo ich bestrebt war, mein Versprechen einzulösen.

Sie sagte zwar nicht direkt, dass es besser war als Tschaikowskis *Ouvertüre 1812*, aber sie sagte auch nicht das Gegenteil. Ätsch, Viola.

13

Wir wachten früh auf, lagen verschlafen nebeneinander im Bett und berührten uns nur ab und zu. Ich drehte mich zu ihr hin und liebkoste sie, doch da sie nicht darauf einging, merkte ich, dass sie etwas bedrückte.

»Was ist los?«, fragte ich.

»Ach, nichts«, sagte sie. »Ich hab nur nachgedacht.«

»Worüber?«, fragte ich.

»Nichts Wichtiges«, sagte sie. Aber offensichtlich war es wichtig.

Ich fing an, mit den Händen ihren Körper zu erkunden, doch sie setzte sich im Bett auf.

»Jetzt nicht«, sagte sie. »Ich möchte Tee trinken.« Und damit stand sie auf, zog ihren Morgenmantel über und ging durch den Flur zur Küche. Ich legte den Kopf aufs Kissen und fragte mich, ob ich etwas Falsches gesagt oder getan hatte.

Sie kam mit zwei dampfenden Tassen Tee zurück und legte sich wieder ins Bett, zog aber nicht den Morgenmantel aus.

»War ich so eine Enttäuschung?« Ich stützte mich auf einen Ellbogen auf und kostete den Tee.

»Aber nein«, sagte sie. »Ganz im Gegenteil. Das ist ja das Problem.«

»Was soll daran ein Problem sein?«, fragte ich. »Erzähl.«

Sie lehnte den Kopf gegen die Wand und seufzte. »Ich kann nicht nach Newmarket ziehen«, sagte sie. »Bei meiner Arbeit muss ich in London wohnen.«

Ich lachte erleichtert auf. »Ich verlange doch gar nicht, dass du nach Newmarket ziehst.«

»Ach so«, sagte sie ziemlich düster. »Ich dachte, du möchtest es vielleicht.«

»Na ja, schon«, sagte ich. »Aber wahrscheinlich ziehe ich nach London.«

»Dann ist es ja gut«, sagte sie mit einem breiten Lächeln. »Und wann? Was ist mit deinem Restaurant?«

»Wann steht noch nicht fest«, sagte ich, »und mein Personal soll auch noch nichts davon wissen, aber geplant ist noch für dieses Jahr die Eröffnung eines neuen Restaurants in London.«

»Klasse!«, sagte sie aufgeregt.

»Gehe ich demnach recht in der Annahme, dass du auf Dauer an meinem Leben teilhaben willst?«

»Wer weiß?« Sie streifte den Morgenmantel ab und kuschelte sich im Bett an mich.

»Dann ist es ja wirklich gut«, sagte ich.

Gegen Mittag nahmen wir den Zug nach Virginia Water und fuhren von dort mit dem Taxi zum Smith's Lawn, der Heimat des Guards Polo Club. Wir ahnten beide nicht, was uns erwartete, hatten uns aber entschlossen, für alle Eventualitäten gerüstet zu sein. Caroline wählte ein schwarzweiß geblümtes Kleid, das meines Erachtens an allen richtigen Stellen anlag, ihre beträchtlichen natürlichen Vorzüge unterstrich und im Zug viele Blicke auf sie lenkte. Über dem Kleid trug sie einen taillierten Tweedmantel mit braunem Pelzbesatz an Kragen und Manschetten. Eine Sherlockmütze und ein Vergrößerungsglas hätte sie nirgends an sich verstecken können. Ich hatte mich derweil für einen blauen Blazer und eine graue Flanellhose entschieden, dazu ein weißes Hemd und eine gestreifte Krawatte. Nach meiner Einschätzung die Feierabend-Uniform eines jeden Gardeoffiziers, der etwas auf sich hielt.

Auf grüne Gummistiefel verzichteten wir beide, nicht zuletzt, weil wir sie uns erst hätten kaufen müssen. Die Wetterprognose für den Tag hatte sich im Lauf des Wochenendes geändert, und der vorausgesagte Regen aus westlicher Richtung wurde jetzt erst am nächsten Tag erwartet, daher trug ich meine gewohnten schwarzen Slipper, Caroline aber ein Paar zünftige, kniehohe Lederstiefel mit flachen Absätzen.

Als jemand, der in der Welt des Galopprennsports groß geworden war, wo jeder Körperkontakt zwischen den Kontrahenten mit Missfallen betrachtet wurde und schon der kleinste Rempler dazu führen konnte, dass die Rennleitung einem den Sieg absprach, war ich auf die Ruppigkeit, ja Brutalität, wie sie auf dem Polofeld herrschte, nicht vorbereitet.

Die Spieler durften einen Gegner auch dann »abreiten«, wenn er nicht in Ballbesitz war. Abreiten hieß, das eigene Pony dem gegnerischen Reittier in die Flanke treiben und es mit Knie- und Ellbogenstößen aus der Bahn werfen. Alle Spieler trugen große, dicke Knieschützer zu diesem Zweck und Sporen, die sie, wie ich aus zuverlässiger Quelle erfuhr, einem Gegner nicht ins Bein jagen durften, auch wenn das meiner Ansicht nach geschah.

Ich wusste, dass das Ziel des Spiels darin bestand, den kleinen weißen Ball mit dem Schläger zwischen die Torpfosten zu schlagen. Aber damit ist diese in hohem Tempo zu Pferd ausgetragene Mischung aus Hockey, Krocket und American Football natürlich zu einfach dargestellt.

Spieler wie Zuschauer hatten offensichtlich einen Riesenspaß dabei. Es gab viele Zurufe zwischen den Teamgenossen und immer wieder Appelle an den Schiedsrichter, dies oder das zu ahnden. Ich wusste nach meinem Blick in das fünfzigseitige Reglement, dass das Spiel komplizierter war als nur ein Ritt übers Feld und ein Schlag zwischen die Pfosten. Doch es lief mit einer Einfachheit ab, die ich nicht erwartet hatte, und schon bald ging die Erregung auf der Vereinstribüne auf Caroline und mich über.

Bei der Ankunft auf den sogenannten »Grounds« hatten wir festgestellt, dass es Bereiche für Vereinsmitglieder und für Nichtmitglieder gab. Ich wollte zu den Mitgliedern. Dass ich hier war, hatte überhaupt nur einen Sinn, wenn ich mich mit meinen Fragen an Insider wenden konnte.

Wir hatten ein wenig auf dem Vereinsparkplatz herumgelungert, bis eine Fünfergruppe in einem Range Rover eingetroffen war. An sie hatten wir uns einfach drangehängt und am Eingang durchwinken lassen. Um mein Glück nicht zu strapazieren, versuchte ich allerdings nicht, mich ins Allerheiligste vorzumogeln, die zweistöckige Ehrenloge mit ihren Veranden im Kolonialstil und dem rot gedeckten Dach, den gepflegten Blumenkästen und dem weißen Lattenzaun vor dem Rasen.

Unbeschlagen, wie ich war, hatte ich keine Ahnung, ob die gerade mal zwei- bis dreihundert Zuschauer viel waren oder nicht. Etliche hatten ihre Wagen auf der anderen Seite des Spielfelds geparkt und verfolgten das Geschehen von den

Wagendächern aus. Die Tore wurden eher mit Hupkonzerten als mit Applaus bedacht.

Zum Glück war es ein schöner Tag, und die blasse Sonne vermochte Caroline und mich sogar ein bisschen zu wärmen, während wir auf grünen Plastikstühlen im Freien saßen, zusammen mit etwa hundert anderen, die mit den Spielern entweder bekannt oder verwandt zu sein schienen und sie mit Zurufen oder Winken begrüßten, als die Mannschaften vor Spielbeginn auf dem Feld umherritten.

Polospiele sind in *Chukkas* genannte Abschnitte zu je siebeneinhalb Minuten unterteilt. Das Spiel kann vier, fünf oder sechs Chukkas lang sein, mit Pausen dazwischen. In unserem Fall ging es über vier Chukkas, unterbrochen von jeweils fünfminütigen Pausen und einer etwas längeren zur Halbzeit. Caroline fragte einen Mann mittleren Alters, der neben ihr saß, nach dem Spielstand. Das war nicht so dumm, wie es sich vielleicht anhört, denn das Spiel kann sehr verwirrend sein. Schon weil nicht immer klar ist, ob jemand ein Tor erzielt hat, da im Gegensatz zum Fußball die Tore kein Netz haben, in dem der Ball landet. Außerdem werden nach jedem Tor die Seiten gewechselt, und für einen Anfänger ist es nicht immer leicht zu erkennen, welches Team in welche Richtung spielt.

»Kommt drauf an«, sagte der Mann. »Meinen Sie mit oder ohne Handicaptore?«

»Was sind denn Handicaptore?«, fragte Caroline.

Der Mann widerstand der Versuchung, die Augen zu verdrehen, nicht zuletzt, weil sie fest auf den faszinierenden Ausschnitt von Carolines Kleid geheftet waren. »Jedem Spieler wird zu Beginn der Saison ein Handicap zugewiesen«, sagte er. »Beim Spiel muss man die Einzelhandicaps der Spieler jeder Mannschaft zusammenzählen und das Handicap der einen Mannschaft von dem der anderen abziehen. Daraus ergibt sich, wie viel Tore Vorsprung das Team mit dem geringeren Handicap erhält.« Er lächelte, aber er war noch nicht fertig. »Bei dem Spiel hier, das nur über vier Chukkas geht, rechnet man allerdings nur zwei Drittel der Tore.«

»Wie steht's denn nun?«, fragte Caroline ziemlich verzagt noch einmal.

»Die Mad Dogs führen gegen Orchio Rios mit dreieinhalb zu zwei Toren.« Er wies auf die Anzeigetafel am linken Spielfeldrand, die den Spielstand in großen weißen Ziffern auf blauem Grund weithin sichtbar verkündete.

Wir wünschten, wir hätten gar nicht erst gefragt. Wir wussten nicht mal, welches Team die Mad Dogs waren, aber es spielte keine Rolle. Wir hatten Spaß und fanden immer wieder Grund zum Kichern. In der Halbzeit gingen viele Zuschauer von der Tribüne zu den Spielern hin, als sie absaßen und die Pferde wechselten. Etwa dreißig Pferde standen am Rand des Feldes, und einige Spieler hatten ihre sämtlichen Ersatzpferde fertig gesattelt und aufgezäumt, um sofort auf sie umsteigen zu können, wenn ein Pony während eines Spielabschnitts ermüdete, da das Match deswegen nicht unterbrochen wurde. Alle schienen ein oder zwei Pfleger zu haben, die sich um die Tiere kümmerten und beim raschen Transfer von Reiter und Ausrüstung assistierten. Polo war offensichtlich kein Armeleutesport.

In der Halbzeitpause fragte ich unseren Freund auf der Tribüne, ob ihm jemals Rolf Schumann oder Gus Witney von einem Poloclub in Wisconsin in den USA über den Weg gelaufen sei. Er überlegte kurz, schüttelte aber den Kopf.

»Leider nein«, sagte er. »Das nehme ich nicht an. US-Polo ist ein bisschen anders. Die spielen hauptsächlich Arena-Polo.« Ich muss ihn etwas verwirrt angesehen haben, denn er fuhr fort: »Das wird in der Halle oder auf einer kleinen, von Banden begrenzten Spielfläche gespielt – wie in einer Manege. Sie wissen schon, wie man sie fürs Dressurreiten benutzt.« Ich nickte. »Die Mannschaften bestehen nur aus je drei Spielern, und ...« Er brach ab. »Na, es ist halt nicht ganz das, wofür wir uns begeistern.« Womit er zwar nicht direkt sagte, dass er wenig davon hielt, aber so meinte er es.

»Kennen Sie denn jemanden namens Pjotr Komarov?«, fragte ich.

»Klar«, sagte er. »Peter Komarov ist allgemein bekannt.«

»Peter?«, hakte ich nach.

»Peter, Pjotr, das ist ein und dasselbe. Pjotr ist russisch für Peter.«

»Wieso kennt ihn jeder?«, fragte ich.

»Ich habe nicht gesagt, dass ihn jeder kennt, sondern dass er allgemein *bekannt* ist«, wurde ich korrigiert. »Er ist der größte Importeur von Polopferden in Großbritannien. Wahrscheinlich weltweit.«

»Von wo importiert er sie?«, fragte ich obenhin.

»Von überall. Aber hauptsächlich aus Südamerika. Mit Jumbo Jets fliegt er sie ein. Ich schätze, dass mindestens die Hälfte der Ponys hier aus Peter Komarovs Beständen stammen.«

»Lebt er in England?«

»Glaub ich nicht«, sagte er. »Er verbringt zwar ziemlich viel Zeit hier, aber ich glaube, er lebt in Russland. Da betreibt er einen Poloclub, und wie es scheint, hat er Wunder fürs russische Polo bewirkt. Er holt oft Mannschaften von drüben zum Spielen hierher.«

»Woher wissen Sie denn, wie viel Zeit er hier verbringt?«, fragte ich.

»Mein Sohn kennt ihn«, antwortete er. »Das da drüben ist mein Sohn. Der Dreier von den Mad Dogs.« Er wies auf eine Gruppe von Spielern, doch ich wusste nicht genau, wen er meinte. »Er kauft seine Ponys bei Mr. Komarov.«

»Danke«, sagte ich. »Sie haben mir sehr geholfen.«

»Wieso?«, fragte er eine Spur gereizt. »Wie hab ich Ihnen denn geholfen? Sind Sie etwa so ein blöder Zeitungsschreiber?«

»Nein.« Ich lachte. »Ich bin bloß jemand, der wenig oder gar nichts von dem Spiel versteht, es aber kennenlernen möchte. Ich habe einen Haufen Geld von meiner Großmutter geerbt, und davon könnte ich mir eigentlich das Vergnügen leisten, mit dem vornehmen Volk Polo zu spielen.«

Damit verlor er auch schon das Interesse an uns. Wahrscheinlich hielt er uns für schnöde Prollis, die ihr Geld lieber woanders lassen sollten, ganz wie von mir beabsichtigt. Ich wusste nicht genau warum, aber mir war es lieber, wenn Peter oder Pjotr Komarov nicht erfuhr, dass ich mich beim Guards Polo Club nach ihm erkundigt hatte.

Zwei Spiele wurden ausgetragen, jedes dauerte knapp eine Stunde, und wir schauten sie uns beide an. Das zweite verfolgten wir von den Tischen und Stühlen vor dem Vereinsgebäude aus. Die Sonne schien nun stärker durch die hohen Wolken, und es wurde ein herrlicher Frühlingsnachmittag, den nur die ständig von Heathrow aufsteigenden, lärmenden Düsenflugzeuge ein wenig beeinträchtigten. Ich mochte nicht an die Maschine denken, die Caroline am nächsten Tag so weit von mir forttragen würde. Wir plauderten noch mit einem halben Dutzend anderer Leute, und alle hatten von Peter Komarov gehört, wenn sie auch nicht alle so überzeugt von ihm waren wie unser Mann auf der Tribüne.

»Er tut dem Spiel nicht gut«, meinte einer. »Ich finde, er hat zu viel Macht.«

»Inwiefern?«, fragte ich.

»Er verkauft nicht nur Pferde, er least sie auch, insbesondere an die Spitzenspieler«, sagte er. »Damit sind einige der besten internationalen Spieler ihm verpflichtet. Man muss kein Einstein sein, um sich auszurechnen, was da für ein Korruptionspotential drinsteckt.«

»Aber im Polo gibt es doch sicher nicht so hohe Preisgelder zu gewinnen?«, wandte ich ein.

»Mag sein, aber es wird immer mehr«, sagte der Mann. »Und es wird auch immer mehr auf die Spiele gewettet. Ein paar Wettseiten im Internet bieten jetzt Polowetten an. Und wer weiß, wie viel im Ausland auf unsere Spiele gesetzt wird, besonders in Russland. Meiner Meinung nach würden wir ohne sein Geld besser fahren.«

»Steckt er denn auch Geld ins Spiel?«, fragte ich.

»Nicht halb so viel, wie er rausholt.«

Niemand hatte von Rolf Schumann oder Gus Witney gehört, aber das grämte mich nicht, ich hatte reichlich Auskünfte über den schwer zu fassenden Mr. Komarov bekommen, darunter eine Information, die Gold wert war, und zwar von der Cateringdame des Clubs, die auch die Ehrenloge mit Essbarem versorgte. Sie war sich ganz sicher: Pjotr Komarov und seine Frau waren Vegetarier.

»Weshalb bist du denn so aufgeregt?«, fragte Caroline, als wir am Bahnsteig auf den Zug nach London warteten. »Natürlich abgesehen davon, dass du heute Nacht wieder bei mir sein kannst.«

»Hast du gehört, was die Cateringfrau gesagt hat?«, fragte ich.

»Na, die Komarovs seien Vegetarier. Was ist denn daran so aufregend?«

»Es bedeutet, dass sie, selbst wenn sie bei dem Galadiner waren, von der Lebensmittelvergiftung nichts abbekommen haben können, da ich mit ziemlicher Sicherheit weiß, dass das Gift in der Sauce für das Hühnchen war.«

»Und?«, sagte sie.

»Wider Erwarten sind sie am Samstag nicht in der Delafield-Loge aufgetaucht«, antwortete ich. »Und sie können dem Lunch nicht ferngeblieben sein, weil sie in der Nacht krank gewesen wären, jedenfalls nicht so wie alle anderen, denn sie haben nicht das Entsprechende gegessen. Warum sind sie also nicht erschienen? Vielleicht, weil sie wussten, dass eine Bombe hochgeht?«

»Nun mal langsam«, sagte sie. »Das sind aber sehr voreilige Schlüsse, zu denen du da plötzlich kommst, zumal du bisher immer der Meinung warst, die Vergiftung hätte jemanden von dem Lunch fernhalten sollen – jetzt sagst du auf einmal, der Bombenleger ist vielleicht gar nicht vergiftet worden, aber trotzdem nicht aufgetaucht.«

Sie hatte natürlich recht. Es war verwirrend.

»Aber mal angenommen, der Bombenleger wollte verhindern, dass jemand Bestimmtes an dem Lunch teilnimmt«, sagte ich, »dann könnte beides stimmen.«

»Du sagst aber ›mal angenommen‹«, meinte sie. »Mal angenommen, die Bombe war doch für den arabischen Prinzen bestimmt. Mit ›mal angenommen‹ kannst du einem alles plausibel machen.«

Unser Zug kam, und wir setzten uns in einen Waggon mit lauter Kindern, die von einem Abenteuerpark nach Hause fuhren. Es war ein Geburtstagsausflug, und sie waren alle so begeistert von dem Erlebnis, dass sie mit viel Gelächter und Gekreisch einander erzählten, wie furchterregend die Achterbahn und alles gewesen war und wie erleichternd, lebend da rauszukommen.

Caroline lehnte sich an meine Schulter. »Ich möchte jede Menge Kinder«, sagte sie.

»Das kommt aber auch etwas plötzlich«, meinte ich. »Wir leben noch nicht mal zusammen, und du möchtest Kinder?«

Als Antwort schmiegte sie sich enger an mich und summte etwas vor sich hin. Ich glaube nicht, dass es Edward Elgars *Nimrod* war.

Ich kochte in Carolines weißer, chromblitzender Küche, und sie spielte mir dabei auf der Viola vor. Wir hatten im Supermarkt in der Waterloo Station einige Zutaten und eine Flasche Wein gekauft. Während ich Bœuf Stroganov zubereitete, spielte sie den ersten Satz von Bachs *Violinkonzert in E-Dur*, ihrem Lieblingsstück. Sie hatte recht. Es hörte sich großartig an auf der Viola.

»Ist das das Stück, das du in der Cadogan Hall spielst?«, fragte ich.

»Leider nicht«, sagte sie. »Ich müsste schon Geige spielen, um damit im Konzert aufzutreten.«

»Aber du könntest doch sicher auch Geige spielen«, meinte ich.

»Ja, schon. Ich möchte aber nicht. Ich bin Bratschistin und nicht Violinistin, und ich bin's aus Überzeugung. Geige klingt so dünn, verglichen mit den vollen, weichen Klängen der Viola. Die meisten Orchestermusiker meinen, wir Bratschisten seien gescheiterte Geiger, aber das stimmt nicht. Ebenso gut könnte man sagen, Posaunisten seien gescheiterte Trompeter oder Flötenspieler gescheiterte Oboisten. Das ist lächerlich.«

»Als ob man sagte, Kellner seien gescheiterte Köche«, warf ich ein, obwohl ich nicht wenige Kellner kannte, die eben dies waren.

»Genau«, sagte sie, und es war offensichtlich, dass sie sich nicht zum ersten Mal darüber aufregte.

»Caroline«, sagte ich ernst, »du brauchst niemandem was zu beweisen, mir schon gar nicht. Steh zu deiner Rolle als Bratschistin. Du musst dich nicht dafür rechtfertigen, dass du nichts anderes bist.«

Sie trat zu mir und lehnte sich mit dem Rücken gegen die Arbeitsfläche.

»Du hast ja so recht«, sagte sie entschieden. »Ich bin froh, Bratschistin zu sein.«

Wir lachten und brachten einen Toast auf Miss Caroline Aston aus, die stolze Bratschistin.

»Was spielst du denn nun in der Cadogan Hall?«, fragte ich.

»*Konzert für Violine und Viola* von Benjamin Britten«, sagte sie.

»Spielst du es mir vor?«, fragte ich.

»Nein«, sagte sie. »Es würde sich albern anhören.«

»Wieso?«

»Weil es zu zweit gespielt werden muss, von einer Geige und einer Viola. Sonst ist es, als ob man von einer Unterhaltung zwischen zwei Personen nur mitbekommt, was der eine sagt, wie am Telefon. Man erfasst nicht den Sinn des Ganzen.«

»Hat Musik immer einen Sinn?«, fragte ich.

»Auf jeden Fall«, sagte sie. »Wenn man eine Partitur spielt, erzählt man eine Geschichte mithilfe von Noten und Harmonien statt Buchstaben und Wörtern. Musik kann große Leidenschaft erwecken, und eine Sinfonie sollte den Zuhörer die ganze Skala der Gefühle erleben lassen, von Erwartung, Traurigkeit und Schwermut bis zu Freude und Entzücken.«

Ob mein Essen eine Geschichte erzählte, wusste ich nicht, aber ich hoffte, dass es, wenn auch nur kurz, ein wenig Freude und Entzücken in den Geschmacksknospen hervorrief.

Ich entfernte das Fett und schnitt das Rindfleisch in Streifen, bevor ich es würzte und in einer heißen Pfanne anbriet. Dann briet ich Pilze und eine in Scheiben geschnittene Zwiebel, bis sie zart waren, und gab sie mit etwas weißem Mehl zu dem Rindfleisch. Ich goss eine gute Portion Cognac über die Mischung und flämmte zu Carolines Entsetzen den Alkohol ab.

»Du setzt noch das ganze Haus in Brand!«, rief sie, als die Flammen zur Decke hochzüngelten, und ich lachte.

Danach gab ich vorsichtig etwas saure Sahne und ein klein wenig Zitronensaft hinzu und streute etwas Paprika darüber. Vorher hatte ich bereits eine dicke Kartoffel auf Carolines Käsereibe in lange, dünne Streifen gehobelt, da sie keinen

Gemüseschneider hatte, und diese Kartoffelstreifen briet ich jetzt kurz in Carolines Friteuse zu knusprig braunen Kartoffelstäbchen, während das Rindfleisch auf kleiner Flamme köchelte.

»Ich dachte, Bœuf Stroganov wird mit Reis serviert«, meinte sie beim Zuschauen. »Und ich hätte nicht gedacht, dass ein Koch meine Friteuse benutzt.«

»Ich benutze ständig die Friteuse«, sagte ich. »Fritiertes gilt zwar nicht als besonders gesund, aber es schmeckt gut, und wenn man das richtige Öl dafür nimmt und es in Maßen isst, ist nichts dagegen einzuwenden. Das früher übliche Schmalz würde ich bestimmt nicht verwenden.« Ich nahm den Korb mit den Kartoffelstäbchen aus dem Öl. »In Russland wird Bœuf Stroganov traditionell so serviert, auch wenn viele Leute Reis vorziehen.«

Wir setzten uns in ihrem Wohnzimmer aufs Sofa und aßen von Tabletts auf unserem Schoß.

»Nicht schlecht«, meinte sie. »Warum heißt das Stroganov?«

»Nach dem Russen, der's erfunden hat, glaube ich.«

»Wieder ein Russe. Hast du's deswegen für heute Abend ausgesucht?«

»Nicht bewusst«, sagte ich.

»Es schmeckt.« Sie nahm noch einen Happen. »Woher kommt dieser besondere Geschmack?«, fragte sie mit vollem Mund.

»Von der sauren Sahne und dem Paprika«, meinte ich und lachte. »Früher stand Bœuf Stroganov auf vielen Speisekarten, aber heute wird das Rindfleisch leider meistens weggelassen, und als ›Pilze Stroganov‹ ist es mehr etwas für Vegetarier.«

»Wie die Komarovs«, sagte sie.

»Genau«, sagte ich. »Wie die Komarovs.«

Der Montagmorgen war voller Widersprüche und nicht zu vergleichen mit dem Abend davor.

Caroline wollte nur noch zum Flughafen und wusste sich kaum zu halten, so freute sie sich auf die Reise nach Chicago und das Wiedersehen mit dem Orchester. Immer wieder beklagte sie, wie langsam die Zeit verging, als wir auf das Taxi warteten, das uns nach Heathrow bringen sollte.

Ich hingegen war bestürzt darüber, wie rasend schnell die Stunden verstrichen. Der Gedanke, dass sie bald so weit weg von mir sein würde, machte mich krank, während ich gleichzeitig versuchte, mich mit ihr auf die Reise zu freuen.

Wir kamen zwei Stunden, bevor ihr Flug ging, auf dem Terminal an, und sie checkte problemlos ein.

»Sie haben mich in die Business Class eingeteilt«, rief sie mit einem Freudenschrei aus und drückte den Instrumentenkasten an ihre Brust.

»Der Mann am Schalter war sicher von dir angetan«, meinte ich.

»Es war eine Frau«, sagte sie und bohrte mir einen Finger in die Rippen.

Wir setzten uns an die Bar und tranken einen Kaffee. Aber wir waren nicht auf einer Wellenlänge. Ich wollte bis zum letzten Augenblick bei ihr sein, sie wollte nur noch zu ihrem Gate, als höbe die Maschine dann schneller ab. Und beide mochten wir dem anderen nicht sagen, was uns bewegte, da uns die Situation klar war.

»Möchtest du noch einen Kaffee?«, fragte Caroline.

»Nein, danke«, sagte ich. »Ich denke, du solltest jetzt durch den Zoll, falls die Schlangen an der Sicherheitskontrolle lang sind.« Ich wollte nicht, dass sie ging. Ich wollte, dass sie für immer bei mir blieb.

»Ein bisschen bleib ich noch«, sagte sie, aber ich nahm nicht an, dass ihr wirklich danach war. Sie wollte mir einen Gefallen tun.

»Nein«, sagte ich. »Geh jetzt, und ich nehm den Zug nach London und fahr zurück nach Newmarket.«

»Vielleicht hast du recht«, sagte sie, sichtlich erleichtert.

Ich winkte ihr bis zum letzten Augenblick, bis sie und Viola schließlich im Sicherheitsbereich und der dahintergelegenen Abflughalle verschwanden. Dann wartete ich noch eine Weile, ob sie vielleicht zurückkäme, weil sie noch irgendetwas brauchte. Aber das war natürlich nicht der Fall.

Wie konnte sie mir so nah sein, nur ein, zwei Türen von mir getrennt, und doch so fern? Ich redete sogar mit meiner Reisetasche. »Wie kann sie nur ohne mich fahren?«, fragte ich sie. Die Tasche gab keine Antwort. Ich dachte an den Reisepass, den ich dabeihatte. Warum flog ich nicht selbst nach Chicago? Würde Caroline sich darüber freuen, oder wäre es ihr unangenehm? Was würde Carl sagen, wenn ich erst eine Woche später wieder ins Hay Net kam?

»Sei nicht albern«, sagte ich zu meiner Tasche, was mir ein paar komische Blicke seitens der Umstehenden eintrug.

Ich nahm den Heathrow Express nach Paddington und fühlte mich sehr allein. Nicht nur, weil ich nicht bei ihr war, sondern auch, weil ich sie nicht mal telefonisch erreichen konnte, wenn mir danach war, und zwar noch mindestens neun Stunden nicht. Ich konnte ihr nicht sagen, wie sehr sie mir jetzt schon fehlte, wie weh das tat. Vielleicht war es ganz gut so, dachte ich.

Als ich in King's Cross ankam, war sie sicher schon in der Luft. Sie würde auf ihrem bequemen Platz in der Business Class sitzen, Sekt trinken und sich zur Unterhaltung einen Film aussuchen. Eingehüllt in eine Leichtmetallröhre, raste sie mit neunhundert Stundenkilometern von mir weg, und ich fühlte mich schauderhaft.

Carl holte mich um drei am Bahnhof Newmarket ab und fuhr mich zum Hay Net. Ich wollte nicht nach Hause und allein in meinem Cottage sitzen.

»Gestern hatten wir fünfundsechzig Mittagsgäste«, sagte Carl.

»Gut«, meinte ich. »Dann hat sich die Lage jetzt wohl langsam normalisiert.«

»Abends ist es immer noch etwas flau«, antwortete er. »Nur zwanzig gestern Abend, und das ist selbst für einen Sonntag wenig.«

»Vielleicht sollten wir sonntagabends zumachen. Was meinst du?«

»Dann hätten wir den Sonntagabend frei«, sagte er. Die Schichten wöchentlich so aufzuteilen, dass jeder mal freihatte, war immer ein Problem.

»Wie viele Mittagessen waren's heute?«, fragte ich.

»Ganz ordentlich«, sagte er. »Mindestens fünfunddreißig. Aber wir sind auch die Einzigen, die montagmittags aufhaben.«

Als wir zum Hay Net kamen, war Gary mit den Springern dabei, die Küche zu reinigen. Sie hatten sämtliche Edelstahlteile rausgestellt und schrubbten den Fußboden darunter.

»Was ist denn los?«, fragte ich Carl auf dem Weg ins Büro. »Gary ist ja auf einmal so fleißig.«

»Ich glaube, er will Eindruck schinden«, meinte Carl lachend. »Oscar hat ihm ganz schön Dampf gemacht.«

»Oscar?«

»Du weißt schon, der Aushilfskoch von der Agentur.« Jetzt fiel es mir wieder ein. »Gary findet anscheinend, dass Oscar sich zu sehr in sein Leben drängt, und das gefällt ihm nicht.«

»Das ist doch lächerlich«, sagte ich. »Oscar ist ja nur noch ein paar Tage hier.«

»Hm, aber es dreht sich nicht nur um die Küche«, erwiderte Carl. »Oscar hat's anscheinend auch auf Ray abgesehen.« Ray und Gary, das Pärchen. »Gary ist eifersüchtig.«

»Ich halte mich da raus«, sagte ich. »Solange der Küchenbetrieb nicht beeinträchtigt wird.«

»Arbeitest du heute Abend?«, fragte Carl. »Wenn du wieder voll dabei bist, könnte ich Oscar gleich nach Hause schicken.«

»Nein«, sagte ich. »Behalt ihn vorerst. Ich bin noch nicht wieder ganz auf dem Damm.« Außerdem musste ich in den nächsten Wochen vielleicht öfter weg, dachte ich, um mich nach einem Standort in London umzusehen. Und ich hatte sowieso überlegt, ob ich zur Entlastung nicht noch einen Koch hinzunehmen sollte. Wenn Oscar noch eine Weile blieb, konnte ich vielleicht besser beurteilen, ob das wirklich nötig war. Personalkosten waren meine größten Ausgaben, und ich wollte keinesfalls mehr Köche beschäftigen, als ich brauchte.

Zu guter Letzt half ich am Abend dann doch in der Küche, wenn ich auch nicht gebraucht wurde. In erster Linie wollte ich mich von Carolines Flug ablenken. Wir hatten über fünfzig Gäste – das entsprach zwar noch nicht den Zahlen vor der Vergiftung, stellte aber eine gewaltige Verbesserung gegenüber der Vorwoche dar.

Ich widmete mich ganz dem Kochen, briet schottische Rinderfilets, buk Seebarsch, glasierte Lammrücken, schmorte Schweinemedaillons. Es war ein gutes Gefühl, wieder mitzumischen, wenn es auch mehr Gäste hätten sein dürfen.

Zweimal bemerkte ich, dass Jacek mir bei der Arbeit zusah. Seine Aufgabe war, die gebrauchten Töpfe und Pfannen zum Spülen abzuholen und sie den Köchen gespült wieder zurückzubringen. Beim ersten Mal dachte ich, er warte nur auf die Pfanne, die ich noch in Gebrauch hatte, doch beim zweiten Mal war ich sicher, dass er mir beim Kochen zuschaute. Ich schickte ihn mit einer Handbewegung zurück in die Spülküche.

»Seien Sie vor dem auf der Hut«, sagte Gary, der die Szene beobachtet hatte. »Ich traue ihm nicht.«

Vielleicht hatte er recht, jedenfalls nahm ich mir vor, am nächsten Morgen mehr über unseren neuen Springer in Erfahrung zu bringen.

Zwei Gäste des Abends waren Ms. Harding, die Nachrichtenredakteurin der *Cambridge Evening News*, und, wie ich annahm, Mr. Harding, der Chefredakteur des Blatts. Ich hatte sie weder kommen sehen noch geahnt, dass sie in der Gaststube waren, bis Richard wegen ihrer Rechnung zu mir kam.

»Sie behauptet, Sie hätten sie auf Kosten des Hauses eingeladen«, sagte er vorwurfsvoll. Richard war jemand, für den alles seinen Preis hatte. Auch deshalb war er bei mir angestellt.

»Das stimmt« sagte ich und nahm die Rechnung von dem Tablett, das er in den Händen hielt. Ich sah sie mir an. Sie hatten eine Flasche Wein bestellt, aber es war eine der billigeren auf unserer Karte, und die sollten sie ebenfalls gratis haben. Auch wenn Richard das vielleicht nicht gut fand.

Ich ging mit einer Flasche Port und drei Gläsern hinaus zum Tisch der Hardings.

»Noch ein Glas, bevor Sie gehen?«, fragte ich.

»Hallo«, sagte Ms. Harding herzlich. »Das ist mein Mann, Alistair. Max Moreton.« Ich sah, wie er den eingestickten Namen auf meiner Jacke las.

Alistair stand auf, und wir gaben uns die Hand.

»Danke für das Abendessen«, sagte er. »Wir haben es wirklich genossen.«

»Gut«, sagte ich. »Trinken Sie einen Port mit mir?« Ich hielt die Flasche hoch.

Schließlich trank dann nur Ms. Harding ein Glas mit, da ihr Mann fahren musste.

»Ich würde Sie ungern weiter Ms. Harding nennen«, sagte ich zu ihr. »Aber ich kenne Ihren Vornamen nicht.«

»Clare«, sagte sie.

»Nun, Clare«, sagte ich, »hoffen wir, dass Ihnen das Essen hier nicht nachträglich auf den Magen schlägt.«

Sie sah mich etwas erschrocken an und lächelte dann breit, als sie begriff, dass ich nur scherzte. Jedenfalls hoffte ich, dass ich nur scherzte.

»Es bekommt mir bestimmt gut«, sagte sie. »Ich hatte

den Snapper mit der Birne, er war einfach köstlich.« Gary würde sich freuen.

»Und ich die Schweinemedaillons«, sagte Alistair. »Sie waren ausgezeichnet.«

»Vielen Dank«, sagte ich. »Freut mich, dass es Ihnen geschmeckt hat.«

Wir plauderten noch ein wenig, bevor sie zum Abschied versprachen wiederzukommen, dann aber auf eigene Kosten.

Und sie hatten kein Wort mehr davon gesagt, dass sie vor Gericht gehen wollten. Vielleicht normalisierte sich die Lage doch so langsam.

Mein Handy klingelte.

»Hallo«, sagte ich.

»Hallo, mein Schatz«, begrüßte mich Caroline aufgeregt. »Ich bin angekommen, und es ist wunderschön. Ich habe ein herrliches Zimmer mit Blick auf den Fluss. Ich wünschte, du wärst hier.«

Das wünschte ich auch. »Hattest du einen guten Flug?«, fragte ich.

»Prima«, sagte sie. »Ich hab drei Stunden geschlafen, deshalb fühle ich mich ganz gut.«

»Gratuliere«, sagte ich. »Hier ist es halb zwölf, und ich fahr gleich nach Hause.«

»Wo bist du denn?«, fragte sie.

»Im Restaurant«, sagte ich. »Ich habe beim Abendessen mitgeholfen.«

»Wie ungezogen du bist«, meinte sie. »Du sollst dich doch ausruhen.«

»Was, so wie gestern?«, fragte ich lachend.

»Ich muss Schluss machen«, sagte sie. »In fünf Minuten treffen wir uns alle unten. Wir machen einen Dampferausflug. Danach bin ich bestimmt erschöpft.« Sie hörte sich aufgeregt an.

»Amüsier dich gut«, sagte ich. Wir legten auf, und ich sehnte mich akut danach, bei ihr zu sein.

Ich gähnte. Auch ich war erschöpft, gefühlsmäßig wie körperlich.

Ich zog mich um und ließ mich von Carl nach Hause fahren, und erst unterwegs merkte ich, dass ich meine Reisetasche in meinem Büro im Restaurant hatte liegenlassen.

»Was soll's«, sagte ich mir. »Muss ich eben mal mit ungeputzten Zähnen ins Bett gehen.«

Und das tat ich auch.

Im Traum konnte ich Toast riechen. Nur hatte jemand das Brot zu lange in meinem kaputten Toaster gelassen, und es brannte an. Angebrannter Toast. Mein Vater hatte seinen Toast immer gern knusperschwarz gegessen. Der Toast sei nicht angebrannt, sondern gut durch, hatte er gewitzelt.

Ich war wach und konnte immer noch den angebrannten Toast riechen.

Ich stand auf und öffnete meine Schlafzimmertür.

Mein Haus brannte lichterloh – riesige Flammen loderten im Treppenhaus hoch, und dicker schwarzer Qualm erfüllte die Luft.

14

Ach du Scheiße, dachte ich. Wie komme ich hier raus? Ich stieß die Schlafzimmertür zu. Vielleicht war ja alles ein Traum. Aber ich wusste, dass es keiner war. Ich roch den Rauch, der durch die Türritzen drang, und spürte die Hitze sogar durch das Holz. Bald würde sich das Feuer durchgefressen haben.

Ich trat ans Fenster.

Mein Cottage war vor über zweihundert Jahren erbaut worden, die Fenster noch original bleiverglast – kleine, in ein Bleigitter gefasste Scheiben. Die Fenster selbst waren klein und hatten nur eine winzige Kippluke zum Lüften, durch die ich keinesfalls durchpasste.

Ich öffnete die Luke und schrie aus vollem Hals.

»Feuer! Feuer! Hilfe! Hilfe, es brennt!«

Ich hörte nichts von einer Reaktion. Der Lärm des Feuers zu meinen Füßen wurde mit jeder Sekunde lauter.

Kein Sirenengeheul, keine Schläuche, keine gelb behelmten Männer auf Leitern.

Die Luft im Schlafzimmer wurde qualmiger und brachte mich zum Husten. Ich stellte mich an die Luke, um frische Luft von draußen zu bekommen, doch damit war es nichts, denn vom darunterliegenden Fenster stiegen Rauchwolken herauf. Und es wurde sehr heiß.

Ich wusste, dass bei Brandkatastrophen die meisten Menschen an Rauchvergiftung starben und nicht durch die Flammen umkamen, aber war das nun wirklich ein Trost? Ich wollte nicht sterben und schon gar nicht so, eingeschlossen in meinem brennenden Haus. Stattdessen wurde ich wütend, stinkwütend sogar, und die Wut gab mir Kraft.

Die Luft im Zimmer war fast ganz von Rauch erfüllt. Ich kniete mich hin und stellte fest, dass sie in Bodennähe relativ klar war. Aber ich spürte die Hitze von unten und sah, dass mein Teppichboden an der Wand neben der Tür zu schwelen anfing. Wenn ich hier lebend rauswollte, wurde es Zeit.

Ich holte am Boden tief Luft, stand auf, packte meinen Nachttisch und lief damit aufs Fenster zu. Sehen konnte ich es nicht in dem beißenden Qualm. Flüchtig gewahrte ich einen Lichtschein, der von dem Feuer im Parterre kommen musste, und änderte entsprechend die Laufrichtung.

Ich schmetterte den Nachttisch ins Fenster. Das Fenster gab nach und verbog sich, blieb aber, wo es war. Ich wiederholte den Vorgang, und ein paar von den kleinen Scheiben flogen heraus, aber der verflixte Rahmen hielt stand.

Ich kniete mich noch einmal hin, um Luft zu holen. Unter dem Qualm waren nur noch Zentimeter frei, und ich wusste, jetzt galt es. Wenn ich jetzt nicht rauskam, war ich tot.

Diesmal durchschlug der Tisch glatt das Fenster und nahm, als er hinaus in die Flammen und den Qualm fiel, den Fensterrahmen mit. Ich hatte keine Zeit, mir darüber Gedanken zu machen, wo ich landen würde. Ich kletterte durch die Öffnung, sprang und versuchte, möglichst weit vom Haus, von den Flammen wegzukommen.

Ein Vorteil solch alter Häuser sind die sehr niedrigen Decken; so waren es von einem Schlafzimmerfenster bis zum Rasen unten nur etwa drei Meter. Tief genug, dachte ich. Ich hielt die Knie zusammen und warf mich nach vorn, so dass ich wie ein Fallschirmspringer abrollte, kopfüber durchs Gras und hinaus auf die Straße. Ich rappelte mich hoch, trat auf die andere Straßenseite und blickte mich um.

In meinem Schlafzimmerfenster waren deutlich Flammen zu sehen. Ich war buchstäblich in letzter Sekunde gesprungen.

Ich rang nach frischer Luft und hustete heftig. Mir war kalt. Fröstelnd stand ich im Gras neben der Straße, und da erst wurde mir bewusst, dass ich völlig nackt war.

Meine Nachbarin, vielleicht durch mein Geschrei geweckt, stand an der Straße und kam jetzt auf mich zu. Sie war eine kleine, ältere Dame, und im Feuerschein sah ich, dass sie einen flauschigen rosa Morgenmantel mit ebenso rosa Pantoffeln trug und dass ein Haarnetz säuberlich ihr weißes Haar zusammenhielt.

Ich suchte nach etwas, womit ich meine Blöße bedecken konnte, und musste dann doch die Hände nehmen.

»Schon gut, mein Lieber«, sagte sie. »Ich kenne das. Dreimal verheiratet und vierzig Jahre lang Krankenschwester.« Sie lächelte. »Ein Glück, dass Sie da rausgekommen sind. Ich hole Ihnen einen Mantel.« Sie wandte sich zum Gehen. »Die Feuerwehr habe ich schon verständigt«, sagte sie über ihre Schulter hinweg. Mitten in der Nacht, ein nackter Mann auf der Straße, eine Feuersbrunst keine fünf Meter von ihrem Schlafzimmer entfernt, und sie schien die Ruhe selbst zu sein.

Die Feuerwehr kam mit Blaulicht und Sirenen, konnte

aber nicht mehr viel ausrichten. Mein Cottage wurde restlos von den Flammen verschlungen, und die Wehrleute verwandten ihre Zeit und Energie hauptsächlich darauf, das Haus der Nachbarin abzuspritzen, damit es durch die Gluthitze nicht auch noch in Brand geriet.

Ich saß bis zum Morgen in der Küche der Nachbarin, den Bademantel eines ihrer Exgatten umgewickelt und die Füße in seinen Pantoffeln. Ich fragte nicht, ob er durch Tod oder durch Scheidung ex war. Es spielte keine Rolle. Ich war ihr jedenfalls dankbar, auch für den Tee, den sie mir und den Feuerwehrleuten bis zum Morgengrauen in regelmäßigen Abständen vorsetzte.

»Wie im Blitzkrieg«, sagte sie mit einem breiten Lächeln. »Da hab ich meiner Mutter geholfen, Polizei und Feuerwehr mit Erfrischungen zu versorgen. Im WRVS, meine ich.«

Ich nickte. Die Abkürzung stand für den Freiwilligendienst der Frauen.

Der Morgen brachte ein Ende der Flammen, sonst aber wenig Trost. Mein Zuhause war eine Ruine, ohne Fußböden, ohne Fenster, ohne Türen und mit nichts im Innern außer Asche und den kokelnden Überresten meines Daseins.

»Sie hatten Glück, lebend da rauszukommen«, sagte der Wehrführer. Das war mir klar. »Diese alten Gebäude können Todesfallen sein. Holztreppen, Türen und Fußböden aus dünnem Holz. Selbst die Innenwände sind brennbar, nichts als Gips auf Holz. Todesfallen«, wiederholte er mit einem Kopfschütteln.

Von der Straße aus schauten wir zu, wie seine Männer noch mehr Wasser auf die Ruine spritzten. Die Außenwände hatten das Ganze recht gut überstanden, waren aber nicht mehr weiß wie gestern noch. Große schwarze Brandmale ragten über den fensterlosen Löchern hoch, und alles andere war von der starken Hitze und dem Rauch braun geworden.

»Können Sie sagen, wie es dazu gekommen ist?«, fragte ich ihn.

»Noch nicht«, sagte er. »Es ist noch viel zu heiß, um reinzugehen. Aber ich tippe auf Kurzschluss. Die meisten Brände entstehen durch Kurzschluss, oder aber durch nicht richtig ausgemachte Zigaretten. Rauchen Sie?«

»Nein«, sagte ich.

»Waren irgendwelche Geräte eingeschaltet?«, fragte er.

»Nicht dass ich wüsste«, sagte ich. »Der Fernseher war vielleicht im Standby-Betrieb.«

»Das könnte es gewesen sein«, sagte er. »Tausend Sachen. Ein Ermittlungsteam muss sich noch umsehen. Gott sei Dank ist ja niemand verletzt worden. Das ist die Hauptsache.«

»Ich habe alles verloren«, sagte ich, auf die qualmenden schwarzen Trümmer schauend.

»Ihr Leben haben Sie nicht verloren«, sagte er.

Aber es war knapp gewesen.

Um acht rief ich übers Telefon meiner Nachbarin Carl an.

»Es war nicht deine Woche«, meinte er, nachdem ich es ihm erzählt hatte.

»Das würde ich nicht sagen«, antwortete ich. Zwar hatte ich in den vergangenen sieben Tagen erfahren, dass mir ein Gerichtsverfahren drohte, hatte meinen Wagen beim Zusammenstoß mit einem Bus zu Schrott gefahren, wegen Gehirnerschütterung eine Nacht im Krankenhaus verbracht, mein

Haus und meine ganze persönliche Habe bei einem Brand verloren und hatte jetzt nichts als den Bademantel und die Pantoffeln des Ex-Ehemanns meiner Nachbarin am Leib. Aber es gab auch Positives, dachte ich. Vor sieben Tagen erst war ich mit Caroline im Restaurant Gordon Ramsay essen gewesen. So viel ich auch verloren hatte, ich hatte mehr gewonnen.

»Kannst du mich abholen?«, fragte ich ihn.

»Und wo willst du hin?«

»Könnte ich bei dir duschen? Ich rieche wie ein Lagerfeuer.«

»Bin in fünf Minuten da«, sagte er.

»Ach, Carl«, fiel mir ein, »kannst du was zum Anziehen mitbringen?«

»Wofür?«, fragte er.

»Ich bin mit dem Leben davongekommen«, sagte ich. »Und mit nichts als dem Leben.«

Er lachte. »Ich schau mal, was ich auftreiben kann.«

Gut zehn Minuten stand ich bei Carl unter der Dusche und ließ mir von dem heißen Wasserstrahl den Rauch aus den Haaren und die Müdigkeit aus den Augen waschen.

Die Feuerwehr war um 3.32 Uhr bei mir eingetroffen. Das wusste ich, weil der Einsatzleiter mich als den Hausbesitzer gebeten hatte, eine Erklärung zu unterschreiben, die das Ermittlungsteam der Feuerwehr berechtigte, später am Tag, wenn das Gebäude abgekühlt war, mein Grundstück zu betreten.

»Was hätten Sie gemacht, wenn ich in dem Feuer umgekommen wäre?«, hatte ich ihn gefragt.

»Dann hätten wir Ihr Einverständnis nicht gebraucht«, hatte er geantwortet. »Wenn es Tote oder Schwerverletzte gegeben hat, haben wir automatisch Zutritt.«

Praktisch, dachte ich.

»Und wir können uns jederzeit eine Vollmacht besorgen, wenn Sie die Unterschrift verweigern und wir glauben, dass Brandstiftung vorliegt.«

»Glauben Sie denn, es war Brandstiftung?«, hatte ich etwas bestürzt gefragt.

»Das müssen die Ermittler abklären«, meinte er. »Mir sieht's nach einem normalen Wohnungsbrand aus, aber das ist ja immer so.«

Ich hatte ihm den Schein unterschrieben.

Nach der Dusche setzte ich mich in Carls Trainingsanzug an den Küchentisch und machte eine Bestandsaufnahme. Ein paar Habseligkeiten waren mir doch noch geblieben, da meine Reisetasche die ganze Nacht wohlbehalten unter meinem Schreibtisch im Hay Net gestanden hatte. Carl hatte sie dort geholt, als ich unter der Dusche war, und so konnte ich mich mit den eigenen Sachen rasieren und mir die Zähne putzen.

Carl wohnte in einer 3-Zimmer-Doppelhaushälfte in einer Siedlung in Kentford, gar nicht weit von da, wo mein Schrottauto noch auf die Begutachtung durch den Versicherungssachverständigen wartete.

Carl und ich arbeiteten seit fünf Jahren Seite an Seite in derselben Küche, und zu meiner Überraschung wurde mir klar, dass ich jetzt zum ersten Mal bei ihm zu Hause war. Wir waren nicht direkt Freunde und hatten zwar schon öfter an der Bar im Hay Net ein Bier zusammen getrunken, verkehrten sonst aber nicht miteinander. Ich hatte ihn ungern angerufen und um Hilfe gebeten, doch an wen hätte ich mich sonst wenden können? Meine Mutter war zu so etwas nicht zu gebrauchen, sie hätte mich den halben Tag bei der Dame mit den rosa Pantoffeln sitzenlassen, während sie ihr gewohntes Aufstehritual zelebriert hätte: Nach einem ausgiebigen Bad musste jeweils eine ansehnliche Menge Make-up aufgetragen werden, dann ging es ans Ankleiden – eine Übung, die allein schon zwei Stunden in Anspruch nehmen konnte, da sie fortwährend ihre Ansicht darüber änderte, was womit zusammenpasste. Nüchtern betrachtet, war Carl als Einziger in Frage gekommen. Aber gefallen hatte mir das nicht.

»Was machst du denn jetzt?«, fragte er.

»Erst mal muss ich mir einen Wagen mieten«, erwiderte ich. »Dann ziehe ich in ein Hotel.«

»Du kannst auch hier wohnen, wenn du willst«, sagte er. »Platz hab ich genug.«

»Was ist mit Jenny und den Kindern?«, fragte ich – erst jetzt fiel mir auf, wie still es war.

»Jenny ist vor fast einem Jahr wieder zu ihrer Mutter gezogen. Sie hat die beiden Mädchen mitgenommen.«

»Mensch, Carl«, sagte ich, »das tut mir leid. Warum hast du mir nichts davon gesagt?«

»Fand's nicht so wichtig«, antwortete er. »Ehrlich gesagt, ich war erleichtert, als sie ging. Hatte die Nase voll von der Zankerei. Allein geht's mir viel besser. Wir sind nicht geschieden oder so was, und wenn sie mit den Mädchen jetzt an den Wochenenden vorbeikommt, läuft es manchmal ziemlich gut.«

Was sollte ich sagen? Die komischen Arbeitszeiten im Gastgewerbe taten einer Ehe selten gut.

»Könnte ich dann ein paar Tage bleiben?«, fragte ich. »Am Wochenende bin ich wieder weg.«

»Bleib, solange du willst. Ich sag Jenny Bescheid, dass sie und die Kinder am Wochenende nicht kommen können.«

»Ach was«, wandte ich rasch ein. »Bis dahin habe ich mir eine feste Bleibe gesucht. Das ist für alle Beteiligten besser.«

»Da magst du recht haben«, sagte er. »Kommst du heute arbeiten?«

»M-hm«, antwortete ich, »ich denke schon. Vielleicht aber erst später. Erst will ich den Wagen mieten.«

Carl setzte mich auf dem Weg zur Arbeit am Autoverleih ab.

»Selbstverständlich, Sir«, sagten sie. »Was für ein Wagen soll's denn sein?«

»Was haben Sie denn anzubieten?«, fragte ich.

Ich entschied mich für einen Ford Mondeo. Ich wollte ein eher unscheinbares Fahrzeug, das nicht auffiel, wenn ich beispielsweise noch einmal auf dem Mitgliederparkplatz des Guards Polo Club am Smith's Lawn parkte.

Ein Angestellter des Verleihs bestand darauf, mich zur Zahlungsabwicklung zur Bank zu begleiten, bevor er mir die Schlüssel für den Mondeo aushändigte. Es gab ja nur sehr wenige Geschäftszweige, die den Kunden so wie die Gastronomie in den Genuss der Ware kommen ließen, bevor sie Geld oder auch nur eine Zahlungsgarantie verlangten. Der Witz vom Abwaschen als Bezahlung hatte einen ellenlangen Bart, und ich hatte nie gehört, dass das tatsächlich einmal geschehen wäre, obwohl ich schon oft mit Kunden zu tun gehabt hatte, die sich außerstande sahen, mir ihr Essen zu bezahlen. Was tun? Man konnte ihnen schlecht in den Rachen greifen und es wieder rausziehen. Es lief darauf hinaus, dass man ihnen das Versprechen abnahm, am nächsten Morgen die Rechnung zu begleichen, und sie gehen ließ. Meistens kam dann auch schnell ein Scheck, zusammen mit der vielmaligen Bitte um Entschuldigung. Nur zweimal in sechs Jahren Hay Net war ich leer ausgegangen, und das eine Mal nur deshalb, weil der Betreffende am Tag darauf gestorben war, wenn auch glücklicherweise nicht an meinem Essen. In dem anderen Fall waren es zwei mir nicht bekannte Ehepaare, die unseren vollen Service genossen hatten, sprich, ein Abendessen mit drei Gängen plus Kaffee und zwei Flaschen meines Weins, und dann behaupteten, sie hätten gedacht, das jeweils andere Ehepaar würde zahlen. Ich hatte mir ihr Wort und ihre Adressen geben lassen, die sich hinterher als falsch erwiesen, und hatte leichtsinnigerweise versäumt, mir das Kennzeichen ihres Wagens zu notieren. Sie fanden das bestimmt lustig. Ich nicht. Ich würde sie alle vier auf Anhieb wiedererkennen, wenn sie es noch mal versuchten.

Auf der Bank hob ich ein dickes Bündel Bargeld ab und ließ mir eine neue Kreditkarte ausstellen mit der Bitte, sie mir so bald wie möglich an die Hay-Net-Adresse zu schicken.

Morgen, hieß es. Heute Nachmittag?, fragte ich. Man werde es versuchen, hieß es, aber dann müsse ich den Kurier bezahlen. In Ordnung, sagte ich. Ohne meine Kreditkarte kam ich mir so nackt vor wie vergangene Nacht auf der Straße.

Ich setzte mich in mein neues Mietauto und schätzte die Lage ab. Ich war am Leben, hatte Kleider zum Wechseln in meiner Reisetasche, meinen Reisepass, einen Schlafplatz für die nächsten beiden Tage, und notfalls konnte ich immer ein Bett in meinem Büro im Restaurant aufstellen. Aber ich hatte keine Armbanduhr, und mein Handy war mit Sicherheit hinüber, denn es hatte wie meine Brieftasche in dem Blazer gesteckt, den ich zu Hause über die Sofalehne gehängt hatte, als ich gestern Abend schlafen gegangen war.

Ich stellte den Wagen ab und ging in den Handyladen an der High Street. Mein Haus und mein Handy seien in Flammen aufgegangen, erklärte ich der jungen Frau hinter der Theke, und nun hätte ich gerne ein Ersatzgerät, am liebsten mit der alten Nummer. Mir selbst schien das kein ungewöhnliches Ansinnen zu sein, aber es dauerte über eine Stunde, bis es mir erfüllt wurde, und dabei musste ich entgegen meiner Gewohnheit mehrmals laut werden.

Zum Beispiel fragte sie mich wiederholt nach der SIM-Karte für das Telefon, und ich versuchte ihr klarzumachen, dass die zu einer Pfütze aus Silikon, Lötmetall und Plastik geschmolzen war. »Sie hätten die Telefonbatterie nicht ins Feuer werfen dürfen«, sagte sie. »Das schadet der Umwelt.« Nur ein Hauch verbliebener Wohlanständigkeit hinderte mich daran, ihr in dem Moment den Hals umzudrehen. Schließlich näherte sich die nervenzerrende Angelegenheit dem Ende. Ich hielt das noch unaufgeladene Telefon in der einen und mein Bündel Banknoten zum Bezahlen in der anderen Hand. »Können Sie sich ausweisen?«, fragte sie für mein Empfinden etwas verspätet. Stolz zückte ich meinen Reisepass. »Das genügt nicht«, sagte sie. »Ich brauche was mit Ihrer Anschrift. Haben Sie eine Stromrechnung dabei?«

Ich starrte sie an. »Haben Sie mir eigentlich zugehört?«

»Ja«, antwortete sie.

»Wie soll ich denn bitte eine Stromrechnung haben, wenn mein Haus restlos abgebrannt ist?«, sagte ich. »Bei dem

Brand hab ich irgendwie nicht daran gedacht, dass ich außer meiner Haut vielleicht noch meine Stromrechnung retten sollte.« Meine Stimme schwoll zu einem Crescendo an. Aber ganz ging ich dann doch nicht an die Decke. »Entschuldigen Sie«, sagte ich wieder ruhiger. »Nein, ich habe keine Stromrechnung dabei.«

»Dann tut's mir leid, Sir. Ich brauche einen Beleg für Ihre Adresse.«

Wir kamen nicht weiter.

»Können Sie mir bitte meine letzte Telefonrechnung ausdrucken?«, fragte ich in meinem gewohnt friedlichen Ton.

»Gern, Sir«, sagte sie. Ich nannte ihr meine Handynummer, und, man glaubt es kaum, aus Sicherheitsgründen wollte sie auch noch meine Straße wissen. Ich sagte sie ihr. Unter der Theke surrte ein Drucker, und sie reichte mir einen Ausdruck meiner Rechnung, auf der oben rechts meine vollständige Adresse stand.

»Bitte sehr.« Ich gab sie ihr zurück. »So gut wie eine Stromrechnung.«

Sie zuckte mit keiner ihrer dick getuschten Wimpern.

»Danke, Sir«, sagte sie und verkaufte mir das Handy.

Halleluja!

»Könnte ich den Apparat zum Aufladen eine Stunde hierlassen?«, fragte ich sie.

»Tut mir leid«, sagte sie. »Das müssen Sie zu Hause machen.«

Ich seufzte. Was soll's, dachte ich, frag woanders noch mal.

Schließlich kaufte ich auch noch ein Ladegerät fürs Auto ab, setzte mich in den Mondeo und schloss mein neues Handy an den Zigarettenanzünder an. Wie das alles dauerte. Ich sah auf mein Handgelenk. Keine Uhr. Sie hatte auf meinem Nachttisch gelegen. Auf der Uhr im Wagen war es halb zwölf. Halb sechs Uhr früh in Chicago. Noch zu früh, um Caroline anzurufen, selbst wenn ich ihre Nummer im Kopf gehabt hätte. Wenn sie aufwachte, würde sie mich bestimmt anrufen. Bis dahin war mein Handy hoffentlich genug aufgeladen.

Ich überließ es sich selbst und ging einen Kaffee trinken. Den Wagen hatte ich direkt vor der Tür des Cafés geparkt, so dass ich ihn vom Fenster aus sah. Ich hatte ihn nicht abschließen können, weil der Schlüssel in der Zündung stecken musste, damit das Ladegerät funktionierte, daher behielt ich ihn gut im Auge. Ich hatte keine Lust, noch einmal zu der jungen Frau zu gehen und ihr mitzuteilen, dass mir mein neues Handy geklaut worden sei, bevor ich dazu gekommen war, es zu benutzen.

Danach ging ich in ein Lederwarengeschäft und kaufte mir einen Koffer, den ich in den darauffolgenden Stunden mit neuer Wäsche und Socken, fünf neuen Hemden, drei neuen Hosen, einem marineblauen Blazer, zwei Tweedsakkos und einer Krawatte füllte. Meine Arbeitskleidung, die speziell gefertigten Jacken mit dem aufgestickten Namenszug und die großkarierten Hosen, waren ja zum Glück im Restaurant. Die trug ich zu Hause nie, da sie jeden Morgen zusammen mit den Tischtüchern in die Reinigung kamen. In der Cadogan Hall nächste Woche konnte ich aber kaum in Kochmontur erscheinen.

Caroline rief gegen zwei an und war denkbar entsetzt über meine Neuigkeiten vom Cottage.

»Aber dir geht's gut?«, fragte sie zum x-ten Mal.

Ich versicherte ihr, dass ich wohlauf war. Ich sagte ihr, dass ich für ein paar Tage bei Carl wohnen und mir eine vorläufige Bleibe suchen würde, bis ich mir überlegt hatte, wie es auf lange Sicht weitergehen sollte.

»Du kannst doch zu mir ziehen«, sagte sie.

»Würd ich gern«, sagte ich lächelnd. »Aber ich muss näher am Restaurant sein, wenigstens noch eine Weile. Ich überleg mir was. Im Moment geht's ein bisschen hektisch zu in meinem Kopf.«

»Pass auf dich auf«, befahl sie.

Ich versprach es ihr.

»Ich ruf dich um sieben Uhr deiner Zeit wieder an, nach der Probe«, sagte sie und legte auf.

Ich sah erneut auf mein leeres Handgelenk. Bis sieben Uhr meiner Zeit schien mir eine lange Zeit zu sein.

Vom Rest meines Bargelds kaufte ich mir bei einem Juwelier in der High Street von Newmarket eine neue Uhr. Schon besser, dachte ich, als ich prüfte, ob sie richtig lief. Langsam bekam mein Leben wieder einen Anschein von Normalität.

Ich ging noch einmal zur Bank, um ein Bündel Bargeld abzuheben, und als Erstes kaufte ich meiner Nachbarin davon eine Schachtel Pralinen und einen Strauß Frühlingsblumen.

Ich parkte den Mondeo an der Straße vor meinem Haus, derselben Straße, über die ich in der Nacht zuvor gehechtet war. Einen Moment lang sah ich mir die traurigen Überreste meiner Wohnstatt an. Sie war kein hübscher Anblick mit den geschwärzten Wänden, die jämmerlich allein ohne Dach in den grauen Himmel ragten. Betrübt wandte ich mich ab und klopfte an der Tür meiner Nachbarin.

Sie öffnete mir nicht in der rosa Kombination von letzter Nacht, sondern in einem grünen Tweedrock, cremefarbenem Pullover und festem braunem Schuhwerk. Ihr Haar war gepflegt wie zuvor, nur trug sie kein Haarnetz.

»Ach, hallo, mein Lieber«, sagte sie lächelnd. Sie sah auf den Blumenstrauß. »Sind die für mich? Wie reizend. Kommen Sie rein.«

Ich gab ihr die Blumen, und sie ging damit zur Küche. Ich schloss die Haustür, folgte ihr und setzte mich an den mittlerweile vertrauten Küchentisch.

»Trinken Sie einen Tee mit mir?«, fragte sie, als sie die Blumen in eine Vase beim Spülstein stellte.

»Liebend gern«, sagte ich.

Sie setzte den Kessel auf und machte sich an den Blumen zu schaffen, bis sie mit dem Arrangement zufrieden war.

»So«, sagte sie. »Wie schön. Vielen Dank.«

»Ich danke Ihnen«, sagte ich. »Ich weiß nicht, was ich vergangene Nacht ohne Sie gemacht hätte.«

»Unsinn, mein Lieber. Ich war nur froh, dass ich helfen konnte.«

Wie vor zwölf Stunden saßen wir beieinander und tranken Tee.

»Wissen Sie schon die Ursache?«, fragte sie.

»Nein«, sagte ich. »Die Feuerwehr will noch ihre Sachverständigen vorbeischicken. Es ist praktisch alles verbrannt. Man kann gerade noch erkennen, was der Kühlschrank und was die Waschmaschine war, aber selbst die sind durch die Hitze halb geschmolzen. Den Ofen erkennt man noch, aber alles andere ist einfach weg.«

»Sie Armer«, sagte meine freundliche Nachbarin.

»Na, wenigstens hat es mich nicht erwischt«, meinte ich lächelnd.

»Ganz recht, mein Lieber.« Sie tätschelte mir den Arm. »Und das freut mich.«

Mich freute es auch.

»Wissen Sie schon, was Sie jetzt machen?«, fragte sie.

»Für die nächsten Tage wohne ich bei einem Arbeitskollegen«, sagte ich. »Dann suche ich mir was, wo ich länger bleiben kann.«

»Mit dem Haus, meinte ich eigentlich. Wollen Sie das wieder herrichten?«

»Na, wahrscheinlich«, sagte ich. »Erst mal sehen, was die Versicherungsgesellschaft sagt.«

Ich blieb über eine Stunde bei ihr, und bis dahin, mein Lieber, hatte sie mir Fotos von ihren sämtlichen Kindern und noch zahlreicheren Enkelkindern gezeigt. Die meisten lebten in Australien, und sie war offensichtlich ziemlich einsam und froh, jemanden zu haben, mit dem sie reden konnte. Wir machten die Pralinen auf, und ich trank noch eine Tasse Tee.

Schließlich eiste ich mich von ihrer Lebensgeschichte los und ging wieder nach nebenan, um mir die Trümmer meiner Burg genauer anzuschauen. Ich war nicht der Einzige. Ein Mann in einer dunkelblauen Weste und königsblauer Hose stakste durch die Asche.

»Guten Tag«, sagte ich. »Kann ich Ihnen helfen?«

»Ich bin von der Feuerwehr«, sagte er. »Brandsachverständiger.«

»Ach so«, sagte ich. »Mir gehört dieser Schutthaufen.«

»Das tut mir leid«, sagte er.

»Na ja.« Ich lächelte. »Wenigstens finden Sie meine Asche hier nicht.«

»Sonst jemandes Asche?«, fragte er ernst.

»Nein«, sagte ich. »Sonst war niemand im Haus. Na ja, sofern nicht jemand eingebrochen ist, als ich schon im Bett war, und den Flammen nicht entkommen konnte.«

»Es wäre nicht das erste Mal«, meinte er kein bisschen belustigt.

Er stocherte weiter mit einem Stock in der Asche herum. Einmal bückte er sich und füllte etwas Asche in einen Plastikbeutel, den er aus der Tasche zog.

»Was haben Sie gefunden?«, fragte ich.

»Nichts weiter«, sagte er. »Brauche ich für den Beschleunigungstest.«

»Was ist das?«

»Man prüft, ob ein Brandbeschleuniger im Spiel war«, sagte er. »Stoffe wie Benzin, Lösungsmittel, Paraffin oder so.«

»Ich dachte, es war ein Kurzschluss?«

»War es wahrscheinlich auch«, sagte er. »Die meisten Brände entstehen durch Kurzschluss, aber den Test müssen wir so oder so machen. Ich glaube nicht, dass viel dabei herauskommt. Das Haus ist derart ausgebrannt, dass es so gut wie unmöglich sein dürfte, den Auslöser zu finden.«

Er stocherte wieder in der Asche. Nach einer Weile pickte er etwas mit dem Stock auf und schwang ihn in die Höhe, als lande er einen Lachs.

»Aha«, sagte er. »Was haben wir denn da?«

Mir sah es wie ein schwarz verkokelter Klumpen aus. Ich erkannte darin nichts, was mir einmal gehört hatte.

»Was ist das?«, fragte ich.

»Ihr Rauchmelder«, sagte er.

Ich konnte mich nicht erinnern, seine Sirene gehört zu haben.

»Wäre besser gewesen, Sie hätten eine Batterie dringehabt«, meinte er. »Ohne Batterie nützt so ein Ding nichts. Sie hätten die Feuerwehr vielleicht eher rufen und was retten können, wenn eine Batterie im Rauchmelder gewesen wäre.«

»Ich hatte doch eine drin«, sagte ich.

»Nein, Sir«, widersprach er entschieden. »Schauen Sie, wie er zugeschmolzen ist.« Er zeigte mir den Klumpen. Ich ließ mich überzeugen. »Wäre da eine Batterie drin gewesen, sie wäre noch drin, oder vielmehr ihre Reste. Man sieht noch den Batteriehalter, aber es hängen keine Batteriekontakte dran. Da war definitiv keine Batterie drin.« Er schwieg, als wollte er seine Worte wirken lassen. »Ich seh das nicht zum ersten Mal. Eine Menge Leute vergessen, leere Batterien auszutauschen, oder nehmen wie Sie die alte raus und vergessen eine neue reinzutun.«

Aber ich hatte es nicht vergessen. In dem Gerät musste eine Batterie gewesen sein. Ich hatte sie wie immer im März ausgetauscht, als die Uhren auf Sommerzeit umgestellt wurden. Noch vorige Woche war der Rauchmelder losgegangen, als ich wieder mal Toast hatte anbrennen lassen. Die Batterie war drin gewesen. Da war ich mir so sicher, wie mein sachverständiger Freund sich sicher war, dass keine drin gewesen sein konnte.

Mir wurde kalt und klamm. Offensichtlich hatte jemand die Batterie aus meinem Rauchmelder genommen, bevor er mein Haus mit mir drin in Brand gesteckt hatte. Ob mit oder ohne Beschleuniger, ein am Treppenaufgang gelegtes Feuer ließ mir kaum eine Fluchtmöglichkeit. Ich hatte einfach Glück gehabt, dass ich aufgewacht war.

Für mich stand damit fest, dass das Feuer der zweite Versuch gewesen war, mich umzubringen.

15

Ich hatte Angst. Große Angst. Zweimal hatte ich einen Mörder überlistet. An Weisheiten wie »Aller guten Dinge sind drei« oder »Klappt's nicht auf Anhieb, versuch's halt noch mal« mochte ich nicht denken.

Wer kann das sein?, fragte ich mich einmal mehr. Wer trachtet mir nach dem Leben und warum?

Es war sechs Uhr abends, und ich saß in meinem gemieteten Mondeo auf dem Parkplatz der Rennbahn von Newmarket. Ich weiß nicht, was mich gerade dorthin geführt hatte, ich wollte nur weit weg von allen sein und beizeiten sehen, wenn jemand näher kam. Der Parkplatz war verlassen bis auf meinen in der Mitte stehenden Mondeo. Ich blickte mich um. Niemand zu sehen.

Wem konnte ich trauen? Konnte ich überhaupt jemandem trauen?

Caroline, dachte ich. Ihr würde ich mein Leben anvertrauen. Mir ging auf, dass ich es tatsächlich mit dem Leben büßen würde, wenn ich den Fehler machte, dem Falschen zu vertrauen.

Das Sicherste wäre, niemandem zu trauen, nicht mal der freundlichen Nachbarin, mein Lieber.

Aber ich konnte nicht ewig auf diesem Parkplatz sitzen bleiben.

Konnte ich Carl trauen? Konnte ich unbesorgt bei ihm übernachten? Ich hatte weiß Gott erlebt, was ein Feuer anrichten konnte, und wäre ihm um ein Haar genauso zum Opfer gefallen wie mein Rauchmelder. Das Risiko wollte ich wirklich nicht noch einmal eingehen.

Sollte ich jetzt zur Polizei gehen? Würden sie mir dort glauben? Sogar mir selbst kam das alles unwirklich vor. Würden sie mich so weit ernst nehmen, dass sie mir Schutz anboten? Es hatte keinen Zweck, zur Polizei zu gehen, nur damit sie meine Aussage zu Protokoll nahmen und mich hinaus in den Tod schickten. Wenn sie mir nach meinem Tod glaubten, würde mir das nichts nützen.

Ich rief auf meinem neuen Handy das Hay Net an. Mein Barmann Martin meldete sich, und ich verlangte Carl zu sprechen.

»Der ist in der Küche, Chef«, sagte Martin. »Ich hole ihn.«

Ich wartete.

»Hallo«, sagte Carl. »Alles in Ordnung?«

»Nein, nicht direkt. Ich muss für ein paar Tage weg.«

»Wohin denn?«

Ja, wohin?, dachte ich. »Ehm, ich weiß noch nicht genau.«

»Geht's dir gut?«, fragte er.

»Ja, bestens«, sagte ich. »Meine Mutter ist krank, und ich muss mich um sie kümmern. Kommst du für den Rest der Woche ohne mich klar?«

»Natürlich«, sagte er etwas unsicher. »Kann ich irgendwie helfen?«

»Nein«, sagte ich. »Ich komme schon zurecht. Aber ist was per Kurier für mich gekommen?«

»Ja«, antwortete er. »Vor einer halben Stunde. Soll ich das irgendwo hinbringen?«

»Nein, danke. Ich komme es abholen.«

»Und die Sachen, die du bei mir hast?«, fragte er. Ich hatte meine Reisetasche und mein Waschzeug bei ihm gelassen.

»Mach dir darüber keine Gedanken«, sagte ich. »Die Zahnbürste und den Rasierer kauf ich mir neu.«

»Ich kann dir das doch bringen«, sagte er, immer noch ein wenig unsicher.

»Nicht nötig«, sagte ich. »Ich muss jetzt Schluss machen. Leg die Kuriersendung an den Eingang, ja?«

»Wie du meinst.« Er hielt mich offensichtlich für übergeschnappt.

Ich fuhr den gewohnten Weg zum Restaurant und hielt links und rechts nach Gefahren Ausschau. Es gab keine, zumindest waren keine zu sehen. Ich ließ den Motor laufen, als ich schnell ausstieg und ins Restaurant sauste. Die Kuriersendung lag, wo Carl sie hatte hinlegen sollen. Ich schnappte sie mir und lief schnurstracks wieder raus zum Wagen.

Carl kam hinter mir her. »Max«, rief er, »warte doch mal.«

Ich blieb an der offenen Wagentür stehen. »Entschuldige, Carl. Ich muss los.«

»Dann ruf mich an«, sagte er.

»Später«, sagte ich. »Ich versuch's später mal.«

Ich stieg ein und fuhr davon, wobei ich alle paar Sekunden in den Rückspiegel schaute, um zu sehen, ob ich verfolgt wurde. Wurde ich nicht. Ich lief weg und wusste selbst nicht einmal, wo ich hinwollte.

Am nächsten Morgen lief ich noch weiter weg. Ich nahm den 10.50-Uhr-Flug nach Chicago.

Nachdem ich am Abend das Restaurant verlassen hatte, war ich ziellos auf der A14 Richtung Huntington gefahren und hatte auf dem leeren Parkplatz einer geschlossenen Teppichhandlung haltgemacht.

Irgendwer hatte mir einmal gesagt, es sei möglich festzustellen, von wo ein Handyanruf kam. Ich war das Risiko eingegangen und hatte als Erstes meine Mutter angerufen. Danach Caroline.

»Warst du bei der Polizei?«, hatte sie gefragt, nachdem ich ihr alles erzählt hatte.

»Noch nicht. Ich fürchte, die nehmen mich nicht ernst.«

»Jemand hat zweimal versucht, dich umzubringen. Das müssen sie ja wohl ernst nehmen.«

»Beide Anschläge waren aber so angelegt, dass sie wie ein Unfall aussahen. Vielleicht denkt die Polizei, ich spinne mir was zurecht.« So kam es mir selbst ja auch vor.

»Wie konnte denn jemand in dein Haus gelangen und an den Rauchmelder gehen?«

»Ich weiß es nicht genau. Ich bin mir bloß sicher, dass jemand dran war. Mein Haustürschlüssel war an demselben Anhänger wie mein nach dem Unfall verschwundener Wagenschlüssel. Derjenige, der die Batterie entfernt und mein Haus angezündet hat, muss die Schlüssel haben.«

Während ich ihr die ganze Geschichte erzählt hatte, war sie mir immer unwahrscheinlicher vorgekommen. Ich hatte keine klare Vorstellung, wer der »jemand« sein könnte, der mir nach dem Leben trachtete, noch warum. Würde die Polizei mir glauben oder das Ganze als eine irre, auf Zufällen gründende Verschwörungstheorie abtun? Ich hätte ihnen sagen müssen, dass es sich bei dem Jemand meines Erachtens um einen russischen Importeur von Poloponys handeln könnte, den ich nur deshalb verdächtigte, weil er die Einladung zu einem Mittagessen nicht wahrgenommen hatte. Wenn das ein Verbrechen war, gehörte die halbe Bevölkerung vor Gericht.

»Du kannst zu mir gehen, wenn du willst«, hatte Caroline gesagt. »Meine Nachbarin von oben hat einen Schlüssel, und ich kann ihr sagen, sie soll dich reinlassen.«

»Ob das sicher ist, weiß ich auch nicht. Nimm mal an, ich bin beschattet worden. Dann haben die gesehen, dass ich voriges Wochenende dort war. Das Risiko gehe ich nicht ein.«

»Du hast aber wirklich Angst, was?«

»Und wie«, hatte ich gesagt.

»Dann komm doch her. Komm nach Chicago. Wir können alles bereden. Dann entscheiden wir, was zu tun ist und an wen wir uns wenden.«

Ich war zu einem Hotel am Nordrand von Heathrow gefahren, hatte mich unter falschem Namen für die Nacht angemeldet und mein Zimmer im Voraus bar bezahlt. Trotz skeptisch hochgezogener Augenbraue hatte man sich mit meiner erfundenen Erklärung zufriedengegeben, dass ich Pass und Kreditkarten dummerweise daheim vergessen hätte und meine Frau sie mir am Morgen zum Flughafen bringen würde. Vielleicht machte ich ja zu viel Theater, aber ich wollte nicht riskieren, über meine Kreditkarte ausfindig gemacht zu werden. Wenn wirklich jemand um drei Uhr früh in meinem Haus gewesen war, um am Treppenaufgang Feuer zu legen, konnte man sich auch unschwer vorstellen, dass er vor dem Zündeln meine alte Telefon- und meine Kreditkarte aus meinem Blazer genommen hatte und dass er damit Aufschluss darüber erhalten konnte, wo ich war. Für alle Fälle hatte ich mein neues Handy ausgeschaltet.

Am Mittwochmorgen hatte ich den gemieteten Mondeo auf dem Hotelparkplatz stehenlassen, wo er der Rezeption zufolge sicher war, aber das Parken gebührenpflichtig. Okay, hatte ich gesagt und ihnen vom Rest meines Bargelds eine Woche vorab bezahlt. Dann war ich mit dem Hotelbus zum Flughafen gefahren und hatte widerstrebend meine neue Kreditkarte zum Kauf eines Flugtickets benutzt. Wenn jetzt jemand herausfand, dass ich in Heathrow ein Flugticket gekauft hatte, war das eben Pech. Ich hoffte nur, dass sie es nicht zum Flughafen schafften, bevor ich in der Luft war. Wenn sie obendrein herausfanden, dass mein Ticket nach Chicago ging – nun, es war eine große Stadt. Ich gedachte mich versteckt zu halten.

Die dunklen Ecken der Abflughalle hatte ich gemieden, als ich auf den Flug wartete. Ich hatte mich mitten hinein gesetzt, neben eine amerikanische Familie mit drei Kindern, die *Brmmm-brmmm* machten und mit ihren London-Souvenirs, den schwarzen Spielzeugtaxen, zwischen meinen Füßen herumkurvten. So fühlte ich mich sicherer.

Der Abflug verlief ruhig, und jetzt döste ich zwölftausend Meter über dem Atlantik. In dem Hotel hatte ich nicht besonders gut geschlafen und dreimal im Lauf der Nacht nachgesehen, ob der Stuhl, den ich unter die Türklinke geklemmt hatte, noch an seinem Platz war. Als nun das Flugzeug gen Westen sauste, lehnte ich mich zurück, holte den Schlaf der beiden vergangenen Nächte nach und musste vom Bordpersonal geweckt werden, als wir bereits den O'Hare-Flughafen in Chicago anflogen.

Ich wusste, dass Caroline mich nicht am Flughafen abholen würde. Sie hatte mir erklärt, dass sie den ganzen Nachmittag proben müsse für die Premiere an diesem Abend, und ich hatte ihr ohnehin gesagt, sie solle nicht kommen. Es schien mir irgendwie sicherer. Trotzdem hielt ich nach ihr Ausschau, als ich aus der Pass- und Zollkontrolle kam.

Sie war nicht da. Natürlich war sie nicht da. Ich hatte ja eigentlich nicht mit ihr gerechnet, aber etwas enttäuscht war ich trotzdem. Einige Paare begrüßten einander mit Umarmungen und Küssen, mit *I Love You*- oder *Welcome Home*-Luftballons am Handgelenk oder an den Griffen von Kinderwagen voll lächelnder Babys. Ankunftshallen von Flughäfen sind Orte der Freude, sie tun der Seele gut.

Der Quell meiner persönlichen Freude war jedenfalls nicht da. Ich wusste, dass sie in Elgar und Sibelius vertieft war, und ich war eifersüchtig auf die beiden, eifersüchtig auf zwei längst verstorbene Komponisten. Wieder ein Beispiel für mein irrationales Verhalten?

Ich nahm ein Taxi vom Flughafen zum Stadtzentrum, sprich zum Hyatt Hotel, in dem das Orchester wohnte, und ließ mich in der Halle in einen tiefen Ledersessel gegenüber dem Eingang sinken. Da saß ich und wartete auf Carolines Rückkehr und schlief prompt wieder ein.

Sie weckte mich, indem sie mir den Kopf streichelte und mit den Fingern durchs Haar fuhr.

»Tag, Dornröschen«, sagte sie.

»Tag, Tausendschön«, sagte ich und schlug langsam die Augen auf.

»Ich sehe, du bist voll auf der Hut vor potentiellen Mördern.«

»Mach keine Witze darüber«, sagte ich. Aber sie hatte recht. Direkt gegenüber dem Hoteleingang und der Straße einzuschlafen war nicht das Schlaueste, was ich in den letzten vierundzwanzig Stunden angestellt hatte, wenn ich am Leben bleiben wollte.

»Wo ist das übrige Orchester?«

»Ein Teil ist oben. Ein paar Langweiler hängen noch in der Konzerthalle rum. Und einige sind einkaufen gegangen.«

Ich sah auf meine neue Uhr. Sie zeigte halb zwölf an. Sechs Stunden Zeitunterschied, also war es halb sechs am Nachmittag. »Wann fängt die Vorstellung an?«, fragte ich.

»Um halb acht«, sagte sie. »Aber ich muss um Viertel vor sieben umgezogen und einsatzbereit wieder da sein, und die Halle ist fünf Taximinuten entfernt.« Wir hatten eine Stunde und zehn Minuten. Dachte sie, was ich dachte?

»Gehen wir ein Stündchen ins Bett«, sagte sie.

Haargenau.

Es gelang mir, das ganze Konzert hindurch wach zu bleiben. Ich erinnerte mich, wie mein Vater mir, als ich acht oder neun war, eingeschärft hatte, dass man bei einem Konzert niemals auch nur klatscht, bevor jemand anders angefangen hat zu klatschen. Er erzählte es mir zwar nicht, aber sicher hatte er sich einmal schwer damit blamiert, dass er in der Stille zwischen zwei Sätzen als Einziger Beifall geklatscht hatte. Ich setzte mich auf meine Hände, um es ihm nicht gleichzutun.

Caroline hatte das Wunder zustande gebracht, mir einen Platz zu verschaffen. Einen einzelnen »Freiplatz« in der Mitte der achten Reihe. Der Platz war ausgezeichnet, nur dass der

Dirigent, ein Hüne mit extrabreiten Schultern, mir den Blick auf Caroline verstellte.

Ihr gegenüber hätte ich es zwar nicht zugegeben, aber ohne das Programm hätte ich nicht gewusst, welches Stück von wem war, nämlich vor der Pause Elgar, danach Sibelius. Einiges erkannte ich allerdings, insbesondere *Nimrod* aus den *Enigma Variations*. Dabei musste ich an die Beerdigung meines Vaters denken. Meine Mutter hatte *Nimrod* zum Ende des Trauergottesdienstes spielen lassen, als mein Vater in seinem schlichten Eichensarg feierlich zur Beisetzung hinaus auf den Friedhof von East Hendred getragen wurde, ein Bild, das mir so deutlich und lebhaft in Erinnerung war, als wäre alles gestern geschehen. Caroline hatte mir gesagt, wie stark Musik wirken konnte, und jetzt fühlte ich diese Kraft.

Zum ersten Mal weinte ich um meinen toten Vater. Ich saß in der Chicago Orchestra Hall, umgeben von mehr als zweitausend anderen Menschen, und weinte in meiner ganz persönlichen Trauer um einen Mann, der seit dreizehn Jahren tot war, zur Musik eines Mannes, der seit über siebzig Jahren tot war. Ich weinte, weil er mir fehlte und weil er meiner Mutter fehlte, und ich weinte, weil ich ihm so gern von Caroline und mir erzählt hätte. Was gäben wir darum, nur eine einzige Stunde noch mit unseren geliebten verstorbenen Eltern verbringen zu dürfen.

Zur Pause fühlte ich mich völlig ausgelaugt. Meine Nebenleute ahnten sicher nicht mal, was sich mitten unter ihnen abgespielt hatte. Und das war gut so, dachte ich. Trauer ist eine einsame Erfahrung, und wenn andere dabei sind, kann peinliche Verlegenheit auf allen Seiten die Folge sein.

Caroline hatte mir gesagt, dass sie in der Pause nicht zu mir kommen könne, da die Orchesterleitung dergleichen nicht guthieß und sie sie nicht gleich wieder verärgern wollte, nachdem sie schon den Tourneebeginn verpasst hatte. Wahrscheinlich war es auch besser so. Dafür, dass wir uns erst vor acht Tagen kennengelernt hatten, kannte mich Caroline schon viel zu gut, und noch behagte es mir nicht ganz, wenn meine innersten Gedanken und Gefühle ihrem prüfenden Blick ausgesetzt waren. Ich blieb also auf meinem Platz, statt mir, wie scheinbar alle anderen, einen Becher Eis mit einer Miniplastikschaufel zu kaufen.

Die zweite Hälfte des Konzerts war die Symphonie von Sibelius, und ich fand sie gar nicht so düster und schwer, wie Caroline sie hingestellt hatte. Sie gefiel mir sogar sehr. Irgendwie fühlte ich mich, während ich dasaß und die Musik auf mich wirken ließ, von der Vergangenheit befreit und für die Zukunft gerüstet. Ich hatte kein Haus, keinen Wagen und denkbar wenig Klötze am Bein. Ich war im Begriff, zu zwei aufregenden neuen Reisen aufzubrechen, dem Abenteuer mit dem neuen Restaurant in London und dem Abenteuer mit der neuen Gefährtin, die ich liebte. Und irgendjemand wollte mich umbringen, ohne dass ich etwas gesagt oder getan hätte, was mir dafür wichtig genug erschien. Ich war nach Amerika geflüchtet und genoss jetzt das erregende Gefühl, meine Probleme hinter mir gelassen zu haben. Die fraglichen Probleme waren zwar noch nicht gelöst, aber sie waren aus den Augen und für eine Stunde oder so auch aus dem Sinn. Das Publikum stand auf und applaudierte. Sie jubelten sogar und pfiffen durch die Finger. Alles, was Krach machte. Zurückhaltung und Anstand gab es hier nicht. Während die Engländer höflich im Sitzen Beifall spenden, drücken die Amerikaner ihre Anerkennung aus, indem sie schreien, johlen und mit den Füßen trampeln.

Die Musiker lächelten, und der Dirigent verneigte sich wiederholt. Die Ovationen hielten gut fünf Minuten an, wobei der Dirigent sechs oder sieben Mal von der Bühne ging und wiederkam. Einige im Publikum brüllten auch dann noch nach mehr, nach einer Zugabe, als handele es sich um ein Popkonzert. Schließlich gab der Dirigent dem Konzertmeister die Hand, und sie traten gemeinsam ab, damit der Beifall endete und auch die Spieler sich elegant zurückziehen konnten.

Ich erwartete Caroline am Bühneneingang, und sie schwebte auf Wolke sieben.

»Hast du die Leute gehört?«, fragte sie atemlos. »Hast du den Krach gehört?«

»Wieso gehört?«, meinte ich lachend. »Gemacht hab ich den.«

Sie schlang mir die Arme um den Hals. »Ich liebe dich«, sagte sie.

»Das sagst du ja nur so«, zog ich sie ein wenig auf.

»Das habe ich noch nie im Leben zu jemandem gesagt«, meinte sie ziemlich ernst. »Und bei dir kommt es mir ganz von selbst über die Lippen.«

Ich küsste sie. Ich liebte sie auch.

»Es war ein ganz anderes Gefühl«, sagte sie, »weil du im Publikum warst. Aber ich habe dich in dem Gesichtermeer immer vergebens gesucht.«

»Der Dirigent stand vor mir«, sagte ich. »Ich konnte dich auch nicht sehen.«

»Ich dachte, du seist zurück ins Hotel gefahren.«

»Niemals«, sagte ich. »Es hat mir wirklich gefallen.«

»Das sagst du doch nur so«, zog sie mich ein wenig auf.

»Nein«, widersprach ich. »Es hat mir sehr gefallen, und – ich liebe dich.«

»Klasse!«, rief sie und umarmte mich. Ich erwiderte die Umarmung.

Ich verbrachte die Nacht in Carolines Zimmer, ohne das Hotel zu informieren oder meinen Namen anzugeben. Auch wenn kaum anzunehmen war, dass mich jemand aufgespürt hatte, ging ich kein Risiko ein und klemmte den Stuhl vom Schreibtisch unter den Türgriff, als wir ins Bett gingen.

Niemand versuchte einzubrechen, jedenfalls hörte ich nichts davon. Allerdings war ich, als wir um Mitternacht endlich einschliefen, so müde, dass mir vermutlich sogar entgangen wäre, wenn sich jemand mit der Handgranate durch die Wand getunnelt hätte.

Am Morgen lagen wir im Bett und schauten Frühstücksfernsehen, das nicht besonders gut war und für meinen Geschmack von viel zu vielen Werbepausen unterbrochen wurde.

»Was musst du heute machen?«, fragte ich Caroline, während ich mit dem Finger an ihrer Wirbelsäule entlangfuhr.

»Bis um vier gar nichts«, sagte sie. »Wir gehen nur ein paar Sätze durch und spielen dann wieder um halb acht, wie gestern Abend.«

»Kann ich noch mal kommen?«, fragte ich.

»Na, das hoff ich doch.« Sie kicherte.

»Ich meinte zu dem Konzert«, sagte ich.

»Wenn du willst«, sagte sie. »Willst du denn? Es ist das Gleiche wie gestern Abend.«

»Du kannst doch bestimmt auch zwei Abende nacheinander das Gleiche essen?«, meinte ich.

»Nur, wenn du es kochst.«

»Na also«, sagte ich. »Ich möchte dich heute Abend noch mal spielen hören.«

»Ich schau mal, ob ich noch eine Karte kriege.«

»Und was möchtest du bis um vier machen?«, fragte ich.

Sie grinste. »Wir könnten im Bett bleiben.«

Blieben wir aber nicht. Wir entschlossen uns, in dem Restaurant im fünfundneunzigsten Stock des John Hancock Building zu frühstücken, das der Reiseführer auf dem Zimmer als zweithöchstes Gebäude im Mittleren Westen auswies, nach dem Sears Tower.

Ich nahm den Lift nach unten, während Caroline einer anderen Bratschistin, mit der sie zum Shopping verabredet war, einen Zettel unter der Tür durchschob, dass sie umdisponiert habe. Während ich auf sie wartete, bat ich den Portier um eine Karte der Umgebung und fand das John Hancock Building unübersehbar hervorgehoben. Nordwestlich vom Stadtzentrum sah ich den O'Hare-Flughafen. Und noch etwas anderes stach mir ins Auge.

Caroline erschien, nachdem sie ihren Zettel losgeworden war.

»Wusstest du«, fragte ich, »dass der Staat Wisconsin nur ein paar Kilometer nördlich von Chicago anfängt?«

»Und?«

»In Wisconsin liegt Delafield, und das ist die Heimat von Delafield Industries Inc.«

»Aber wo denn da?«, sagte sie. »Einige US-Staaten sind riesig.«

Ich fragte nach. Der Hotelportier war sehr hilfsbereit. Delafield, Wisconsin, sagte er, sei keine zwei Autostunden entfernt. Ja, selbstverständlich könne er einen Mietwagen besorgen, dazu brauche er nur eine Kreditkarte. Caroline borgte mir ihre. Lieber vorsichtig als tot.

Der Interstate Highway 94 führte praktischerweise direkt von Chicago nach Delafield, und mit unserem gemieteten Buick waren wir, wie der Portier gesagt hatte, in weniger als zwei Stunden da. Wir fuhren an der Ausfahrt Delafield vom Highway runter und fanden uns in einem Stadtrandgebiet wieder, wie es sie in den Staaten überall gibt.

Hinter den Einkaufszonen mit ihren riesigen asphaltierten Parkplätzen sah ich auf einer kleinen Anhöhe einen stattlichen Gebäudekomplex mit einem gelben Schild auf dem Dach und der Aufschrift DELAFIELD INDUSTRIES INC. in fetten schwarzen Lettern. Unter dem Schild stand in verblassender Farbe auf der Seitenwand des Fabrikgebäudes: AMERIKAS BESTE LANDWIRTSCHAFTSMASCHINEN.

Ich wusste eigentlich nicht genau, was ich mir davon erhoffte, dass ich extra von Chicago hierhergekommen war. Es schien sich einfach anzubieten, nachdem ich gesehen hatte, wie nah es war. Ich hatte keine Ahnung, was ich finden würde. Oder besser gesagt, was ich überhaupt suchte. Wenn ich aber recht hatte und Delafield Industries tatsächlich das Ziel des Bombenanschlags war, dann kannte bestimmt niemand besser das Motiv dafür als Rolf Schumann. Ob er es mir verraten würde, war eine andere Frage.

Wir fuhren zum Eingangstor, wo uns eine robuste Schranke den Weg versperrte.

»Kann ich Ihnen helfen, Sir?«, fragte ein Wachmann, der aus einem verglasten grauen Häuschen zu meiner Linken trat. Er trug eine dunkelblaue Uniform samt Schildmütze, und an seinem Koppel hingen mehr Gerätschaften, als ich für klug erachtete. Ein derart befrachteter Gürtel zog die Hose doch wohl eher runter, als dass er sie oben hielt.

»Ich kam zufällig vorbei und hätte gern gewusst, ob Mr. Rolf Schumann da ist«, sagte ich.

»Und Ihr Name, Sir?«, fragte der Wachmann. Er selbst hatte ein geprägtes Plastiknamensschild mit BAKER auf der Brust.

»Butcher«, sagte ich, dem Kinderlied folgend. »Max und Caroline Butcher.« Ich hatte keine Ahnung, warum ich ihm nicht meinen wahren Namen sagte. Wenn Mr. Schumann tatsächlich da war, kannte er mich vielleicht noch von der Rennbahn Newmarket her und wunderte sich, warum ich seinem Wachmann einen falschen Namen genannt hatte. Aber es spielte keine Rolle.

»Haben Sie einen Termin, Mr. Butcher?«, fragte der Wachmann höflich.

»Nein, leider nicht«, erwiderte ich ebenso höflich.

»Bedaure«, sagte er. »Besucher empfangen wir nur nach Absprache.«

»Gut«, sagte ich. »Aber ist Mr. Schumann denn im Haus?«

»Das kann ich Ihnen nicht sagen«, antwortete er.

»Können Sie oder wollen Sie nicht?«, fragte ich.

»Ich kann nicht.« Der höfliche Ton war verschwunden.

»Warum nicht?«, fragte ich ihn.

»Bitte, Sir« – er hatte keine Lust mehr zu dem Spiel –, »wenden Sie und verlassen Sie das Grundstück.« Das letzte

Wort hörte sich bei ihm wie »Grunzstück« an. »Sonst lasse ich Sie mit Gewalt entfernen.«

Er meinte es offenbar ernst. Ich widerstand der Versuchung, ihm zu sagen, dass seine Firma mir noch Geld für das Essen schuldete, bei dem sein Boss durch die Luft geschleudert worden war, wendete den Buick und verließ sein »Grunzstück«. Ich sah ihn groß im Rückspiegel. Er stand auf der Straße, die Hände in die Hüften gestemmt, und schaute uns hinterher, bis wir am Fuß des Hügels um die Kurve bogen.

»Das ist ja nicht gerade super gelaufen«, meinte Caroline etwas sarkastisch. »Was sollen wir jetzt machen? Über ihren Zaun klettern?«

»Gönnen wir uns endlich das Frühstück, mit dem wir den Tag beginnen wollten.«

Wir parkten den Buick an der Main Street, setzten uns in Mary's Café ans Fenster, tranken Kaffee und aßen Blaubeer-Muffins.

Delafield war irgendwie auf den Kopf gestellt. Das sogenannte Delafield Town war ein einziges Neubaugebiet, zu dem auch die Einkaufszentren und die Landmaschinenfabrik gehörten, und das Zentrum von Delafield war ein malerisches, uriges Dorf am Ufer des Lake Nagawicka. Nagawicka, klärte uns die Inhaberin des Cafés auf, hieß »da ist Sand« in der Sprache der einst hier ansässigen Ojibwa-Indianer, wenn wir auch keinen Sand am Ufer des Sees entdecken konnten.

»Noch Kaffee?«, fragte Mary und kam mit einer schwarzen Thermoskanne hinter der Theke hervor.

»Ja, danke.« Caroline schob ihr unsere Tassen hin.

»Haben Sie schon mal von jemandem mit Namen Rolf

Schumann gehört?«, fragte ich Mary, als sie die dampfende Flüssigkeit einschenkte.

»Na klar«, sagte sie. »Die Schumanns kennt hier jeder.«

»Er soll der Präsident von Delafield Industries sein«, sagte ich.

»Genau«, stimmte sie zu. »Jedenfalls war er das. Es ist zu schlimm.«

»Was ist schlimm?«, fragte Caroline.

»Sein Gesundheitszustand«, sagte Mary.

»Was ist damit?«, fragte ich.

Mary blickte sich um, als wollte sie sich vergewissern, dass sonst niemand zuhörte. Nur wir drei waren im Café. »Na ja«, sagte sie und wiegte den Kopf hin und her. »Er ist nicht mehr ganz bei sich.«

»Wie meinen Sie das?«, sagte ich. Mary war verlegen. Ich war erstaunt und sprang ihr bei. »Hat es etwas mit seinen Verletzungen zu tun?«, fragte ich.

»Ja«, sagte sie rasch. »Genau. Wegen seiner Verletzungen.«

»Wissen Sie, ob er noch im Krankenhaus ist?«, fragte ich sie.

»Ja«, sagte sie. »Ich glaube.« Wieder blickte sie sich um und fügte dann leise hinzu: »Er ist in Shingo.«

»Shingo?«

»Ja, Shingo«, wiederholte sie. »Sie wissen schon, die Heilanstalt.« Die letzten beiden Worte flüsterte sie fast.

»Wo genau ist Shingo?«, fragte ich genauso leise.

»In Milwaukee, in der Masterton Avenue.«

»Leben die Schumanns in Milwaukee?«, fragte ich wieder lauter.

»Nein, natürlich nicht«, sagte sie. »Die wohnen hier. Oben am Lake Drive.«

Wir verabschiedeten uns von Mary und ihren Muffins, nicht etwa, weil ich genug Informationen erlangt hätte, sondern weil ich das Gefühl hatte, sie könnte ebenso gut den Schumanns von uns und unseren Fragen erzählen, wie sie uns von ihnen erzählt hatte. Diskretion schien mir nicht ihre Stärke zu sein.

Die Innenstadt von Delafield – das Dorf – lud in zahlreichen Geschäften zum Kauf von Sachen ein, die kein Mensch so recht braucht und trotzdem jeder haben muss. Wir klapperten die Läden ab und staunten über das schmucke Glas und Porzellan, die Nippsachen, die Vorratsdosen jeder Größe, Machart und Gestalt, die handgemalten Grußkarten und alles andere. Es gab einen hübschen Laden mit Nostalgieschildern, einen mit ausgefallenen Notizbüchern, einen dritten mit Spruchkissen für jede Gelegenheit und mehr. Es gab Spielsachen für Jungen, Spielsachen für Mädchen und jede Menge Spielsachen für ihre Eltern. Delafield war ein Paradies für Schenkfreudige. Billig allerdings nicht.

Carolines Kreditkarte wurde hart rangenommen, da sie viel mehr kaufte, als sie für den Rückflug bequem in ihren Koffer würde packen können. Mitbringsel für ihre Familie, erklärte sie, aber wir wussten beide, dass sie das alles für sich haben wollte.

Überall, wo wir waren, brachten wir die Schumanns ins Gespräch. Die Dame in dem Spruchkissenladen weinte ihretwegen beinah.

»So nette Leute«, sagte sie. »So großzügig. Was haben sie nicht alles für die Gemeinde getan. Mrs. Schumann kommt immer zu mir. Sie hat schon unzählige Kissen gekauft. Es ist so traurig.«

»Die Verletzungen von Mr. Schumann?«, tippte ich an.

»Ja«, sagte sie. »Und dass so viele Menschen gestorben sind in England. Die waren ja alle hier aus der Gegend. Wir haben sie jeden Tag gesehen.«

»Schrecklich«, sagte ich mitfühlend.

»Und wir alle sorgen uns fürchterlich um die Zukunft«, fuhr sie fort.

»Inwiefern?«, fragte ich.

»Wegen der Fabrik«, sagte sie.

»Was ist denn damit?«, hakte ich nach.

»Die läuft nicht so gut«, sagte sie. »Vorigen November haben sie ein Drittel der Arbeiter entlassen. Verheerend war das, kurz vor Weihnachten und alles. Weil die Chinesen irgendwie Traktoren um die Hälfte billiger liefern, als wir sie hier herstellen können. In der Stadt erzählt man sich schon, dass das Werk ganz stillgelegt wird. Mein Mann arbeitet da und mein Sohn auch. Ich weiß nicht, was aus uns hier werden soll, wenn die dichtmachen.« Sie wischte sich eine Träne aus dem Auge. »Und dann passiert auch noch die Katastrophe in England, und der arme Mr. Schumann und die anderen ...« Sie konnte nicht mehr weitersprechen.

Der 2000-Guineas-Ausflug war offenbar ein verzweifelter Versuch gewesen, einen neuen Markt für den angeschlagenen Riesen aufzutun. Das Blutbad und der Verlust an Führungskräften, den der Ausflug mit sich gebracht hatte, beides besiegelte vielleicht den Untergang des Unternehmens.

»Gibt es hier viel Arbeitslosigkeit?«, fragte ich sie.

»Im Augenblick nicht. Aber noch arbeiten dreitausend Leute in der Traktorfabrik. Wenn die auf einen Schlag entlassen werden, kann eine kleine Stadt wie unsere das nicht auffangen. Dann müssen viele nach Milwaukee gehen und Bier oder Motorräder machen.«

»Bier oder Motorräder?«, fragte ich. Das schien mir eine seltsame Kombination.

»Miller Bier und Harley-Davidson«, sagte sie. »Beides kommt aus Milwaukee.«

»Und wie weit ist das?«

»Vierzig Kilometer.«

»Dann kann man ja vielleicht als Pendler hier wohnen bleiben«, versuchte ich sie aufzuheitern. »So schlimm wird das nicht.«

»Ich hoffe, Sie haben recht«, sagte sie, offensichtlich nicht überzeugt.

»Was jetzt wohl aus den Schumanns wird?«, sagte ich in einer Gesprächspause.

»Machen Sie sich über die keine Gedanken«, meinte sie. »Die haben Geld wie Heu. Gerade erst ein neues Haus gebaut. Eine Villa eher. Bosse gehen nie bankrott. Die sichern sich ihre Prämien und ihre Pensionen, bevor der Laden zumacht. Verlassen Sie sich drauf.«

Anscheinend hielt sie doch nicht so viel von den Schumanns, wie sie anfangs hatte durchblicken lassen. Wenn ihr Mann und ihr Sohn erst entlassen sind, dachte ich, wird sie auf niemanden von Delafield Industries Inc. mehr gut zu sprechen sein.

Nur einer, mit dem wir sprachen, kannte MaryLou Fordham, und zwar der Mann in dem Nippesladen.

»Hübsche Beine«, hatte er mit einem wissenden Lächeln gesagt. Ich hatte sein Lächeln erwidert, dabei aber nicht an die Beine, sondern an ihr Fehlen denken müssen.

Wir fuhren langsam den Lake Drive entlang und bestaunten die imposanten Wohnhäuser. Hier war das Millionärsviertel von Delafield. Jedes Haus lag mitten in einem großen Garten, hinter imposanten Zäunen und Toren zur Abwehr unerwünschten Besuchs. Von der Straße aus waren die Häuser wegen der vielen Kiefern und des üppigen Rhododendrons nicht leicht zu sehen, doch Caroline und ich waren zuvor auf die andere Seite des Sees gefahren und hatten das Domizil der Schumanns von dort aus gesichtet. Wie die Kissendame gesagt hatte, war es eher eine Villa: ein modernes, dreistöckiges Haus aus grauem Stein mit rotem Dach, umgeben von einem weiten, gepflegten Rasen, der zum Seeufer und zu einem Anlegeplatz mit Boot hinunterführte.

War hier der Mann zu Hause, dem eigentlich die Bombe von Newmarket galt? War es das Zuhause eines Opfers oder eines Schurken? Eines Freundes oder eines Feindes?

Es gab nur eine Möglichkeit, das herauszufinden, dachte ich und drückte auf den Knopf der Gegensprechanlage neben dem zwei Meter zwanzig hohen, gusseisernen Sicherheitstor.

16

Dorothy Schumann war eine schmächtige Frau. Durch ihren schlanken Wuchs wirkte sie größer, als sie mit ihren einssiebzig war. Ihre langen, schmalen Hände waren wachsbleich, beinah durchscheinend, und zitterten leicht auf ihrem Schoß. Caroline und ich und Mrs. Schumann saßen uns auf zwei grünweißen Sofas in ihrem Salon gegenüber, und der Blick auf den See war so hinreißend, wie ich es mir vorgestellt hatte.

»Sie haben Rolf also in England kennengelernt«, sagte Mrs. Schumann.

»Ja«, sagte ich. »Auf der Rennbahn von Newmarket.«

»Am Tag des Bombenanschlags?«, fragte sie.

»Ja«, sagte ich. »Ich war bei dem Lunch.«

Sie musterte mich. »Dann haben Sie aber Glück gehabt.«

»Ja«, stimmte ich zu. Ich erklärte ihr, dass ich geschäftlich in Chicago sei und die Gelegenheit nutzen wolle, um Rolf zu besuchen, jetzt, wo er wieder zu Hause sei.

»Sehr freundlich«, sagte sie unglücklich. »Aber Rolf ist nicht hier zu Hause. Er wird noch in Milwaukee in der Klinik behandelt.«

»Oh«, sagte ich. »Das tut mir leid. Ich hatte gehört, er sei nach Hause geschickt worden, weil es ihm halbwegs gutging.«

»Er war so weit wiederhergestellt, dass man ihn vorige

Woche hierher fliegen konnte«, sagte sie. »Aber gut geht's ihm leider überhaupt nicht.« Es fiel ihr schwer, die Fassung zu wahren. »Er hat wohl etwas am Hirn.« Sie schluckte. »Er sitzt nur da und starrt ins Leere. Er erkennt mich nicht mal. Die Ärzte wissen anscheinend nicht, ob er sich je wieder erholt.« Sie brach in Schluchzen aus. »Was mache ich nur?«

Caroline ging zu Mrs. Schumann hinüber und setzte sich neben sie. Sie legte ihr einen Arm um die Schulter.

»Entschuldigung«, sagte Dorothy. Sie nahm ein Papiertuch aus dem Ärmel und verschmierte, als sie sich die Augen betupfte, ihr Make-up, worauf sie nur noch mehr weinte.

»Kommen Sie«, sagte Caroline. »Ich helfe Ihnen mal.«

Caroline zog Mrs. Schumann praktisch vom Sofa hoch und führte sie behutsam zum Schlafzimmer, das, wie in vielen amerikanischen Häusern, im Erdgeschoss war. Ich schaute mich in dem Salon um. Eine Unmenge silbern gerahmte Schnappschüsse standen auf einem Tisch beim Fenster. Ich betrachtete die Fotos von Rolf Schumann aus glücklicheren Tagen, viele mit einer wesentlich gesünder aussehenden Dorothy an seiner Seite. Es gab auch Aufnahmen, die ihn im schwarzen Anzug auf Abendgesellschaften zeigten oder mit einem leuchtend gelben Helm und schlammverkrusteten Sicherheitsschuhen auf einer Baustelle. Zwei zeigten ihn in Polokleidung, eins zu Pferd, auf dem er breit lächelnd seinen Schläger schwang, und eins ohne Pferd, auf dem er von einem Mann, der selbst mir als hoher US-Politiker mit Aspirationen aufs Präsidentenamt bekannt war, einen silbernen Pokal entgegennahm.

Sonst gab jedoch nichts im Salon darüber Aufschluss, was für ein Mensch Rolf Schumann früher gewesen war.

Ich öffnete die Tür auf der dem Schlafzimmer entgegengesetzten Seite des Raums und fand mich in Rolfs Arbeitszimmer wieder. Im Gegensatz zu dem weiß gehaltenen Salon war das Arbeitszimmer dunkel, mit schwerer Holztäfelung und einem großen Eichenschreibtisch in der Mitte. An der einen Wand hing eine »Karte« von Afrika, auf der jedes Land in einer anderen Tierhaut repräsentiert war. Hinter dem Schreibtisch prangte ein riesiger Hirschkopf an der Wand, dessen herrliches, vielendiges Geweih fast bis zu der beeindruckend hohen Decke emporreichte. Auch hier gab es Fotos: Rolf Schumann in Safarianzug und breitkrempigem Hut im afrikanischen Busch, das Gewehr in der Hand und den linken Fuß auf einem erlegten Elefanten; Rolf Schumann in hüfthohen Wasserstiefeln, eine Angel in der einen und einen Lachs in der hochgereckten anderen Hand; Rolf Schumann in rotem Jagdrock und schwarzem Helm zu Pferd, wie er vor Jagdbeginn einen Schluck aus der Pulle nimmt. Rolf Schumann war offensichtlich ein sportbegeisterter Mann, ein Mann des Jagdsports. Mir war etwas unbehaglich zumute, und das lag nicht nur an den leblosen Glasaugen des Hirschs, die mir irgendwie auf Schritt und Tritt durch den Raum zu folgen schienen.

Ich kehrte in den Salon zurück, und das keinen Augenblick zu früh. Mrs. Schumann und Caroline kamen vom Make-up-Ausbessern wieder, als ich mich gerade auf das grünweiße Sofa gesetzt hatte.

»Entschuldigen Sie«, sagte Dorothy zu mir. »Ich bin im Moment nicht ganz auf der Höhe.«

»Aber ich bitte Sie«, sagte ich. »Wir hätten Sie nicht stören sollen. Es tut mir leid, dass wir Sie so durcheinandergebracht haben. Wir sollten jetzt gehen.« Ich stand auf.

»Nein, nein«, sagte sie. »Es ist doch nett, Gesellschaft zu haben. Bitte bleiben Sie noch ein wenig. Sie kommen ja von so weit her. Und ich möchte wirklich gern mehr darüber hören, was auf der Rennbahn geschehen ist.«

Ich setzte mich wieder hin. Ich erzählte ihr so viel, wie mir ratsam erschien, über den Bombenanschlag in Newmarket, ohne auf die grausigen Einzelheiten und das Blut einzugehen. Sie saß kerzengerade auf dem Sofa und lauschte aufmerksam jedem Wort. Ein oder zwei Mal traten ihr Tränen in die Augen, doch sie gab ihnen nicht nach.

»Danke, dass Sie es mir erzählt haben«, sagte sie. »Es war sehr bitter für mich, gar nichts darüber zu wissen.«

»Es tut mir so leid«, sagte ich. Sie lächelte schwach und nickte mit dem Kopf. »Möchten Sie etwas trinken?«, sagte sie. »Ich habe Eistee im Kühlschrank.«

Ich sah auf die Uhr. Es war kurz nach zwölf. »Sehr gern«, sagte ich.

Wir gingen alle drei in die Küche, und Dorothy schenkte die goldene Flüssigkeit in drei hohe Gläser ein und gab noch eine Zitronenscheibe dazu. Ich trank Tee zwar lieber heiß, musste aber zugeben, dass er auch gekühlt gut schmeckte und ausgezeichnet den Durst löschte. Caroline und ich setzten uns auf Hocker an die von Dorothy sogenannte »Bar«. Die Küche war umwerfend, mit einer tollen Aussicht auf den See und das Stadtzentrum dahinter. Die Bar bildete den Abschluss einer großen Insel in der Mitte des riesigen Raums.

»Dorothy«, sagte ich. »Können Sie sich vorstellen, wie Rolf ins Visier eines Bombenlegers geraten ist?«

Sie hielt im Nachschenken inne und sah mich an. »Die hiesige Polizei hat mir gesagt, dass die Bombe nicht Rolf galt. Er sei ihr versehentlich zum Opfer gefallen.«

»Ich weiß«, sagte ich. »Aber wenn die Polizei sich nun irrt?«

Dorothy Schumann ließ sich schwer auf einen Hocker sinken. »Wollen Sie damit sagen, dass jemand versucht haben könnte, Rolf umzubringen?«

»Ja«, sagte ich. Ein langes Schweigen entstand. »Wüssten Sie jemanden, der ihm nach dem Leben trachten könnte?«

Sie lachte, ein einzelnes Kichern. »Nur so ungefähr tausend Leute von hier«, sagte sie. »Die wurden im vergangenen Winter entlassen. Und alle schieben sie's Rolf in die Schuhe.«

»Ja, aber …«, setzte ich an.

»Nein, nein«, sagte sie. »Ich meine das nicht ganz ernst.«

»Fällt Ihnen denn sonst jemand ein, dem daran liegen könnte, ihm oder seiner Firma zu schaden?«

Sie schürzte die Lippen und schüttelte leicht den Kopf.

»Kennen Sie einen Mann mit Namen Komarov?«, fragte ich.

»Natürlich«, antwortete sie. »Peter kenne ich sehr gut. Er importiert Poloponys. Aber Sie wollen mir doch wohl nicht erzählen, dass er etwas mit dem zu tun hat, was Rolf passiert ist?«

»Ich weiß es nicht«, sagte ich. »Mich hat nur interessiert, ob Sie von ihm gehört haben.«

»Er und seine Frau besuchen uns manchmal und wohnen bei uns«, sagte sie in einem Ton, als seien ihre Hausgäste über jeden Tadel erhaben. »Wir sind befreundet.«

»Schon viele Menschen sind von ihren Freunden ermordet worden«, sagte ich. *Auch du, mein Brutus?* »Wann besuchen die Komarovs Sie denn immer?«, setzte ich nach.

»Zu den Polospielen«, sagte sie.

»Beim Lake Country Polo Club?«, fragte ich.

»Ja. Rolf ist da im Vorstand.«

»Hat Rolf auch selbst Polopferde?«, fragte ich.

»Hunderte«, sagte sie. »Ich wünschte, er würde mir so viel Zeit widmen wie dem verdammten Polo.« Sie verstummte plötzlich und sah ausdruckslos aus dem Fenster. In ihrem Leben würde sich jetzt vieles ändern.

»Hat Peter Komarov etwas mit dem Poloclub zu tun?«, fragte ich.

Sie drehte sich wieder zu mir um. »Ich glaube nicht«, sagte sie. »Aber ich weiß, dass alle seine Pferde erst mal ein paar Tage dort verbringen, wenn sie ins Land kommen.«

»Wo kommen die Pferde denn ursprünglich her?«, fragte ich.

»Aus Südamerika, glaube ich. Argentinien, Uruguay und Kolumbien hauptsächlich.«

»Und wohin gehen sie, wenn sie den Poloclub verlassen?«, fragte ich.

»Überallhin«, sagte sie. »Ab und zu war ich mit Rolf auf den Auktionen. In Keeneland in Kentucky etwa und in Saratoga.«

Davon hatte ich gehört. Beides waren große Verkaufsveranstaltungen für Vollblutpferde. »Es handelt sich also nicht bloß um Ponys?«

»Aber nein«, sagte sie. »In der Mehrzahl wohl schon, aber es sind definitiv auch Rennpferde dabei.«

»Warum kommen sie dann alle erst mal hierher – in den Poloclub?«, fragte ich.

»Ich weiß nicht genau«, sagte sie. »Ich weiß aber, dass sie mit dem Flugzeug in Chicago oder Milwaukee ankommen und dann mit Pferdetransportern zum Club gebracht werden. Ich war schon beim Ausladen dabei. Vielleicht müssen sie sich von der Reise erholen, eine Art Jetlag oder so. Ich glaube, sie bleiben bis zu acht Tagen, bevor sie verschickt werden. Natürlich nicht die, die Rolf behält.« Sie seufzte, und wieder traten ihr Tränen in die Augen.

»Finde ich seltsam, dass die Rennpferde nicht gleich dahin kommen, wo sie verkauft werden«, bemerkte ich.

»Rolf sagt, sie müssen vom Tierarzt untersucht werden«, sagte sie. »Und er muss was mit den Kugeln machen.«

»Mit den Kugeln?«, fragte ich.

»Ja«, sagte sie. »Den Metallkugeln. Die haben irgendwas mit der Reise zu tun. Was Genaues weiß ich nicht, aber ein paar Tage nach so einer Flugzeugladung Ponys hat Rolf immer eine große Kiste voll davon.«

»Haben Sie so eine Kugel hier?«, fragte ich.

»In Rolfs Schreibtisch müssten ein paar sein«, sagte sie.

Sie ging aus der Küche und kam kurz darauf mit einer glänzenden Metallkugel wieder, die etwa halb so groß wie ein Golfball war. Sie legte die Kugel vor mir auf die Theke, und ich nahm sie in die Hand. Ich dachte, sie wäre schwer, wie ein Teil aus einem Kugellager, doch sie war überraschend leicht und hohl.

»Wofür sind die?«, fragte ich.

»Ich habe keine Ahnung«, sagte sie. »Aber ich meine, sie hätten auch was mit der Ponyzucht zu tun.«

»Kann ich diese hier behalten?«, fragte ich.

»Ich glaube nicht, dass Rolf begeistert wäre, wenn ich die

hergebe«, erwiderte sie. »Er achtet immer sehr genau darauf, dass die Anzahl stimmt. Er zählt immer wieder nach.«

»Sie könnte mir aber helfen herauszufinden, warum er verletzt wurde«, sagte ich.

»Meinen Sie wirklich?«, fragte Dorothy, wobei sie wieder so zerbrechlich und hilflos wirkte.

»Ich weiß es nicht, aber es könnte sein.«

»Na, eine wird schon nicht so schlimm sein«, meinte sie. »Aber Sie müssen versprechen, sie mir zurückzugeben, wenn Sie damit fertig sind.«

Ich versprach es ihr, und Caroline lächelte sie an.

Wir verließen das Haus der Schumanns um fünf vor zwei, nachdem Dorothy uns noch zu einem Käse-und-Schinken-Sandwich überredet hatte. Wir waren spät dran. Ich lenkte den Buick wieder auf den I-94 und stellte seinen Motor auf die Probe. Nach Chicago waren es hundertsechzig Kilometer, und Carolines Orchesterprobe war um vier. Außerdem musste sie erst noch ihr Kleid für den Abend und ihre geliebte Viola aus dem Hotel holen. Eine knappe Angelegenheit.

»Was glaubst du, was das ist?«, fragte Caroline. Sie saß auf dem Beifahrersitz und warf die kleine Metallkugel von der einen Hand in die andere.

»Keine Ahnung, wozu die gut ist«, sagte ich. »Aber wenn sie was mit Komarov zu tun hat, würde mich das doch sehr interessieren.« Ich überholte den nächsten Sattelschlepper, der die mittlere Fahrspur entlangdonnerte.

»Hol dir keinen Strafzettel«, mahnte Caroline.

»Aber du sagtest doch …« Ich ließ den Satz offen. Sie hatte

gesagt, man würde sie am Arsch kriegen, wenn sie zu spät käme.

»Ich weiß, was ich gesagt habe.« Sie lachte. »Aber wenn du angehalten wirst, kommen wir wirklich zu spät.« Ich ging etwas runter vom Gas, und der Tacho kam wieder in den grünen Bereich. Na ja, fast.

»Es soll mit Poloponys zu tun haben«, sagte ich. »Das waren Mrs. Schumanns Worte.«

»Vielleicht spielt man damit *Tisch*polo.« Sie lachte laut über ihren Scherz. Die Kugel sah ein bisschen aus wie ein Tischtennisball aus Metall, war vielleicht aber eine Spur größer. »Ob man sie öffnen kann?«

Die Kugel hatte eine dünne Naht in der Mitte, und Caroline nahm sie in beide Hände und versuchte, die Kugelhälften voneinander zu trennen. Sie drückte den Daumennagel in die Naht, aber es gelang ihr nicht, die Kugel aufzustemmen. Sie versuchte, die eine Hälfte von der anderen loszudrehen. Und tatsächlich war das gar nicht so schwer, wenn man erst wusste, wie es ging. Die beiden Hälften hatten ein Linksgewinde.

Ich warf einen kurzen Blick auf die Halbkugeln in Carolines Händen.

»Schlauer bin ich jetzt auch nicht«, sagte ich, »aber ich weiß, dass das kein Spielzeug ist. Es ist schwierig, etwas so dünnes Rundes mit solch einem Gewinde zu versehen. Und dann auch noch so passgenau. Das ist echte Präzisionsarbeit. Wenn Rolf wirklich, wie Mrs. Schumann sagt, eine große Kiste davon hat, muss die Herstellung einiges gekostet haben.«

»Aber wofür sind sie gut?«, sagte Caroline.

»Vielleicht kommt etwas rein, das nicht auslaufen darf«, meinte ich. »Aber frag mich nicht, was.«

Wir kamen fünf Minuten vor der Zeit im Hotel an. Caroline schnappte sich ihr Kleid und ihre Viola und rauschte mit einem Kuss davon. »Bis nachher«, sagte sie. »Die Karte für dich liegt an der Kasse.« Sie sprang in den bereitstehenden Bus, der das Orchester zur Konzerthalle bringen sollte. Die Tür schloss sich, und weg waren sie.

Ich stand in der Hotelhalle und fühlte mich einsam. Würde ich mich jemals daran gewöhnen, ihr auch nur für ein paar Stunden adieu zu sagen? Sie hatte nur noch die Probe und das Konzert im Kopf gehabt, und ich kam mir alleingelassen vor und war eifersüchtig. Wie konnte ich nur so neidisch auf ein Musikinstrument sein? Aber mich schauderte bei der Vorstellung, wie ihre wunderbar langen Finger den Hals der Viola streichelten und ihre Saiten zupften, denn ich wollte der sein, den sie anfasste. Unvernünftig vielleicht, doch das Gefühl war nun mal da.

»Nimm dich zusammen«, sagte ich mir und machte mich auf die Suche nach dem Empfangschef.

»Lake Country Polo Club?«, wiederholte er als Frage.

»Ja«, sagte ich. »Müsste in der Nähe von Delafield in Wisconsin sein.«

Er tippte etwas in seinen Computer. »Aha«, sagte er, »da haben wir ihn.«

Sein Drucker surrte, und er reichte mir ein Blatt Papier mit der Wegbeschreibung. Der Club war fünf bis zehn Kilometer näher an Chicago als an Delafield. Wir waren heute sogar zweimal daran vorbeigefahren, da er sich laut Wegbeschreibung eingangs der Silvernail Road befand, die vom Interstate Highway abging. Ich bedankte mich und verlängerte die Miete für den Wagen um einen Tag.

Ich fand das Donnerstagskonzert noch besser als das vom Abend zuvor. Schon weil ich Caroline sehen konnte und sie es wusste. Das Haus war ausverkauft, im Saal gab es nicht mal mehr einen Notsitz für mich. Als ich um sieben an der Kasse eintraf, hatte da keine Karte für mich gelegen, sondern eine Nachricht.

»Komm zum Bühneneingang und frag nach Reggie«, stand da in Carolines Handschrift. Ich war zur Bühne gegangen.

»Alles klar«, hatte Reggie gesagt. »Sie sind also der Engländer, von dem sie in einer Tour quasselt.« Er war ein dicker, stämmiger Schwarzer und redete in einem beschwingten Rhythmus, zu dem ich am liebsten getanzt hätte.

»Haargenau, Mann«, ahmte ich seine Sprechweise nach.

Er lachte schallend und ließ mich zwei Reihen goldverkronter Zähne sehen. »Irre«, sagte er. Ich wusste nicht genau, ob das als Kompliment gemeint war, aber er grinste breit. »Ich hab genau den richtigen Platz für Sie. Kommen Sie mit.«

Sein Platz entpuppte sich als zwei Metallstühle, die fürs Publikum unsichtbar in der Seitenkulisse standen. Von dem einen Stuhl hatte man besonders gute Sicht auf die erste Reihe der Bratschen, auf meine Caroline. Durch eine Lücke zwischen den zweiten Geigen und den Hörnern konnte ich sie sehen. Genau genommen sah ich nur ihre Schulterblätter und ein wenig von ihrer rechten Seite, aber das genügte mir.

Diesmal vergoss ich beim leisen Mitsummen von *Nimrod* kaum eine Träne. Ich musste zwar immer noch lebhaft an die Beerdigung meines Vaters denken, doch jetzt war ich innerlich mit dem Tag versöhnt, auch wenn es eine bittere, emotionsgeladene Erinnerung blieb.

Caroline setzte sich in der Pause zu mir, während das übrige Orchester über eine Betontreppe hinter der Bühne verschwand.

»Was machen sie alle in der Pause?«, fragte ich, als wir hinter ihnen herschauten.

»Das Gleiche wie das Publikum«, sagte sie. »Manche trinken einen Tee. In der Garderobe steht meistens welcher für uns. Andere genehmigen sich was Stärkeres, obwohl wir das nicht dürften. Ein paar gehen draußen eine rauchen. Und ob du's glaubst oder nicht, der eine oder andere setzt sich hin und schläft eine Viertelstunde.«

»Was machst du normalerweise?«, sagte ich und nahm sie bei der Hand.

»Mal dies, mal das.« Sie lachte.

»Möchtest du jetzt also Tee trinken?«

»Nein. Ich möchte hierbleiben. Die Garderobe teile ich mit zwölf anderen Frauen, und ich bin viel lieber hier bei dir.«

Gut. Mir war das auch viel lieber.

»Morgen fahre ich noch mal nach Delafield«, sagte ich. »Ich schnüffel mal ein bisschen im Lake Country Polo Club rum. Rolf Schumann war im Vereinsvorstand, und eins der Bombenopfer in Newmarket war der Vereinspräsident.«

»Ich kann aber nicht mitkommen«, sagte sie unglücklich. »Für morgen hat sich das Programm geändert, da habe ich um elf und um drei Probe.«

»Und am Samstag?«, fragte ich.

»Am Samstag haben wir um halb drei eine Nachmittags- und dann die Abendvorstellung«, sagte sie. »Fahr ruhig morgen ohne mich, aber sei vorsichtig. Denk dran, dass jemand Rolf Schumann umbringen wollte und dass derselbe vielleicht schon zweimal versucht hat, dich umzubringen.«

»Daran brauchst du mich nicht zu erinnern«, sagte ich.

Der Lake Country Polo Club war eine große Angelegenheit: reihenweise weiß gestrichene Stallungen mit braunen Dächern neben vier oder fünf Polofeldern und einer Fülle von Vereinsgebäuden. Zahlreiche Pferde standen auf weiß umzäunten Koppeln und hatten die Köpfe im Frühlingsgras. Hier war offensichtlich viel Betrieb, und alles roch nach Geld, sehr viel Geld.

Ich stellte den Buick mit der Schnauze voran auf den Besucherparkplatz neben den Vereinsbüros und spazierte durch die Tür, auf der »Anmeldung« stand. Eine Frau in weißem Rollkragenpullover und Jeans saß am Tisch und tippte auf einem Computer. Sie blickte auf.

»Kann ich Ihnen helfen?«, sagte sie.

»Ist Mr. Komarov vielleicht da?«, fragte ich.

»Nein«, sagte sie. »Er wird leider auch frühestens nächsten Monat wieder hier sein. Zum Delafield Cup, nehme ich an. Da kommt er normalerweise.«

Sie kannten also Mr. Komarov. Offenbar kannten sie ihn sogar ziemlich gut.

»Gehört ihm der Club denn nicht?«, fragte ich mit gespielter Überraschung.

»Aber nein«, sagte sie. »Allerdings gehören ihm die meisten Pferde. Sein Ponymann ist da, wenn Sie den sprechen möchten?« Ob ich das wollte, wusste ich gar nicht, doch bevor ich sie bremsen konnte, griff sie auch schon zum Telefon und drückte ein paar Tasten. »Wie war noch mal Ihr Name?«, fragte sie mich.

Einen Namen hatte ich ihr noch gar nicht genannt. »Mr. Buck«, erwiderte ich mit Blick auf meinen Wagen. Um ein Haar hätte ich Buick gesagt.

Am anderen Ende meldete sich jemand. »Kurt«, sagte die Frau, »hier ist ein Mr. Buck, der nach Mr. Komarov fragt. Wann der wieder in den Club kommt, wüsste er gern. Können Sie ihm weiterhelfen?« Sie hörte einen Augenblick zu und sagte dann: »Moment, ich frag ihn.« Sie sah mich an. »Kurt lässt fragen, woher Sie Mr. Komarov kennen.«

»Ich kenne ihn nicht«, sagte ich. »Ich möchte ihn nur nach etwas fragen, was in England passiert ist.«

Sie gab das weiter und hörte kurz zu. »Wo in England?«, fragte sie mich.

»In Newmarket«, sagte ich laut.

Sie lauschte schweigend wieder in den Hörer. »Gut, sag ich ihm.« Sie legte auf. »Kurt kommt gleich zu Ihnen«, teilte sie mir mit. »Kurt ist für alle Ponys von Mr. Komarov verantwortlich.«

»Danke«, sagte ich. »Ich warte draußen auf ihn.«

Warum stellten sich mir die Nackenhaare auf und signalisierten Gefahr, Gefahr? Wäre es vielleicht klüger, sofort ins Auto zu steigen und davonzufahren? Stattdessen machte ich einen kleinen Spaziergang, lief durch einen Pferdedurchgang unter der leeren Tribüne hindurch und kam auf dem Polofeld auf der anderen Seite heraus.

Da konnte der Guards Polo Club nicht mithalten. Eine Ehrenloge hatten sie zwar nicht, sonst aber war die überdachte Zuschauertribüne erstklassig, mit Hunderten polstersesselähnlichen Sitzen für höchsten Komfort. Der Spielbereich war für die Variante hergerichtet, die der Mann im Guards Club als Arena-Polo bezeichnet hatte, ließ sich aber offensichtlich durch Entfernen der Banden in ein größeres Feld fürs wahre Polo verwandeln. Der gepflegte Rasen bot Platz für jede Art von Polo-Turnier.

Ich sah mir gerade die Tribüne an, als ich den Mann hörte.

»Mr. Buck?«, rief er vom Durchgang her. Kurt, nahm ich an, und er war nicht allein. Bei dem zweiten Mann beschlich mich ein ganz ungutes Gefühl. Während Kurt klein war und die Statur eines Jockeys hatte, war sein Begleiter groß und breit. Und er hielt einen anderthalb Meter langen Poloschläger quer vor der Brust wie ein Soldat sein Gewehr. Es war sonnenklar, dass mich das einschüchtern sollte. Was es auch tat. Ich war sehr eingeschüchtert. Warum war ich nicht ins Auto gestiegen und abgehauen, als es noch ging?

Ich stand mitten auf der Polo-Arena, und mein Fluchtweg lag auf der anderen Seite der Tribüne. Ich musste ihnen die Stirn bieten.

»Was wollen Sie?«, fragte Kurt barsch. Kein Wort der Begrüßung. Das war auch nicht zu erwarten. Seine Körpersprache sagte alles. Ich war nicht im mindesten erwünscht.

Ich lächelte und versuchte mich zu entspannen. »Sie sollen Mr. Komarov kennen«, sagte ich fröhlich. »Stimmt das?«

»Möglich«, sagte er. »Kommt drauf an, wer das wissen will.«

»Ich hatte gehofft, Mr. Komarov könnte mir helfen, etwas zu identifizieren«, sagte ich.

»Und was?«

»Das hab ich im Auto«, sagte ich. Schnell ging ich an ihm vorbei zu dem Durchgang.

»Was ist es denn?«, fragte er nochmals.

»Ich zeige es Ihnen«, sagte ich über meine Schulter hinweg, ohne stehenzubleiben. Er konnte nicht wissen, dass ich das Ding in der Hosentasche hatte, aber keinesfalls hier herausnehmen wollte. Am Wagen schien es mir sicherer, aber das konnte auch Selbsttäuschung sein.

Kurt schien nicht erbaut zu sein und schnaubte durch die Nase, doch er folgte mir; sein Schatten leider auch. Ich rannte zwar nicht direkt, aber um mich zu überholen, hätten sie rennen müssen. Der große Kerl war nicht in Form, und als ich bei meinem Wagen ankam, lag er schwer atmend ein Stück zurück.

Aber ich war nicht den ganzen Weg umsonst gefahren. Nach wie vor wollte ich etwas herausfinden. Ich öffnete die Wagentür und tat, als suchte ich im Innern etwas, das ich in Wirklichkeit aber aus der Hosentasche nahm. Ich drehte mich um und hielt Kurt in der offenen Hand die glänzende Stahlkugel hin, wie man einem Pferd ein Stück Zucker anbietet.

Es verschlug ihm die Sprache. Er starrte auf die Kugel und glotzte mich an, als suchte er nach Worten.

»Scheiße, wo haben Sie das her?«, sagte er. Er schnappte danach, aber ehe er zugreifen konnte, hatte ich längst die Hand zur Faust geschlossen.

»Sagen Sie mir, was es ist, und ich sage Ihnen, wo ich es her habe«, versetzte ich.

»Sie geben mir das jetzt auf der Stelle«, erwiderte er, einem Wutanfall nah.

»Sie können es haben, wenn Sie mir sagen, was es ist«, sagte ich im Ton eines Lehrers, der einem Klassenflegel ein

Elektrogerät abgenommen hat, aber nicht weiß, um was es sich handelt.

Ohne Vorwarnung holte der Kraftkerl mit dem Poloschläger aus und schlug ihn mir auf den Unterarm. Er stand halb hinter mir, so dass ich den Schlag erst im letzten Sekundenbruchteil kommen sah. Ausweichen ging nicht mehr, aber zum Glück hatte ich noch Zeit, die Muskeln zu entspannen, ich glaube, sonst hätte er mir den Arm mittendurch gehauen. Auch so war es nicht besonders. Der Schläger traf mich unmittelbar über dem rechten Handgelenk. Es gab einen lauten Knall, und mein Arm war augenblicklich taub. Ich ließ die glänzende Metallkugel fallen.

Sie rollte auf Kurt zu. Als er sich bückte, um sie aufzuheben, sprang ich in den Wagen, schlug die Tür zu und drückte den Knopf für die Zentralverriegelung.

Mein rechter Arm war nicht zu gebrauchen. Ich brachte den Schlüssel nicht in das Zündschloss. Wertvolle Sekunden verlor ich mit unnützem Gestocher, bevor ich mich rechts rüberlehnte und den Schlüssel mit links einsteckte. Ich drehte den Schlüssel, ließ den Wagen an und legte, ebenfalls mit links, den Rückwärtsgang ein. Das Heckfenster des Buick zerbarst hinter mir. Ich scherte mich nicht drum. Ich sah durch das Fensterloch und stieg aufs Gas. Rückwärts schoss der Wagen auf den schlägerschwingenden Berserker hinter mir zu. Überraschend flink wich er ihm aus und schwang erneut den Schläger in meine Richtung. Das Fenster der Beifahrertür zersprang, und ich wurde mit Scheibenstückchen überschüttet. Kurt war an der Fahrertür, riss am Griff und hämmerte ans Fenster, aber er hatte keinen Poloschläger, und seine Faust war machtlos gegen das gehärtete Glas.

Ich bremste scharf und schaltete mit dem Ellbogen wieder auf Automatic. Aber der Keulenmann war noch nicht fertig. Als der Wagen nach vorn auf Tor und Highway zu beschleunigte, holte er noch einmal zum Schlag aus. Der Kopf des Schlägers durchschlug glatt das Verbundglas der Windschutzscheibe auf der Beifahrerseite und blieb stecken. Ich hielt nicht an. Aus dem Augenwinkel sah ich den erschrockenen Ausdruck im Gesicht des Mannes, als ich mit dem fest im Glas steckenden Schlägerkopf davonschoss. Seine Hand steckte nämlich ebenso fest in der geflochtenen Lederschlaufe am Griff des Schlägers.

Im Rückspiegel sah ich, wie ihn die Schlaufe von den Beinen holte. Ich hörte, wie er irgendwo unten gegen die hintere rechte Tür prallte, aber Anhalten kam nicht in Frage, und wenn ich ihn bis Chicago hätte mitschleifen müssen. Irgendwie bekam er die Hand aber doch los und fiel runter, bevor ich auf die Silvernail Road bog und in Richtung des relativ sicheren Sattelschlepper-Gedonners auf der I-94 enteilte. Nach vielleicht anderthalb Kilometern fuhr ich auf den Pannenstreifen und schaffte es, den Poloschläger, der noch seitlich aus der Windschutzscheibe ragte, zu entfernen. Die Lederschlaufe am Griff war gerissen. Ich hoffte, das Handgelenk, das vorhin darin gesteckt hatte, war ebenfalls lädiert. Ich warf ihn auf den Rücksitz und war froh, einer Straßenpatrouille nun nicht mehr erklären zu müssen, wieso ein Poloschläger in meiner Windschutzscheibe steckte. Der Buick hatte jetzt zwei Scheiben weniger und ein fünf Zentimeter großes Loch plus tausend Risse in der Windschutzscheibe, aber damit konnte ich leben. Nur dass ich überhaupt noch lebte, zählte für mich.

»Verdammt«, rief ich laut. Ich hatte mir nicht nur den Arm verletzt und mir mit ziemlicher Sicherheit durch den Schlag einen Knochenbruch zugezogen, sondern ich hatte auch noch die glänzende Metallkugel verloren.

Ich muss mir eine neue holen, dachte ich und wendete an der nächsten Kreuzung. Ich konnte nur hoffen, dass Dorothy Schumann nicht bereute, mir eine der Kugeln geborgt zu haben, als ich am Vortag mit Caroline bei ihr gewesen war.

Mein Ausflug zum Lake Country Polo Club hatte mir zwei nützliche Informationen gebracht. Erstens, die Metallkugeln waren wichtig. Worin genau ihre Bedeutung bestand, war mir noch unklar. Und zweitens, nach einigen seiner Mitarbeiter zu urteilen, war Mr. Komarov definitiv kein Engel.

Als ich zum Hyatt Hotel zurückkam, tat mein Arm höllisch weh. Ich fuhr auf den Gästeparkplatz und erntete ein paar sehr verwunderte Blicke vonseiten des Personals. Ohne darauf zu achten, nahm ich den Poloschläger vom Rücksitz und ging ins Hotel. Ich warf dem Empfangschef die Schlüssel hin und sagte ihm, ein paar Scheiben seien beschädigt worden, er möge das bitte mit dem Autoverleih regeln.

»Selbstverständlich, Sir«, sagte er. Er schaute kurz auf den Poloschläger. »Sofort, Sir.« Einen guten Empfangschef bringt nichts aus dem Konzept.

Ich fuhr nach oben und legte mich auf Carolines Bett. Dem Wecker nach war es drei Uhr. Das Orchester fing jetzt gerade mit der zweiten Probe an. Da mich meine vollen Hosentaschen störten, räumte ich sie leer und legte alles auf den Nachttisch: Brieftasche, Geld, Zimmerschlüssel, Taschentuch und eine glänzende Metallkugel, die etwa so groß wie ein Golfball war, aus zwei Hälften bestand und eine Schlüs-selrolle bei einem Bombenanschlag auf der Rennbahn im sechstausend Kilometer entfernten Newmarket spielte.

Mrs. Schumann war alles andere als erfreut gewesen zu hören, dass ich die Kugel, auf die ich doch unbedingt hätte achtgeben sollen, schon verloren hatte. Trotzdem war es mir gelungen, ihr noch eine abzuschwatzen, wenn auch erst, nachdem ich sie überzeugt hatte, dass die Kugel entscheidend dazu beitragen könne, herauszufinden, warum ihr Rolf so schwer verletzt worden war.

Vielleicht hatte ich mir das auch selbst einreden wollen.

17

Als Caroline zwischen der Schlussprobe und der Abend-vorstellung vorbeikam, lag ich noch immer auf dem Bett, und es ging mir schlecht. Obwohl ich reichlich Schmerz-tabletten genommen hatte, zuckte ich bei jeder Bewegung des Arms zusammen.

»Du musst zum Arzt«, sagte Caroline. Sie war sehr be-unruhigt und erschreckt.

»Ich weiß, aber ich will das nicht mit meiner Kreditkarte bezahlen.«

»Meinst du wirklich, jemand kann dich über deine Kre-ditkarte ausfindig machen?«, fragte sie.

»Ich gehe das Risiko nicht ein«, sagte ich. »Nach dem, was heute war, schon gar nicht. Wer weiß, wozu Komarov fähig ist. Ich glaube, er ist irgendwie verantwortlich für den Tod von neunzehn Menschen auf der Rennbahn von Newmarket. Auf einen Mord mehr wird es ihm nicht ankommen.« Oder auf zwei, dachte ich, und es gefiel mir nicht. »Wie viel Zeit hast du bis zur Vorstellung?«

»In ungefähr einer Stunde muss ich los«, antwortete sie.

»Das muss reichen«, sagte ich. »Los, komm, und nimm deine Kreditkarte mit.«

»Woher willst du wissen, ob sie meine nicht auch zurück-verfolgen können?«, fragte sie mit plötzlicher Bestürzung.

»Das weiß ich nicht«, sagte ich. »Aber ich halte es für weniger wahrscheinlich, dass sie nach Miss Aston suchen, wenn sie Max Moreton finden wollen.«

Wir fuhren zur Notaufnahme des Northwestern Memorial Hospital in der Erie Street, wobei ich im Taxi bei jeder Unebenheit, jedem Schlagloch einen Schrei unterdrückte.

Wie in England gab es auch in dieser Unfallaufnahme unzählige Formulare auszufüllen, und man durfte auf eine stundenlange Wartezeit gefasst sein. Zu den Gesprächen mit den medizinischen Betreuern kam hier jedoch das unerlässliche Gespräch mit der Frau an der Kasse hinzu.

»Sind Sie versichert, Mr. Moreton?«, fragte die leger gekleidete Dame hinter der Theke.

»Ich habe wohl eine Reiseversicherung, aber im Moment finde ich die Unterlagen nicht«, antwortete ich.

»Dann trage ich ›nein‹ auf dem Formular ein«, sagte sie. »Wollen Sie die Behandlung also selbst bezahlen?«

»Ja«, sagte ich. »Zumindest vorläufig.«

Sie schrieb eine Zeitlang. »Da Sie kein US-Bürger sind, müssten Sie, bevor Sie behandelt werden können, diesen Schätzbetrag im Voraus zahlen,« sagte sie.

»Wie viel denn?«, fragte ich. Sie schob mir ein Blatt Papier hin. »Ich möchte doch nur meinen Arm versorgen lassen«, sagte ich beim Lesen der Endsumme. »Ich will nicht die ganze Klinik kaufen.«

Sie fand das nicht komisch. »Dieser Betrag ist vor Behandlungsbeginn vollständig zu entrichten«, wiederholte sie.

»Und was wäre, wenn ich nicht zahlen könnte?«, fragte ich.

»Dann müssten Sie woanders hingehen«, sagte sie.

»Und wenn ich todkrank wäre?«

»Sie sind nicht todkrank«, erwiderte sie. Doch ich gewann den Eindruck, wenn ich es wäre, würde man mir dennoch nahelegen, zum Sterben woanders hinzugehen, am besten in ein anderes Krankenhaus.

Caroline gab der Frau ihre Kreditkarte und zuckte nur leicht zusammen, als sie den Betrag auf dem Zettel sah, den sie unterschreiben sollte. Wir setzten uns wieder in den Warteraum, nachdem man mir versichert hatte, ich würde bald aufgerufen. Ich küsste sie sanft und versprach ihr, ihr das Geld zurückzuzahlen, sobald ich zu Hause sei.

»Und wenn du vorher umgebracht wirst?«, flüsterte sie. »Was mach ich dann?« Sie grinste. Gleich fühlte ich mich besser.

»Ich vermach es dir in meinem Testament«, sagte ich und erwiderte ihr Grinsen. Im Unglück soll man lachen, denn Lachen ist die beste Medizin.

Wir saßen noch eine Weile zusammen. Die Zeiger der Wanduhr krochen auf zwanzig vor sieben.

»Es passt mir gar nicht«, sagte sie, »aber ich muss jetzt los, sonst komme ich zu spät zum Konzert, und dann fliege ich wirklich raus. Kommst du allein zurecht?«

»Ganz bestimmt«, sagte ich. »Bis später.«

»Sie werden dich doch nicht über Nacht hierbehalten?«, fragte sie.

»Nur gegen mehr Kohle«, sagte ich mit einem hohlen Lachen. »Nein, glaub ich nicht. Wir sehen uns nachher im Hotel.« Sie zögerte. »Nun geh schon«, sagte ich. »Sonst kommst du zu spät.«

Sie winkte, als sie durch die Automatiktür hinausging. Ich wollte sie eigentlich nicht weglassen. Sie sollte bei mir bleiben, mir die Stirn wischen, meine Schmerzen lindern, nicht die verdammte Bratsche streicheln.

»Mr. Moreton«, rief eine Krankenschwester und holte mich in die Realität zurück.

Ich war vor Caroline wieder im Hotelzimmer, wenn auch nur zehn Minuten früher. Wieder befand sie sich in einem beifallbedingten Adrenalinhoch, während ich von einer Kombination aus Lachgas und Schmerzmitteln berauscht war. Und mein Handgelenk steckte in einem Fiberglasverband, der vom Handteller über den Daumen bis zum Ellbogen hinaufreichte.

Auf dem Röntgenbild war der Bruch am Handgelenk deutlich zu sehen gewesen – knapp drei Zentimeter oberhalb des Knöchels war die Elle entzwei. Zum Glück hatte sich nicht viel verschoben, so dass der Arzt den Bruch richten konnte, indem er einfach an meiner Hand zog, bis die Knochenenden wieder ihre angestammte Position einnahmen. Spaß gemacht hatte mir das Ganze trotz der anästhetischen Wirkung des Stickoxiduls nicht. Lachgas hin und her, es gab Komischeres.

Der Verband sollte das Gelenk ruhigstellen, und der Arzt hatte mir gesagt, er müsse mindestens sechs Wochen dranbleiben. Ich musste an die Verletzungsgeschichten denken, die mein Vater aus seiner Zeit als Hindernisjockey erzählt hatte. Er behauptete immer, er würde schnell gesund, und erzählte oft, wie er nur eine Woche nach einem Knochenbruch einmal versucht hatte, den Gipsverband mit der Schere wegzuschneiden. Aber Hindernisjockeys, das weiß man, sind ja auch verrückt.

Wie angewiesen lagerte ich den rechten Arm die ganze Nacht auf einem Kissen, damit die Schwellung unter dem Verband zurückging. Für die Liebe war es nicht so günstig, aber die Schmerzen hielt es in Schach.

Den Samstag verbrachte ich weitgehend horizontal auf dem Bett in Carolines Hotelzimmer. Ich sah mir eine Baseball-übertragung im Fernsehen an, die nicht besonders spannend war, und danach ein etwas spannenderes Autorennen.

Ich bestellte beim Zimmerservice einen Caesarsalat zum linkshändigen Mittnachmittagslunch und rief dann auf dem Hoteltelefon Carl an.

»Wo steckst du?«, sagte er. »Mich haben drei Leute angerufen, die dich angeblich dringend sprechen müssen.«

»Wer denn?«, fragte ich.

»Einmal deine Mutter«, antwortete er, »dann jemand vom Finanzamt, und wer der Dritte war, hat er nicht gesagt.«

»Hast du die Nummern?«, fragte ich.

»Die von deiner Mutter wirst du ja wohl kennen«, sagte er. »Die anderen haben keine hinterlassen. Sie wollen es noch mal versuchen. Was soll ich denn sagen, wo du bist?«

Wieder fragte ich mich, ob ich Carl trauen konnte.

»Sag einfach, ich bin unterwegs«, schlug ich vor. »Und dass ich noch mindestens eine Woche weg bin.«

»Stimmt das denn?«, fragte er.

»Was?«

»Dass du noch mindestens eine Woche weg bist?«

»Ich weiß nicht«, sagte ich. »Kämst du so lange klar?«

»Ich käme auch ganz ohne dich klar«, sagte er, und ich war mir nicht sicher, ob er damit Vertrauen in die eigenen Fähigkeiten bekundete oder meine Kompetenz abwertete.

»Dann gehe ich mal davon aus, dass im Restaurant alles in Ordnung ist«, sagte ich.

»Selbstverständlich.«

»Ich melde mich am Montag wieder«, sagte ich.

»Okay«, sagte er. »Aber wo bist du denn nun? Mir hast du gesagt, du wolltest zu deiner Mutter, aber wieso wollte sie dich dann am Telefon sprechen?«

»Besser, du weißt von nichts«, antwortete ich einigermaßen theatralisch, was seinen Argwohn sicher noch verstärkte.

»Wenn du meinst.« Er hörte sich ein wenig beleidigt an.

»Denk aber an sie. Sie scheint großen Wert darauf zu legen, dass du mit ihr sprichst.«

»Gut, mach ich«, sagte ich und legte auf.

Meine Mutter war nicht zu Hause. Das wusste ich, weil ich ihr am Abend vor meiner Abreise gesagt hatte, sie solle fürs Erste zu einer Kusine nach Devon fahren, und das brauchte man ihr nicht zweimal zu sagen, denn sie war gerne dort. Außerdem hatte ich ihr gesagt, sie solle mich nicht anrufen, da ich verreist sei. Aber sie rief mich sowieso fast nie an; immer war ich es, der anrief.

Ich rief die Kusine meiner Mutter vom Zimmeranschluss aus in Torquay an. Sie meldete sich beim zweiten Klingeln.

»Tag, Max« sagte sie mit ihrer gewohnt tiefen Stimme. »Du willst sicher Diane sprechen.« Diane war meine Mutter.

»Einen Moment.« Sie legte den Hörer hin, und ich hörte sie nach meiner Mutter rufen.

»Hallo, Schatz«, sagte meine Mutter. »Ich amüsiere mich prächtig. Es ist ja so schön hier.« Sie hatte immer schon nach Torquay ziehen wollen, war aber letztlich nicht dazu gekommen. Meine Mutter kam selten zu irgendwas.

»Hallo, Mum«, sagte ich. »Hast du bei mir im Restaurant angerufen?«

»Nein«, antwortete sie. Ich hatte es mir gedacht. »Hätte ich das tun sollen?«

»Natürlich nicht. Ich ruf nur an, um zu hören, ob's dir gutgeht.«

»Aber ja, Schatz«, sagte sie. »Hier ist alles bestens. Janet hat mich eingeladen, noch eine Woche zu bleiben.« Gute alte Janet, dachte ich. Janet war die Kusine meiner Mutter.

»Schön, Mum«, sagte ich. »Lass es dir gutgehn. Ich ruf in ein paar Tagen noch mal an.«

»Tschüs, Schatz«, flötete sie und legte auf.

Ich streckte mich auf dem Bett aus und fragte mich, wer sich Carl gegenüber als meine Mutter ausgegeben hatte.

Auf dem Handy rief ich meinen Bruder an. Toby und ich redeten kaum je miteinander, aber das lag nicht an irgendwelchen Feindseligkeiten; wir hatten einfach als Kinder schon keine enge Beziehung gehabt.

»Hallo«, sagte er. »Seltenes Vergnügen.«

»Ja«, sagte ich. »Wie geht's Sally und den Kindern?«

»Danke, gut. Die Kinder werden immer größer.« Das sollte vermutlich kein Wink mit dem Zaunpfahl sein, mich mehr um meine zwei Neffen und die Nichte zu kümmern. Wir wussten beide, dass seine Frau Sally und ich uns aus unerfindlichen Gründen nicht besonders leiden konnten. Ihm und mir genügte es, wenn wir uns hin und wieder mal sahen –

meistens in Newmarket, wenn er wegen der Vollblutauktionen allein dort war.

»Mum ist in Torquay«, sagte ich.

»Hab ich gehört.«

»Sie bleibt mindestens noch eine Woche da.«

»Danke fürs Bescheidsagen«, sagte er. Ich wusste, dass er ziemlich oft bei ihr reinschaute. Er wohnte im alten Haus meines Vaters, neben dem Trainingsstall, und unsere Mutter wohnte nicht weit von dort in einem Cottage.

»Toby«, sagte ich, »kann ich nächste Woche mal vorbeikommen?«

»Klar«, sagte er. »Wann?«

»Weiß noch nicht genau«, sagte ich. »Montag wahrscheinlich. Oder Dienstag.«

»Gut«, sagte er.

»Kann ich über Nacht bleiben?«, fragte ich ihn.

Es war einen Moment still, bevor er antwortete. »Ist alles in Ordnung?«

»Mein Haus ist abgebrannt.«

»Ach du lieber Gott. Das tut mir leid, Max.«

»Ich glaube nicht, dass es ein Unfall war«, sagte ich.

Wieder war es still, nur diesmal länger. »Heißt das, ich soll dir helfen?«

»Ja, aber nicht finanziell.«

»Gut.« Er hörte sich erleichtert an. »Komm, wann du willst, und bleib, solange du willst. Ich regle das mit Sally.«

»Danke«, sagte ich. »Kann ich jemanden mitbringen?«

»Eine Frau?«, fragte er. Er kannte mich besser, als ich dachte.

»Ja.«

»Ein Zimmer oder zwei?«

»Eins«, sagte ich.

»Okay«, meinte er belustigt. »Ruf mich an, wenn du weißt, wann ihr kommt.«

»Danke«, sagte ich noch einmal von Herzen.

Caroline und ich flogen Sonntagnacht zurück nach London, ärgerlicherweise aber mit zwei verschiedenen Maschinen. Obwohl ich als Erster auf der Warteliste stand, konnte ich für den Flug des Orchesters keinen Platz bekommen und folgte ihnen rund fünfzig Minuten später in den blauen Abendhimmel von Illinois. Die Fluggesellschaft hatte Mitleid mit meinem verletzten Handgelenk gehabt und mich so gesetzt, dass der Platz zu meiner Rechten frei war und ich den Arm auf einen Berg von flugerprobten Kissen und Decken betten konnte. Trotzdem schlief ich nur zeitweise und war froh, als wir pünktlich Montagfrüh um sieben sanft in Heathrow landeten.

Caroline erwartete mich direkt hinter der Passkontrolle, auf einer Bank neben der in ihrem maßgefertigten schwarzen Kasten verstauten Viola. Es war zwar keine Stradivari, aber dennoch viel zu wertvoll, als dass ihr zugemutet worden wäre, den Atlantik im Frachtraum eines Flugzeugs zu überqueren.

»Wie geht's jetzt weiter?«, fragte sie, als ich mich neben sie setzte.

»Was meinst du damit?«, sagte ich.

»Meinst du, wir können unbesorgt zu mir fahren?«

»Wann musst du denn wieder beim Orchester sein?«

»Mittwochmittag«, sagte sie. »Bis zu den Proben für die

Konzerte am Mittwoch und Donnerstag in der Cadogan Hall haben wir jetzt erst mal ein paar Tage frei. Aber ich muss auch für mich privat noch Vorbereitungen treffen.«

»Wir können ein paar Tage bei meinem Bruder wohnen«, sagte ich.

»Ach ja? Und wo wohnt dein Bruder?«

»In East Hendred«, sagte ich. »Das ist bei Didcot in Oxfordshire.«

Da ich mein Handy vorerst nicht benutzen wollte, rief ich Toby vom Kartentelefon in der Gepäckhalle aus an und sagte ihm, dass wir heute kämen.

»Sind wir da sicher?«, fragte Caroline.

»Ich weiß es nicht.« Außerdem machte mir zu schaffen, dass es auch für die Familie meines Bruders vielleicht nicht ganz ungefährlich war. Doch ich musste es darauf ankommen lassen.

»Ich weiß nicht, ob es überhaupt irgendwo ganz sicher ist«, sagte ich ihr. » Aber ich kann mich nicht ewig verstecken. Ich muss herausfinden, warum Komarov mich umbringen will.«

»Wenn du überzeugt bist, dass er dahintersteckt, wäre es dann nicht an der Zeit, zur Polizei zu gehen?«

»Mach ich auch«, sagte ich. »Ich rede nur noch mit meinem Bruder und zeige ihm die Metallkugel. Dann gehe ich zur Polizei.«

So kam es, dass ich von dem Kartentelefon aus nicht als Nächstes unseren Freund und Helfer anrief, sondern Bernard Sims, meinen lachfreudigen Anwalt.

Wir holten erst unser Gepäck ab und dann den gemieteten Ford Mondeo, den ich vergangenen Mittwoch auf dem Parkplatz des Flughafenhotels abgestellt hatte. Dank der Automatik ließ er sich relativ leicht mit einer Hand fahren, und so reihten wir uns in den zähen Stoßverkehr auf der M4 nach London ein. Caroline wollte unbedingt, dass wir bei ihr vorbeifuhren, damit sie ein paar frische Sachen zum Anziehen einpacken konnte, auch wenn ich davon wenig begeistert war, da East Hendred in der entgegengesetzten Richtung lag. Ich selbst hatte nichts Frisches zum Anziehen. Außer den paar Sachen, die noch bei Carl lagen, waren alle Kleider, die ich besaß, in meinem Koffer.

»Ich muss einfach nach Hause«, sagte Caroline. »Außerdem brauche ich ein paar neue Saiten für meine Viola. Ich habe nur noch zwei.«

»Können wir nicht welche kaufen?«, fragte ich.

Als Antwort legte sie den Kopf schräg und sah mich schmollend an.

»Schon gut«, sagte ich. »Fahren wir bei dir vorbei.«

Also fuhren wir nach Fulham, aber ich bestand darauf, mindestens dreimal die Tamworth Street rauf und runter zu fahren, um zu sehen, ob jemand von einem parkenden Wagen aus ihre Wohnung beobachtete. Da wir beide niemanden ausmachen konnten, hielt ich an der Ecke, und Caroline ging in ihre Wohnung, während ich mit laufendem Motor draußen Wache stand. Niemand kam, und es war nichts zu hören, aber mir war trotzdem unbehaglich.

Als ich das Gefühl bekam, Caroline bleibe reichlich lange weg, tauchte sie plötzlich wieder auf und kam zum Wagen gestürzt. Im Einsteigen warf sie eine Reisetasche auf den Rücksitz. Ihre Bewegungen konnten nicht hastiger sein.

»Fahr!«, sagte sie und schlug die Tür zu. Schon brausten wir los. »Jemand war in meiner Wohnung«, fügte sie an.

»Woher weißt du das?«, fragte ich.

»Mir fiel was auf, als ich reinkam.« Sie wandte den Kopf, um zu sehen, ob wir verfolgt wurden. »Ein schmutziger Schuhabdruck auf einem der Briefe auf der Matte unter meinem Briefeinwurf. Ich sagte mir, ich sei paranoid. Der Schuhabdruck konnte schon auf dem Brief gewesen sein, bevor er eingeworfen wurde. Aber ich bin mir auch sicher, dass jemand bei mir im Bad war, an meinem Arzneischrank.«

»Wieso?«, fragte ich.

»Mein Badezimmerschrank ist so vollgestopft, dass einem praktisch alles entgegenfällt, wenn man ihn aufmacht. Man muss den Bogen raushaben, damit es gutgeht, und jemand kannte den Dreh nicht. Jetzt steht alles ein bisschen anders drin.«

»Bestimmt?«

»Ganz bestimmt«, sagte sie. »Glaub mir, ich weiß genau, was in meinem Badezimmerschrank steht und wo. Ich wollte mir Aspirin holen, und alles war definitiv umgestellt. Nur ein bisschen zwar, aber eindeutig.« Sie blickte sich noch einmal um. »Max, ich hab Angst.«

Das hatte ich auch. »Sachte«, sagte ich, um einen ruhigen Ton bemüht. »Jetzt ist niemand da, und niemand folgt uns.« Wiederholt blickte ich in den Rückspiegel und überzeugte mich davon. Wir bogen in eine andere ruhige Wohnblockstraße ab, und ich hielt an. Wir schauten hinter uns. Nichts rührte sich. Wir warteten, aber niemand kam hinter uns her.

»Warum war jemand in meiner Wohnung?«, fragte sie. »Und wie ist er reingekommen?«

»Vielleicht wollte jemand rauskriegen, wann du wiederkommst.«

»Wie das denn?«

»Ich weiß nicht«, sagte ich. »Vielleicht haben sie was deponiert, das ihnen darüber Aufschluss gibt.« James Bond ließ grüßen. Das war alles sehr unwahrscheinlich, aber warum sonst sollte jemand in der Wohnung gewesen sein?

Wir verließen London in Richtung Westen und fuhren wieder auf die M4. Ich hielt an der Tankstelle in Heston, und Caroline rief per Kartentelefon ihre Nachbarin von oben an, während ich im Wagen wartete.

»Sie kamen angeblich im Auftrag des Vermieters«, sagte Caroline, als sie wieder einstieg. »Wegen einer undichten Wasserleitung oder so. Mrs. Stack, das ist die Frau von oben, sagt, sie hat sie reingelassen, aber immerhin auch an der Tür gewartet, während sie Küche und Bad kontrolliert haben. Sie waren zu zweit. Gut gekleidete Männer, eher jung, sagt sie, aber sie ist halb blind und findet jeden unter fünfundsiebzig eher jung. Bei mir meint sie anscheinend, ich geh noch zur Schule. Fragt mich immer, wie es Mami und Papi geht.« Sie verdrehte die Augen.

»Woher die wohl wussten, dass sie einen Schlüssel hat«, sagte ich.

»Das habe ich sie gefragt«, antwortete Caroline. »Anscheinend wussten sie's nicht. Sie haben bei ihr angeklopft und gefragt, ob sie weiß, wo ich bin. Sie hat gegengefragt, warum sie das wissen wollten, und daraufhin haben sie von dem möglichen Wasserleitungsschaden in meiner Wohnung erzählt. Deshalb sagte sie dann, sie hätte einen Schlüssel. Bei ihr haben sie sich aber offenbar nicht weiter umgesehen.«

»Dann gehen wir mal davon aus, dass einer von ihnen Mr. Komarov war, oder wenn nicht, dass er zumindest die beiden geschickt hat«, sagte ich. »Wenn er persönlich dabei war, wer mag der andere gewesen sein?«

Als wir East Hendred erreichten, hatte ich wieder starke Schmerzen im Handgelenk und konnte vor Müdigkeit kaum noch die Augen offenhalten. Auf dem Motorway hatte ich die Wagen hinter uns fast genauso im Auge behalten wie diejenigen vor uns, und Caroline war allen guten Vorsätzen zum Trotz eingeschlafen. Auf der ganzen Strecke hatte ich abwechselnd das Tempo erhöht und verlangsamt, und in Reading war ich sogar vom Motorway runter und zweimal um den Kreisel am Kreuz 11 gefahren, um sicherzustellen, dass uns niemand folgte.

Kurz vor East Hendred weckte ich Caroline, und Toby kam zu uns heraus, als er den Wagen auf der kiesbestreuten Einfahrt vor dem Haus hörte. Für mich war es immer wieder ein eigenartiges Erlebnis, hierher zum Haus meiner Kindheit zu kommen und nicht meine Eltern, sondern meinen Bruder und seine Familie vorzufinden. Vielleicht war auch das ein Grund, warum Toby und ich uns so selten sahen.

»Toby«, sagte ich im Aussteigen, »darf ich dir Caroline vorstellen? Caroline Aston.«

Sie gaben sich die Hand. »Ihr seht euch sehr ähnlich«, meinte Caroline, vom einen zum anderen blickend.

»Gar nicht wahr«, sagte ich mit gespielter Empörung. »Er ist viel älter als ich.«

»Und distinguierter«, sagte Toby lachend. Er legte mir die Hand auf die Schulter. »Komm rein, Brüderchen.«

Netter hatten wir uns seit Jahren nicht begrüßt.

Ich trat durch die altvertraute Haustür, und Sally empfing

mich in der Diele. Wir küssten uns auf die Wange. Reine Höflichkeit.

»Sally«, sagte ich, »schön, dich zu sehen. Das ist Caroline.«
Sie lächelten sich an, und Sally mit ihren untadeligen Manieren beugte sich zu einem Kuss vor.

»Max«, sagte sie. »Wie reizend.« Ich wusste nicht, ob sie damit meinte, es sei reizend, mich zu sehen, oder Caroline sei reizend. Es kümmerte mich auch nicht weiter; Hauptsache, wir zankten uns nicht. »Das mit deinem Haus tut mir leid«, sagte sie beinah aufrichtig. »Das mit deinem Arm auch.« Sie blickte auf den Verband, der aus der Manschette meines Hemds hervorschaute. Ich lächelte ein Dankeschön. Am Telefon hatte ich Toby von dem gebrochenen Handgelenk erzählt, aber nicht, wie es dazu gekommen war.

»Wo sind die Kinder?«, fragte ich und schaute mich um.

»Na, in der Schule«, sagte Sally. »Philippa, unsere Jüngste, ist inzwischen sechs.«

»Ach so.« Ich war wirklich schon lange nicht mehr da gewesen. Bei meinem letzten Besuch hatte die Nichte gerade laufen gelernt.

Toby unterbrach die verlegene Stille. »Ihr zwei möchtet euch bestimmt erst mal ein paar Stunden aufs Ohr legen.« Ich hatte ihm am Telefon erklärt, dass wir auf dem Flug kaum geschlafen hatten.

»Danke«, sagte Caroline. »Das wäre nett.«
Auf dem Weg nach oben warf ich einen Blick in das Zimmer, das achtzehn Jahre lang meins gewesen war. Es schien sich nicht sehr verändert zu haben. Mein ältester Neffe bewohnte es jetzt, wie aus dem angeschraubten Türschild JACKS ZIMMER hervorging. Sein Bett stand an der gleichen Stelle

wie meins früher, und die Kommode in der Ecke war dieselbe, in der so lange meine Kleider gelegen hatten. Es über-
kam mich Sehnsucht nach meiner Kindheit, nach den unbe-
schwerten Jahren in diesem Haus, nach der Gewissheit der
Jugendzeit, dass nie etwas Schlimmes passieren kann. Eine
Utopie, die nur so lange Bestand gehabt hatte, bis ein Lastwagen voller Steine den Zauberbann brach.

Caroline und ich gingen im Gästezimmer zu Bett und
schliefen sofort ein.

Ich schlief mit Unterbrechungen gut zwei Stunden, ehe der
unbequeme Gipsverband mich endgültig weckte. Leise zog
ich mich an, ließ Caroline friedlich weiterschlummern und
ging auf Socken nach unten. Toby war in seinem Büro neben
dem Flur. Ich blieb still an der Tür stehen und sah zu,
wie er den Rennkalender studierte, den auch mein Vater
sich jahraus, jahrein angesehen hatte, ohne jemals einen Tag
auszulassen. Der Rennkalender war die Bibel der Trainer,
aus der sich alles ersehen ließ, was sie über bevorstehende
Rennen wissen mussten, um zu entscheiden, wo sie welches
Pferd laufen lassen sollten. Zu meines Vaters Zeiten war es
eine wöchentlich erscheinende, großformatige Drucksache
auf gelbem Papier gewesen, die er auf dem Schreibtisch aus-
breitete und sich stundenlang ansah. Toby saß jetzt vor einem kleinen Heft mit blauer Schrift auf weißem Papier, das
aber die gleiche Funktion erfüllte wie die alte Zeitungs-
version.

Mit dem Computerzeitalter waren zweifellos auch die
Tage des Heftchenformats gezählt.

»Hallo«, sagte Toby und sah mich an. »Gut geschlafen?«

»Geht so.« Ich hielt den Gipsarm hoch. »Einfach zu unbequem.«

»Wie ist denn das passiert?«, fragte er, die Augen wieder auf dem Kalender.

»Ich bin nicht schnell genug weggekommen«, sagte ich.

»Weg wovon?«, fragte er, ohne aufzuschauen.

»Von einem Poloschläger.«

Er warf mir einen Blick zu. »Ich wusste gar nicht, dass du Polo spielst.«

»Spiel ich auch nicht«, sagte ich trocken.

»Und wie…« Er brach ab und lehnte sich auf seinem Stuhl zurück. »Willst du damit sagen, das war Absicht? Jemand hat dir absichtlich den Arm gebrochen?« Er machte ein ziemlich entsetztes Gesicht.

»Ich glaube nicht, dass sie's beim Arm belassen hätten, wenn ich nicht geflohen wäre.«

»Aber das ist ja furchtbar«, sagte er. »Hast du das der Polizei erzählt?«

»Noch nicht.«

»Und wieso nicht, um Gottes willen?«, fragte er. Eine gute Frage, dachte ich. Warum überließ ich nicht einfach alles der Polizei? Weil ich große Angst hatte, wenn ich das täte, könnte ich tot sein, bevor sie herausfanden, wer mir nach dem Leben trachtete. Aber so aus dem Zusammenhang gerissen konnte ich das Toby schlecht sagen, oder?

»Lass mich dir das alles erklären, ich brauche nämlich deine Hilfe«, sagte ich. »Ich bin auf dein Pferdewissen angewiesen. Natürlich habe ich selbst was davon abbekommen, weil ich hier aufgewachsen bin, aber du hast zehnmal mehr Ahnung von Pferden als ich, und ich glaube, dieses

Fachwissen brauche ich jetzt. Deshalb bin ich hergekommen.«

»Erzähl mal«, sagte er. Er verschränkte die Hände hinter dem Nacken und testete die Kippfähigkeit seines Drehstuhls bis zum Äußersten.

»Noch nicht. Caroline soll auch dabei sein. Und ich hoffe, es macht dir nichts aus, aber ich habe für heute Nachmittag einen Rechtsanwalt herbestellt, der sich das ebenfalls anhören soll.«

»Einen Anwalt?«, sagte er langsam. »Es ist also ernst?«

»Allerdings«, sagte ich. »Ich habe noch nie etwas so ernst genommen.« Und Toby wusste, dass ich, zumal seit dem Tod meines Vaters, immer alles ernst nahm. Seltsamerweise hatte er sich schon oft darüber geärgert.

»Okay.« Er sah mir prüfend ins Gesicht. »Wann kommt denn dieser Anwalt?«

»Er will versuchen, um vier hier zu sein«, sagte ich. »Er kommt aus London.« Auf einmal hatte ich Bedenken, ob das so eine gute Idee gewesen war. Ein Anwalt könnte Toby misstrauisch machen. Er hatte sich wegen der Bestimmungen im Testament meines Vaters lange Zeit heftig mit Anwälten herumgeschlagen. Er war nicht gut auf sie zu sprechen. Andererseits hatte er noch nie einen Anwalt wie Bernard Sims kennengelernt. Ich kannte ihn ja selbst noch nicht persönlich. Das Vergnügen stand uns allen noch bevor.

Bernard erfüllte alle Erwartungen, die ich in ihn gesetzt hatte. Er war dick, leutselig, mit einer schwarzen Wuschelmähne und einem übergroßen zweireihigen Nadelstreifenanzug, der sich mühte, das Ganze zusammenzuhalten.

»Max«, sagte er überschwenglich, als ich ihn auf der Einfahrt empfing. Er trat mit ausgestreckter Hand auf mich zu, einer Hand, die weit mehr als die übliche Anzahl von Fingern zu haben schien. Vielleicht kam es mir aber auch nur so vor, weil alle Finger doppelt so dick waren wie meine. Ich hielt den Gipsverband hoch und verweigerte den Händedruck.

»Wie haben Sie das denn angestellt?«, fragte er.

»Erzähl ich Ihnen später. Kommen Sie rein.«

»Ist sie auch hier?«, fragte er halblaut, beinah verschwörerisch.

»Wer denn?«, fragte ich unschuldig. Was für ein lustiges Spielchen.

»Die Bratschistin natürlich.«

»Kann schon sein«, sagte ich und konnte mir ein Schmunzeln nicht verkneifen.

»Ah, gut.« Er rieb sich die Hände. Dann stockte er. »Und schlecht.«

»Wieso schlecht?«, fragte ich.

»Ich bin mir nicht sicher, ob ich sie privat kennenlernen sollte. Das könnte zu einem Interessenkonflikt in der Vergiftungssache führen.«

»Zum Teufel mit der Vergiftungssache«, erwiderte ich. »Und außerdem handelt es sich keineswegs um einen Privatbesuch.«

»Nein«, sagte er. »Aber was weiß ich? Sie haben mir ja nicht verraten, warum ich unbedingt heute Nachmittag hierherkommen sollte.«

»Kommt noch. Kommt noch«, sagte ich. »Alles zu seiner Zeit.«

»Eine Sache auf Leben und Tod, sagten Sie.«

»Genau«, antwortete ich ernst. »Auf mein Leben und meinen Tod.«

18

Um halb fünf versammelten wir uns alle in Toby und Sallys Salon wie die Figuren in einem Agatha-Christie-Roman, mit mir in der Rolle des Hercule Poirot, nur dass ich im Unterschied zu ihm nicht alle Antworten kannte, nicht genau wusste, wer die Täter waren, und in vieler Hinsicht nicht mal ahnte, was sie überhaupt getan hatten.

Wir waren zu fünft im Zimmer. Ich hatte angenommen, Sally müsse sich um die Kinder kümmern, aber die waren nach der Schule alle drei zum Nachmittagstee zu ihrer Tante, Sallys Schwester, gefahren. Toby und Sally setzten sich aufs Sofa, Caroline und Bernard nahmen links und rechts von ihnen auf Sesseln Platz. Ich stellte mich an den Kamin. Jetzt noch ein kleiner Schnurrbart und ein belgischer Akzent, dachte ich, dann wäre das Bild perfekt.

Nachdem ich Bernard bei einer früheren Gelegenheit mit dem Ausschluss aus der Anwaltskammer gedroht hatte, wenn er sich danebenbenähme, war er diesmal, man konnte es nicht anders sagen, die Wohlanständigkeit in Person. Selbst als ich ihn Caroline vorstellte, war keine abfällige Bemerkung über seine Lippen gekommen. Ganz im Gegenteil. Er hatte eine ungewohnte Herzlichkeit an den Tag gelegt, ohne sich über fallengelassene Hüllen und Klagen auszulassen.

Nun saßen sie alle vier vor mir und warteten gespannt darauf, in die Zusammenhänge eingeweiht zu werden. Ich würde sie enttäuschen müssen.

»Danke, dass ihr alle hier seid«, sagte ich als Einleitung. »Und euch, Toby und Sally, vielen Dank, dass Caroline und ich bei euch wohnen dürfen. Ihnen, Bernard, vielen Dank, dass Sie extra von London hierhergekommen sind.«

»Nun mach schon«, sagte Toby ein wenig ungeduldig. Und er hatte recht. Ich druckste herum, weil ich nicht recht wusste, wie oder womit ich beginnen sollte. Alle lachten, und das hob die Stimmung.

»Entschuldigung«, sagte ich. »Ich weiß nicht so recht, wo ich anfangen soll.«

»Am Anfang vielleicht«, schlug Caroline vor.

»Okay«, sagte ich und holte tief Luft. »Am Abend vor dem 2000 Guineas richtete ich im Auftrag des Rennbahnrestaurants ein Galadiner auf der Rennbahn von Newmarket aus. Da mein ganzes Personal mit von der Partie war, blieb mein Restaurant an dem Abend geschlossen. Es war auch noch anderes, von einer Catering-Agentur gestelltes Personal da, aber ich war für die Beschaffung und Zubereitung des Essens verantwortlich.«

Ich lächelte Caroline an. »Caroline nahm als Mitglied eines Streichquartetts auch an dem Diner teil.« Sie erwiderte mein Lächeln. »Tja«, fuhr ich fort, »fast alle, die an dem Abend dort waren, erlitten eine Lebensmittelvergiftung. Auch ich, auch Caroline und die meisten meiner Mitarbeiter. Einer musste sogar ins Krankenhaus. Aus Untersuchungen ging hervor, dass unzureichend gekochte Kidneybohnen die Vergiftung verursacht hatten.« Ich schwieg. »Nun weiß jeder

Kochkundige, dass ungare Kidneybohnen es in sich haben, wenn mir auch nicht klar war, dass eine einzige Bohne pro Person schon ausreicht, um heftigstes Erbrechen hervorzurufen, und damit hatten wir alle zu tun. Dabei hätten in dem Essen gar keine Kidneybohnen sein dürfen. Ich habe es aus frischen Zutaten zubereitet, und Kidneybohnen gehörten nicht dazu. Da die Untersuchungsergebnisse aber eindeutig waren, muss jemand anderes sie hinzugefügt haben.«

»Soll das heißen, absichtlich?«, fragte Bernard.

»Ja«, sagte ich. »Man kann nicht versehentlich so viele Kidneybohnen in ein Essen geben, dass mehr als zweihundert Personen davon schlecht wird. Und die Bohnen müssen gemahlen oder fein zerhackt worden sein, sonst hätte man sie in der Sauce gesehen, denn in der waren sie vermutlich.«

»Aber warum macht jemand so was?«, sagte Toby.

»Gute Frage«, sagte ich. »Seit Tagen suche ich vergebens eine Antwort darauf.« Ich sah in die Gesichter vor mir, und niemand bot eine Erklärung. Ich hatte auch keine erwartet. »Weiter im Text. Am nächsten Tag fungierte ich wieder als Gastkoch, diesmal in der Loge des Sponsors auf der Rennbahn. Was da passiert ist, wissen wir alle, und ich hatte unerhörtes Glück, dass ich nicht ums Leben gekommen bin wie die neunzehn anderen, darunter eine junge Kellnerin aus meinem Restaurant.« Wieder schwieg ich, weil ich an Louisas Beerdigung denken musste, an den Verlustschmerz ihrer Eltern und Freunde, an meine krampfhaft zusammengebissenen Zähne. Ich holte ein paar Mal tief Luft und schilderte kurz, was ich an dem Tag in der Loge erlebt hatte, ohne auf die grausigen Einzelheiten allzu sehr einzugehen. Ich hätte das alles auslassen können, aber ich wollte ihnen wohl einen kleinen Schock versetzen. Sie sollten sich darüber im Klaren sein, was Menschen einander antun können. Denn nachher sollten sie mir abnehmen, dass mein Leben – und vielleicht auch das ihre – wirklich in Gefahr war.

»Mir war nicht klar, dass du da so nah dran warst«, sagte Toby. »Mum hat zwar erzählt, du seist auf der Rennbahn gewesen, aber sonst …« Er sprach nicht zu Ende. Ich hatte wohl mit Erfolg das Bild heraufbeschworen, um das es mir ging.

»Wie schrecklich«, sagte Sally schaudernd. »Mehr will ich davon nicht hören.«

»Ich würde auch gern kein einziges Mal mehr in kaltem Schweiß gebadet aufwachen, weil ich wieder davon geträumt habe«, gab ich einigermaßen heftig zurück. »Aber der Traum wird wiederkommen. Und er wird wiederkommen, weil es wirklich passiert ist, weil es vor meinen Augen mit Menschen passiert ist, die ich gekannt habe.« Sally sah entgeistert aus.

»In den Zeitungen stand, die Bombe war für einen arabischen Prinzen bestimmt«, sagte Bernard und zog uns etwas weg vom Abgrund. »Was hat das also mit dem Abendessen zu tun?« Er war den anderen einen Schritt voraus.

»Und wenn die Bombe nun nicht für den Prinzen gedacht war, sondern tatsächlich für diejenigen, die sie erwischt hat?«, sagte ich. »Und wenn das Gift im Essen jemanden davon abhalten sollte, am nächsten Tag zum Pferderennen zu gehen, damit ihn die Bombe nicht zerreißt?«

»Aber wenn jemand wusste, dass eine Bombe gelegt wird, konnte er dem Lunch doch einfach fernbleiben«, sagte Bernard. »Warum mussten dann am Abend vorher erst alle vergiftet werden?«

»Ich weiß es nicht«, sagte ich beinah wütend. Nicht auf ihn, sondern auf mich selbst war ich wütend, weil ich es nicht wusste. Bernard konnte ich gar nicht böse sein. Genau deshalb hatte ich ihn ja gebeten zu kommen. Ich wusste, er würde skeptisch sein und mir widersprechen. Darauf kam es mir an.

»Aber fest steht«, sagte ich, »als ich anfing darüber zu reden und mich zu erkundigen, wer zu dem Lunch geladen war und dann nicht daran teilnahm, hat jemand versucht, mich umzubringen.«

»Wie denn?«, fragte Bernard in die Stille hinein.

»Die Bremsen meines Wagens wurden manipuliert, so dass ich mit einem Bus zusammenstieß.«

»Das ist aber, mit Verlaub, etwas unsicher«, meinte er. »Nicht die beste Mordmethode.«

»Es sollte wie ein Unfall aussehen«, sagte ich.

»Sind Sie ganz sicher, dass es keiner war?«, fragte er.

»Nein«, gab ich zu. »Eine Zeitlang dachte ich, ich litte nur an Verfolgungswahn. Ich konnte mir nicht vorstellen, warum mir jemand nach dem Leben trachten sollte. Aber dann wurde mir das Haus über dem Kopf angezündet. Und das war ganz bestimmt ein Anschlag auf mein Leben.«

»Geht die Feuerwehr von Brandstiftung aus?«, fragte Bernard.

»Nicht, dass ich wüsste«, sagte ich, »aber ich weiß, dass es Brandstiftung war.«

»Wieso?«, fragte er.

»Weil jemand bei mir eingedrungen ist und die Batterie aus dem Rauchmelder genommen hat, bevor das Haus angezündet wurde. Und das Feuer wurde am Fuß meiner alten

Holztreppe gelegt, um mich am Entkommen zu hindern.«
Ich sah die Flammen noch vor mir, die das Treppenhaus her-
aufschossen und mir den Fluchtweg abschnitten. »Nur weil
ich Glück hatte und mit ein paar gezielten Nachttischschlä-
gen mein Schlafzimmerfenster aus der Wand hauen konnte,
bin ich heute hier. Und weil ich nicht wusste, wie lange mein
Glück hält, bin ich in die Staaten geflüchtet.«

»Du läufst doch sonst nicht weg«, meinte Toby. Das überraschte und freute mich. Weglaufen war tatsächlich nicht
meine Art, aber ich hätte nicht gedacht, dass er das wusste,
geschweige denn, dass er es sagen würde.

»Nein«, sagte ich, »aber ich hatte Angst. Habe ich immer
noch. Und wenn ich mir anschaue, was in den Staaten passiert
ist, habe ich auch allen Grund dazu.«

»Was ist denn passiert?«, fragte Sally.

»Jemand hat mir mit einem Poloschläger den Arm gebrochen«, antwortete ich.

»Was? Etwa mit Absicht?«, fragte Sally.

»Das kann man wohl sagen.« Ich erzählte ihnen von dem
Irren mit dem Schläger und wie er den Mietwagen ramponiert
hatte.

»Aber warum?«, fragte Bernard.

Statt zu antworten, nahm ich die glänzende Metallkugel
aus der Tasche und warf sie Toby zu.

»Was ist das?«, fragte Sally.

»Ich weiß es nicht«, sagte ich. »Ich hatte gehofft, das könnte mir einer von euch sagen. Jedenfalls ist es wichtig. Nicht
zuletzt, weil ich so eine Kugel hatte, ist mir der Arm gebrochen worden, und wenn ich nicht entkommen wäre, hätte
ich sie vielleicht noch viel teurer bezahlt.«

Bernard sah mir ins Gesicht.

»Auf Leben und Tod«, sagte er langsam, halb flüsternd.

Sie ließen die Kugel von Hand zu Hand gehen, und ich gab ihnen ein paar Minuten Zeit, sie sich in Ruhe anzusehen.

»Okay«, sagte Toby. »Ich geb's auf. Was ist das?«

»Hey«, rief Sally aus. »Die lässt sich aufschrauben. Das sind zwei Hälften.« Triumphierend hielt sie die beiden Teile hoch. Sie beugte sich vor und zeigte sie Toby. Dann schraubte sie die Kugel wieder zusammen und warf sie Bernard zu. Mit seinen Wurstfingern fiel es ihm nicht leicht, aber schließlich gelang es auch ihm, die Kugel zu öffnen.

»Und wozu ist sie gut?«, fragte Toby wieder.

»Ich weiß es wirklich nicht«, sagte ich. »Aber ich meine, dass da der Schlüssel zum Ganzen liegt.«

»Max und ich glauben, dass die Kugel ein Behälter für etwas ist«, sagte Caroline. »Sie schließt so dicht, dass wir uns gefragt haben, ob von dem Inhalt nichts entweichen darf.«

»Und es könnte etwas mit Poloponys zu tun haben«, fügte ich einen weiteren Stein zu dem Puzzle hinzu.

»Poloponys?«, fragte Bernard.

»Ja«, erwiderte ich. »Es könnte mit der Einfuhr von Poloponys zu tun haben.«

»Von wo?«, fragte Toby.

»Aus Südamerika hauptsächlich«, sagte ich in Erinnerung an das, was uns Dorothy Schumann mitgeteilt hatte. »Argentinien, Uruguay und Kolumbien.«

»Drogen?«, sagte Sally. »In Kolumbien gibt es Unmengen Kokain. Ob sich damit Rauschgift transportieren lässt?«

Alle betrachteten die Kugel noch einmal, als müsse sie bei genauerem Hinsehen die Antwort preisgeben.

»Wie mit Kondomen«, sagte ich.

»Was?«, fragte Bernard.

»Kondome«, wiederholte ich. »Ihr habt doch bestimmt schon davon gehört, dass Leute Rauschgift in Kondomen durch den Zoll schleusen. Sie binden sie oben zusammen und verschlucken die mit Rauschgift gefüllten Kondome. Dann fliegen sie nach England oder sonst wohin, warten darauf, dass die Natur ihren Lauf nimmt, und simsalabim haben sie Kondome voller Rauschgift.«

»Mulis«, sagte Caroline. »Mulis nennt man diese Leute. Viele Frauen machen das von Jamaika oder Nigeria aus. Des Geldes wegen.«

»Hört sich für mich ziemlich gefährlich an«, sagte Toby. »Können die Kondome nicht platzen?«

»Anscheinend nicht«, sagte Caroline. »Ich habe einen Fernsehbericht darüber gesehen. Manche werden erwischt, weil der Zoll sie durchleuchtet, aber die meisten nicht. Und sie brauchen dringend Geld.«

»Wollen Sie damit sagen, solche Metallkugeln könnten mit Drogen gefüllt und runtergeschluckt werden, um das Zeug von Südamerika nach hier zu schmuggeln?«, fragte Bernard. Er hielt sich die Kugel an den Mund. Sie passte vielleicht gerade so rein, aber sein Gesichtsausdruck besagte, dass sie damit noch lange nicht geschluckt wäre.

»Nicht von Menschen, Sie Dummkopf.« Ich lachte ihn aus. »Von Pferden.«

»Könnte ein Pferd wirklich etwas so Großes schlucken?«, fragte er wieder ernst.

»Ohne weiteres«, sagte Toby. »Die können einen ganzen Apfel verschlucken. Das habe ich schon gesehen. Man legt die Nasenbremse an, hält ihnen den Kopf hoch und wirft den Apfel in den Schlund. So hat man früher oft Pillen verabreicht. Apfel aushöhlen, Medizin reinstecken und runter damit. Kein Problem.«

»Was heißt denn, man legt die Nasenbremse an?«

»Die Nasenbremse ist ein Stück Holz mit einer Schlaufe aus starker Schnur am Ende«, erklärte er. »Man zieht die Oberlippe des Tiers durch die Schlaufe und dreht den Stock, bis die Schlaufe straff sitzt.«

»Das klingt ja furchtbar«, sagte Caroline und hielt sich die Oberlippe.

»Das ist es auch«, stimmte Toby zu. »Aber es funktioniert, sage ich Ihnen. Damit hält man die wildesten Pferde in Zaum. Sie halten normalerweise völlig still. Zum Beschlagen müssen wir einem unserer Pferde manchmal die Bremse anlegen. Sonst würde es den Schmied ins Jenseits treten.«

»Man könnte also ein Pferd zwingen, so ein Ding zu schlucken«, sagte ich zu ihm und zeigte auf die Kugel.

»Jederzeit, ja. Ich glaube aber nicht, dass sie jemals wieder hinten rauskäme.«

»Wieso nicht?«, sagte ich.

»Pferde ernähren sich von Gras, wir nicht«, erwiderte er.

»Was hat das damit zu tun?«, fragte Bernard.

»Gras ist sehr schwer verdaulich«, sagte Toby. »Für die menschliche Ernährung taugt es nicht, weil das bei uns alles ganz schnell durchläuft und wir die Zellulosefasern praktisch unverdaut wieder ausscheiden, also kaum Nährstoffe herausziehen. Das Verdauungssystem der Pferde verlangsamt den Vorgang so, dass die Zellulose aufgeschlossen werden kann.«

»Wie bei der Kuh?«, sagte Bernard.

»Nicht direkt«, fuhr Toby fort. »Kühe haben mehrere Mägen und sind Wiederkäuer, das heißt, sie bringen ihre Nahrung fortwährend ins Maul zurück und kauen sie von neuem. Pferde haben nur einen einzigen, relativ kleinen Magen, und wenn die Nahrung einmal unten ist, kommt sie dank eines kräftigen Ventils am Mageneingang nicht wieder hoch. Deshalb können Pferde auch nicht erbrechen. Sie schließen das Gras anders auf, und zwar über den Blinddarm. Das ist eine Art großer Sack, rund einen Meter zwanzig lang und dreißig Zentimeter breit, der als Gärapparat dient. Aber Eingang wie Ausgang des Blinddarms liegen ziemlich weit oben, und ich glaube, die Kugel würde einfach auf den Boden des Sacks fallen und dort bleiben.«

»Und dann?«, fragte ich ihn.

»Ich weiß nicht«, sagte er. »Wenn die Kugel nicht gerade oben im Blinddarm schwimmt, kommt sie wahrscheinlich nie wieder raus. Gott weiß, was dann passiert. Ich nehme an, das Pferd würde irgendwann eine schwere Kolik bekommen. Da müsstest du einen Tierarzt fragen. Ich weiß nur, dass beim Pferd, verglichen mit dem, was man vorne reintut, erstaunlich wenig hinten rauskommt, und ich halte es für äußerst unwahrscheinlich, dass die Kugel jemals mit dem Dung ausgeschieden wird. Auf alle Fälle wäre das viel zu unsicher.«

»Womit diese Theorie gestorben ist«, sagte ich. »Ich kann mir irgendwie nicht vorstellen, dass Mr. Komarov etwas dem Zufall überlässt.«

»Komarov?«, sagte Toby. »Etwa Peter Komarov?«

»Ja«, sagte ich überrascht. »Kennst du ihn?«

»Ich habe von ihm gehört«, antwortete Toby. »Er verkauft Pferde.«

»Ja«, sagte ich. »Poloponys.«

»Nicht nur Poloponys«, korrigierte er. »Er verkauft auch oft Rennpferde auf den Vollblutauktionen. Ich habe selbst schon welche von ihm gekauft. Für meine Besitzer natürlich. Ist das der Mann, von dem du meinst, er will dich umbringen?« Er hörte sich etwas skeptisch an.

»Ich glaube, er hat was damit zu tun, ja.«

»Menschenskind«, sagte er. »Ich habe ihn immer für eine Stütze des Rennsports gehalten.«

»Warum denn?«, fragte ich ihn.

»Ich weiß nicht genau. Wahrscheinlich, weil er den Sport geschäftlich vorangebracht hat. Zumindest mich hat er ein bisschen vorangebracht.«

»Wie denn?«

»Ich habe ihm etliche Pferde zu annehmbaren Preisen abgekauft«, sagte Toby. »Ein paar meiner Einzelpferdbesitzer haben sich zum Kauf eines zweiten überreden lassen. Das ist gut für die Trainingsgebühren.« Er grinste.

»Weißt du, wo die Pferde herkamen?«, fragte ich.

»Jetzt, wo du es ansprichst, glaube ich, sie kamen wirklich alle aus Argentinien. Das ist aber nichts Besonderes. Viele Rennpferde, die hier trainiert werden, stammen aus argentinischer Zucht. Wieso glaubst du, dass Komarov dahintersteckt?«

»Aus mehreren Gründen«, sagte ich. »Vor allem, weil mir, als ich seinen Namen erwähnte und jemandem so eine Kugel zeigte, kurzerhand der Arm gebrochen wurde. Außerdem waren Komarov und seine Frau zu dem Lunch in Newmarket geladen, bei dem die Bombe hochging, sind wider Erwarten aber nicht erschienen.«

»Das ist nicht gerade stichhaltig«, meinte Bernard.

»Ich weiß«, erwiderte ich. »Aber sein Name taucht immer wieder auf. Und irgendwie scheint er mit vielem, was gelaufen ist, in Verbindung zu stehen.« Ich schwieg. »Wenn ich hundertprozentig sicher wäre, dass er dahintersteckt, würde ich mit der ganzen Geschichte zur Polizei gehen, aber ich habe ein wenig Angst, sie könnten mich auslachen. Auch deshalb wollte ich erst mal sehen, was ihr davon haltet.« Ich blickte Toby, Bernard und Sally an, doch ich konnte nicht in sie hineinschauen. Dass Caroline mir glaubte, wusste ich.

»Ich finde das schon alles ein bisschen weit hergeholt«, sagte Sally. Sie wandte sich Caroline zu. »Was meinen Sie?«

»Ich weiß, dass es stimmt«, sagte Caroline voller Überzeugung. »Und ich will Ihnen auch gerne sagen, warum.« Mit einem schiefen Lächeln blickte sie zu mir. »Was Max in den vergangenen zehn Tagen zugestoßen ist, macht mir große Angst. Ich habe an dem vergifteten Abendessen teilgenommen und anschließend furchtbar gelitten, und wir alle haben die Bilder von dem Bombenanschlag gesehen und von Max gehört, wie es nach der Explosion dort zuging. Niemand kann daran zweifeln, dass das alles passiert ist.«

»Nein«, sagte Bernard. »Niemand.«

»Und ebenso ist der Wagen von Max mit dem Bus zusammengestoßen, und ebenso ist sein Haus abgebrannt.«

»Ja«, sagte Bernard. »Wir zweifeln auch nicht daran, dass das geschehen ist. Die Frage ist, ob es sich tatsächlich um Mordversuche handelt.«

»Es steht auch außer Frage«, sagte sie, »dass jemand Max mit einem Poloschläger den Arm gebrochen hat, nur weil er den Namen Komarov erwähnt hat. Ich habe den Schläger selbst gesehen.«

Bernard drehte sich nach Toby und Sally um. »Dass Max der Arm gebrochen wurde, dürfte klar sein, aber war es, weil er den Namen Komarov erwähnt oder weil er eine dieser Kugeln hatte?«

»Beides«, sagte ich. »Allerdings wurde ich mit dem Schläger schon bedroht, bevor ich ihnen die Kugel gezeigt hatte. Der Name Komarov war der Schlüssel.«

»Und«, sagte Caroline, »jemand war in meiner Wohnung, als ich in den Staaten war.«

»Wie meinen Sie das?«, fragte Bernard.

»Zwei Männer haben meiner Nachbarin einen Haufen Lügen erzählt und sie dazu gebracht, sie in meine Wohnung zu lassen. Ich weiß nicht, warum, aber wir nehmen an, sie haben etwas deponiert, das ihnen verrät, wann wir wieder da sind.«

»Woher wussten die denn, wo Sie wohnen?«, fragte Bernard.

»Vermutlich, weil man mir dahin gefolgt ist«, sagte ich.

»Und warum?«, fragte Bernard.

»Ich weiß es nicht«, erwiderte ich. »Wenn jemand an dem Abend, als ich mit Caroline essen war, die Bremsen meines Wagens manipuliert hat, brauchte er mir ja nur zu dem Restaurant zu folgen, um herauszufinden, mit wem ich verabredet war.«

»Damit wussten die aber noch nicht, wo sie wohnt«, wandte Bernard ein.

»Schon«, sagte ich. »Aber wenn sie mich mit ihr zusammen gesehen haben, können sie ihre Anschrift ja herausgefunden haben. Vielleicht sind sie ihr nach Hause gefolgt.«

»Das ist doch wohl sehr unwahrscheinlich« meinte Bernard.

»Unwahrscheinlich war auch, dass jemand auf der Rennbahn von Newmarket eine Bombe legt«, sagte ich, »trotzdem
ist es passiert.« Ich starrte Bernard an. »Und Sie haben auch
herausbekommen, wo Caroline wohnt.«

»Das ist was anderes«, meinte er.

»Wie haben Sie das überhaupt gemacht?«, fragte Caroline
vorwurfsvoll. »Und meine Telefonnummer wussten Sie auch.
Woher?«

Bernard wurde knallrot, rückte aber nicht mit der Sprache
heraus. Er brummelte etwas von Datenbanken oder Ähnli-
chem und vom Datenschutzgesetz. Wie ich vermutet hatte, war
er auf nicht ganz legale Weise an die Daten herangekommen.

»Wissen Sie denn mit Sicherheit, dass jemand in Ihrer Wohnung war?«, versuchte er uns wieder auf Kurs zu bringen.

»Hundertprozentig«, sagte sie. Sie sprach die umgestell-
ten Sachen im Badezimmerschrank an. Sally nickte. Wohl
etwas Frauentypisches, dachte ich.

Alle saßen schweigend da und verarbeiteten, was Caroline und ich ihnen gerade erzählt hatten. Aber brachte uns
das irgendwie weiter? Es gab so viele Fragen, und ich hatte
viel zu wenig Antworten.

»Sally«, sagte ich. »Könnten wir vielleicht Tee haben?«

»Natürlich«, sagte sie. Sie schien erleichtert, dass sie aufstehen und sich irgendwie betätigen konnte. Sie ging hinaus
zur Küche. Irgendwie nahm das der Versammlung etwas von
ihrer Förmlichkeit. Bernard fing an, sich bei Caroline zu
entschuldigen. Da kam ich dann doch ins Grübeln.

Toby saß da und drehte immer wieder die Kugel in den
Händen. »So gesehen …«, sagte er wie zu sich selbst. »Nein,
das ist albern.«

»Was ist albern?«, fragte ich ihn.

Er sah mich an. »Ich habe nur laut gedacht«, sagte er.

»Dann lass mich an deinen Gedanken teilhaben«, drängte ich ihn. Caroline und Bernard verstummten und blickten Toby erwartungsvoll an.

»Nein, nichts«, sagte er.

»Lass es uns trotzdem hören«, bat ich.

»Ich hab nur überlegt, ob man damit klickern könnte.«

Eine kurze Stille trat ein, als wir über seine Worte nachdachten.

»Wieso klickern, um Gottes willen?«, fragte Bernard in bester Anwaltsmanier.

»So heißt das eigentlich nicht, aber ich nenne es so«, sagte Toby.

»Was denn?«, fragte Sally, die mit einem porzellanbeladenen Tablett wieder hereinkam, wobei besonders die Schale mit den Schokoladekeksen Bernards Aufmerksamkeit erregte.

»Toby meinte gerade, dass man die Kugel zum Klickern verwenden könnte.«

»Zum Klickern?«, fragte sie und stellte das Tablett auf den Tisch.

»Ja, wie kommen Sie jetzt darauf?«, bohrte Bernard.

Toby blickte zu Caroline und wirkte ein wenig verlegen.

»›Klickern‹ heißt, man setzt einer Stute zur Trächtigkeitsvortäuschung eine große Glasmurmel in die Gebärmutter ein.«

»Warum wird das gemacht?«, fragte Caroline.

»Um der Rosse vorzubeugen«, sagte Toby.

»Pardon«, warf Bernard ein. »Ich komme nicht mehr mit.«

»Wenn man nicht will, dass eine Stute zu einer bestimmten Zeit rossig wird«, sagte Toby, »setzt man ihr durch den Gebärmutterhals ein oder zwei Murmeln in die Gebärmutter. Weil dann da schon was drin ist, meint das Tier irgendwie trächtig zu sein und bekommt keinen Eisprung, es kommt nicht in die Rosse.«

»Wieso ist denn die Rosse ein Problem?«, fragte ich.

»Nun, vielleicht möchte man, dass die Stute zu einem ganz bestimmten Zeitpunkt rossig ist, weil sie dann von einem Hengst gedeckt werden soll. In dem Fall kann man sie ein paar Wochen ausklickern, dann entfernt man die Murmeln, und im Nu ist die Stute rossig. Genau kenne ich mich damit nicht aus, da müsstest du einen Tierarzt fragen. Aber ich weiß, dass es viel praktiziert wird. So sorgt man dafür, dass Springpferde bei den großen Turnieren nicht rossig sind. Sonst werden sie leicht zickig und benehmen sich schlecht. Wie Frauen auch.« Er lachte, und Sally gab ihm einen neckischen Klaps aufs Knie.

»Oder Poloponys«, sagte ich. »Man möchte wahrscheinlich kein rossiges weibliches Polopony auf dem Platz haben, zumal wenn männliche Ponys mitspielen.«

»Jedenfalls nicht, wenn Hengste dabei sind.«

»Hengste?«, fragte Bernard, Plätzchen kauend.

»Im Gegensatz zu Wallachen«, sagte Toby. »Unkastriert eben.«

Bernard schien ein wenig zusammenzuzucken, und er drückte die Knie fest aneinander.

»Du meinst also, die Kugel ließe sich statt einer Glasmurmel verwenden?«, fragte ich.

»Ich weiß es nicht«, sagte er. »Die Größe kommt hin. Aber man müsste sie sterilisieren. Zumindest von außen.«

»Und wie viele kann man noch mal einsetzen?«, fragte ich.

»Normal nimmt man eine oder zwei, glaub ich. Es sind aber auch schon drei benutzt worden. Wenn nicht mehr. Du müsstest einen Tierarzt fragen.«

»Fallen die nicht einfach raus?«, fragte Caroline belustigt.

»Nein«, sagte Toby. »Um sie einzusetzen, muss man der Stute ein Mittel injizieren, das den Gebärmutterhals öffnet. Die Murmeln werden durch einen Schlauch eingeführt, der wie ein kurzes Plastikrohr aussieht. Nach der Injektion zieht sich der Gebärmutterhals zusammen und schließt die Kugeln ein. Kinderspiel. War ich selbst schon dabei.«

»Wie kriegt man sie denn wieder raus?«, fragte ich.

»Das habe ich noch nie gesehen«, sagte er, »aber ich denke mal, man gibt der Stute wieder eine Spritze, die den Gebärmutterhals öffnet, und die Murmeln werden von selbst ausgestoßen.«

»So eine Kugel wäre aber doch wohl nicht groß genug für den Transport von Drogen«, sagte Bernard. »Ob im Pferd oder sonstwie.«

»Ich habe mir sagen lassen, dass Peter Komarov Pferde in Jumbo Jets einfliegen lässt«, antwortete ich. »Wie viele Pferde fasst ein Jumbo?«

»Ich schau mal, ob ich das rausfinde«, sagte Toby und verließ den Salon.

»Wir gehen mal davon aus, dass jedes Pferd mindestens drei Kugeln mitbekommt«, schlug ich vor.

»Nur die weiblichen Pferde«, sagte Caroline.

»Stimmt. Aber er kann doch lauter weibliche einführen, wenn er will, oder?«

»Hängt das nicht von der Nachfrage ab?«, fragte Sally.

»Nicht, wenn Komarov die Pferde auch gehören«, sagte ich.

Toby kam wieder herein. »Laut LRT, der Spedition, die Pferde nach Gaton und Luton bringt und dort abholt, gehen bis zu achtzig Pferde in einen Jumbo Jet.«

»Puh«, sagte ich. »Das ist ja eine Menge Pferdefleisch.«

»Achtzig Pferde zu je drei Kugeln«, sagte Caroline. »Macht zweihundertvierzig. Wie viel wäre das?«

Aus der Schule wusste ich noch die Formel für das Volumen einer Kugel, $V = 4/3\,\pi r^3$. Die Kugeln waren rund vier Zentimeter groß. Ich rechnete es kurz durch. Das Volumen einer Kugel betrug etwa 30 Kubikzentimeter: 30 cm^3 pro Kugel x 240 = 7200 cm^3.

»Etwas über sieben Liter«, sagte ich.

»Und was heißt das nun wieder?«, fragte Bernard. »In Litern rechne ich nicht.«

Ich überschlug es noch einmal. »Das entspricht rund zehn Flaschen Wein.«

»Und wie viel wäre diese Menge Kokain wert?«, fragte er.

»Von Kokainpreisen habe ich keinen Schimmer.«

»Die findet man sicher im Internet. Ich frag mal Google.« Wieder verschwand er.

Wir warteten. Ich trank meinen Tee, und Bernard naschte sein viertes Schokoplätzchen.

Toby kam wieder. »Dem Internet zufolge hat Kokain quasi einen Großhandelspreis von vierzig Pfund pro Gramm«, sagte er.

»Und wie viel Gramm fasst eine Weinflasche?« Bernard kehrte die Flächen seiner Patschhände nach außen.

Ich lachte. »Mir brummt der Schädel. Bei Wasser wären es tausend Gramm pro Liter. Alles in allem wären's dann siebentausend Gramm. Ich weiß nicht, ob Kokainpulver eine größere oder geringere Dichte als Wasser hat. Schwimmt es?«

»So groß kann der Unterschied nicht sein«, sagte Bernard. »Rechnen wir siebentausend Gramm à vierzig Pfund«, er hielt inne, »das macht zweihundertachtzigtausend englische Pfund. Nicht schlecht. Aber in Anbetracht der Risiken auch wieder nicht so viel.«

»Das ist aber erst die halbe Geschichte«, sagte Caroline. »Zunächst mal wird Kokain wahrscheinlich in hundert Prozent reiner Form importiert und dann ›gestreckt‹, das heißt, man fügt Natron, Vitamin C oder Zucker hinzu. Was auf der Straße verkauft wird, besteht zu mindestens einem Drittel, wenn nicht zwei Dritteln oder drei Vierteln aus diesen Zusätzen.« Ich sah sie verblüfft an. Sie lächelte. »Ich war mal mit einem Kokser zusammen. Es ging ein oder zwei Wochen, bis ich rausfand, dass er abhängig war. Aber wir sind noch eine Zeitlang Freunde geblieben, und er hat mir alles über Koks und wie man es kauft erzählt. User kaufen meistens ein Tütchen Kokain oder einen sogenannten Crack-Stein. Das ist gerade mal eine Einzeldosis. Ein Tütchen Kokainpulver enthält vielleicht nur fünfzig Milligramm reines Kokain. Ein Gramm ergibt also gut zwanzig Einzeldosen. Auf der Straße ist das Gramm damit erheblich mehr wert. Eine Jumbo-Jet-Ladung käme auf Millionen Pfund, und von wie vielen Jumbo-Jets reden wir?«

»Hinzu kommt natürlich der Gewinn aus den Pferdeverkäufen«, sagte ich.

»Soweit vorhanden«, meinte Toby. »Er muss sie ja in Süd-amerika kaufen und für den Transport aufkommen. So viel Gewinn bleibt da wohl nicht. Es sei denn, Pferde sind in Ar-gentinien sehr billig.«

»Wie finden wir das raus?«, fragte ich.

Wieder verließ Toby den Salon, und ich dachte, er würde irgendwie die Antwort auf meine Frage erkunden. Aber das war ein Irrtum. Er kam mit einem Buch zurück. Einer Art großformatigem Paperback. »Das ist der Auktionskatalog für Pferde im Training vom letzten Oktober in Newmarket, wo ich ein Pferd von Komarov gekauft habe. Das wollte ich mal nachsehen.« Er blätterte. »Da wären wir.« Er las. »Hier steht, das Pferd kam von einer Firma namens Horse Imports Ltd. Aber ich weiß, dass es Komarov gehörte. Er war da. Er hat mir anschließend zum Kauf gratuliert.«

»Heißt das, du hast mit dem Mann gesprochen?«, fragte Sally beunruhigt. »Weiß er, wer du bist?«

»Nicht direkt«, sagte Toby.

»Na, hoffentlich«, sagte sie zu ihm. »Wenn er doch deinem Bruder an den Kragen will.« Sie blickte zu mir. »Du hättest nicht herkommen sollen.« Ich sah ihr an, dass sie nicht mehr daran zweifelte, dass ich wirklich in Gefahr war, und dass sie sich und ihre Familie deshalb jetzt ebenfalls in Gefahr wähnte.

Toby war genau genommen mein Halbbruder. Wir hatten dieselbe Mutter, doch mein Vater war ihr zweiter Mann ge-wesen. Toby war der Sohn eines frisch vereidigten Wirt-schaftsprüfers, der an Nierenversagen gestorben war, als Toby zwei war. Toby hieß nicht Moreton mit Nachnamen. Er hieß Chambers.

»Komarov weiß nicht, dass Toby mein Bruder ist«, sagte ich.

»Ich hoffe, du hast recht«, sagte Sally.

Das hoffte ich auch.

19

Toby verbrachte einen großen Teil des Abends damit, den Verkaufskatalog Seite für Seite durchzugehen. Dabei stellte sich heraus, dass achtundsechzig der rund fünfzehnhundert auf der Auktion verkauften Pferde von Horse Imports Ltd. stammten. Und davon war jedes Einzelne weiblichen Geschlechts, sei es eine Stute oder ein Stutfohlen. Das konnte kein Zufall sein.

Diese Auktion war nur eine von elf Verkaufsveranstaltungen dieser Art, die jährlich in Newmarket abgehalten wurden. Große Vollblutauktionen gab es außerdem in Doncaster sowie in Fairyhouse und Kill in Irland, nicht zu reden von vielen anderen weltweit. Dazu kamen die privat verkauften Pferde. Der Pferdehandel war international ein Riesengeschäft. Jumbo-Jet über Jumbo-Jet, und jede Fracht brachte Millionen.

Während Toby den Katalog durchging, hatten Caroline und ich uns an seinen Computer gesetzt und auf der Firmenregister-Webseite nach Horse Imports Ltd. gesucht. Es war die britische Tochter eines holländischen Unternehmens. Ihr Jahresumsatz belief sich auf zig Millionen, doch da sie bei der Muttergesellschaft offenbar Schulden in Höhe ihres Bruttogewinns hatte, wies sie keinen Nettogewinn aus und zahlte in England keine Steuern. Ich wusste nicht, wie viele Pferde sie jährlich verkaufte, doch wenn sie alle so preisgünstig waren, wie Toby gesagt hatte, mussten es Tausende sein. Ich fragte mich, ob sie alle eine Gebärmutter hatten und mit Metallkugeln voller Rauschgift im Bauch nach England gekommen waren. Und das waren nur die für Großbritannien bestimmten Pferde. Ich wusste, dass er auch in den USA Pferde verkaufte, und nahm an, er lieferte auch an seine russische Heimat, und sei es nur an den eigenen Poloclub. Wohin noch?, fragte ich mich. Gab es überhaupt genug Stuten in Südamerika?

Ich versuchte am Computer zu der holländischen Muttergesellschaft vorzudringen, aber ohne Erfolg. Ich war mir ziemlich sicher, dass auch das holländische Unternehmen wieder eine Muttergesellschaft hatte und so weiter. Mir kam der Verdacht, dass die Obermutter, die Muttergesellschaft an der Spitze des Geflechts, irgendwo in den holländischen Antillen saß, wo Körperschaftssteuer und solche Dinge kein Thema waren.

Bernard hatte eine interessante kleine Rede gehalten, bevor er zurück nach London gefahren war. »Ein Hauptproblem der Drogenhändler«, hatte er gesagt, »sind die Riesensummen Bargeld, die der Handel abwirft. Heutzutage sind die Regierungen im Bilde und haben Maßnahmen gegen die Geldwäsche ergriffen. Wissen Sie, wie schwer es mittlerweile ist, ein Bankkonto zu eröffnen? Das liegt daran, dass die Banken nicht nur nachweisen können müssen, wer Sie sind, sondern auch, dass das Geld auf Ihrem Konto legal dort gelandet ist und in der Steuerbilanz auftaucht. Man kann nichts mehr mit Bargeld kaufen, nichts richtig Teures wie Häuser oder Autos. Selbst Buchmacher nehmen keine großen Wetten mehr in bar an, und den Gewinn zahlen sie erst recht nicht in bar aus. Das geht nur per Banküberweisung oder Kreditkarte. Bargeld ist also ein Problem. Klar, nach ein paar Hundert oder Tausend kräht kein Hahn; die wird man leicht los. Aber Millionen in bar? Man kann sich keine Luxusyacht an der Riviera mit Koffern voller Bargeld kaufen. Die nimmt der Bootshändler nicht an, weil er das gleiche Problem hat.«

»Kann man die Geldkoffer nicht auf die Cayman-Inseln oder sonst wohin schaffen und sie dort zur Bank bringen?«, hatte ich gefragt.

»Ausgeschlossen«, antwortete er. »Ein Bankkonto zu eröffnen ist heute auf den Cayman-Inseln schwieriger als hier. Sie müssen alle möglichen Bestimmungen einhalten, die von den USA und der Europäischen Union aufgestellt worden sind.«

»Aber ich dachte, die Inseln wären eine Steueroase. Was haben die USA und Europa damit zu tun?«

»Wenn sich die Steueroasen nicht an die Bestimmungen halten, lassen die USA ihre Bürger da nicht hin. Genauso wenig wie nach Kuba«, hatte er ausgeführt. »Und die Cayman-Inseln leben vom Tourismus, fast alle ihre Touristen kommen aus den Vereinigten Staaten, vorwiegend mit Kreuzfahrtschiffen.«

Ich spielte an dem Computer herum und überlegte, was ich mit Millionen Pfund in bar anstellen würde, wenn ich Mr. Komarov wäre.

»Und wenn er nun das Geld zusammen mit den leeren Kugeln wieder nach Südamerika schafft?«, sagte ich zu Caroline. »Geld, das rausgeht, interessiert den Zoll nicht. Der konzentriert sich ganz auf Drogen, die reinkommen.«

»Was nützt das denn?«, wandte sie ein. »Bernard hat ja gesagt, dass man aus Südamerika keine größeren Geldbeträge hierher transferieren kann, ohne erst nachzuweisen, dass es kein Drogengeld ist.«

»Ich weiß«, sagte ich. »Aber was ist, wenn man es gar nicht erst einzahlt? Wenn man das Geld dazu benutzt, sowohl neue Pferde als auch Drogen zu kaufen?«

Sie saß da und schaute mich mit offenem Mund an.

»Kein Mensch macht sich Gedanken«, fuhr ich fort, »wenn man ein oder zwei erschwingliche Pferde in Argentinien, Uruguay oder Kolumbien in bar bezahlt. Ich wette, Komarov hat Hunderte von kleinen Pferdezüchtern an der Hand, die ihn regelmäßig gegen Bares mit Pferden versorgen. Man schickt einfach den Gewinn aus dem Drogenschmuggel in bar zurück nach Südamerika und lässt damit zur Fortsetzung des Handels in einem Endloskreislauf neue Stuten kaufen. Das geht immer so weiter. Toby meint ja, dass der Pferdeverkauf nicht unbedingt viel Gewinn abwirft. Das muss er gar nicht. Dazu ist er nicht da. Nur das Bargeld soll damit gewaschen werden. So kommt man zu legalem Geld aus legalen Pferdeverkäufen bei den berühmten Vollblutauktionen von Newmarket, wo Mr. Komarov als Stütze der Gesellschaft angesehen und zweifellos mit offenen Armen und einem Glas Champagner empfangen wird, weil er bei jeder Auktion mit achtundsechzig Rössern vertreten ist.«

»Bloß wissen wir nicht, ob er wirklich Drogen schmuggelt.«

»Was er schmuggelt, spielt keine Rolle«, sagte ich. »Es kann irgendwas Hochwertiges sein, das in diese Kugeln passt. Ist jemand bereit, dafür zu zahlen, könnten es Computerchips, Sprengstoffe oder auch radioaktives Material sein.«

»Würde das den Pferden nicht schaden?«, fragte sie.

»Nicht, wenn es sich um Alphateilchen handelt«, sagte ich. »Alphateilchen dringen nicht mal durch Papier, und das Pferd wäre durch die Metallwand der Kugel hinreichend dagegen abgeschirmt. Aber sie sind tödlich, wenn sie frei in den Körper eindringen. Erinnerst du dich an den Ex-KGB-Spion, der in London mit Polonium 210 umgebracht wurde? Das ist eine Alphaquelle, und das Zeug muss von Russland oder sonstwo in Osteuropa eingeschmuggelt worden sein. In den Metallkugeln hätte sich Polonium 210 leicht schmuggeln lassen, ohne dass dem Pferd etwas passiert.«

Caroline fröstelte. »Das ist beängstigend.«

»Allerdings.«

»Aber die Kugeln wären doch zu sehen, wenn das Pferd durchleuchtet würde«, meinte sie.

»Wahrscheinlich«, sagte ich. »Aber Pferde werden nicht durchleuchtet. Röntgenstrahlen können Embryonen oder Fetusse in der Entwicklung schädigen, und Pferde werden oft verschickt, wenn sie trächtig sind. Das wäre viel zu riskant.«

»Aber«, meinte sie lächelnd, »wenn jemand anonym den Zollbeamten Ihrer Majestät flüstern würde, dass es sich lohnen könnte, Mr. Komarovs nächste Jumbo-Jet-Fracht doch einmal zu durchleuchten, käme Mr. Komarov ganz schön in Schwierigkeiten – ein paar Jahre wären ihm sicher.«

Ich gab ihr einen Kuss. Hervorragend.

»Eines macht mir trotzdem noch zu schaffen«, sagte sie. »Warum hat Komarov die Bombe in der Loge in Newmarket gelegt? Das war doch wohl dumm und gefährlich.«

»Ich frage mich, ob es eine Bestrafung war«, sagte ich.

»Wofür?«

»Vielleicht ist Rolf Schumann seinen Verpflichtungen gegenüber Komarov nicht nachgekommen.« Ich überlegte einen Moment. »Womöglich hat er das Geld aus den Drogen- und Pferdeverkäufen in sein kränkelndes Traktorunternehmen gesteckt, statt es weiterzugeben. Vielleicht war der Bombenanschlag eine an Komarovs Komplizen in anderen Ländern der Welt gerichtete Warnung, dass er Ernst macht und sich von niemandem bestehlen lässt.«

»Du meinst, er hat rein zu Demonstrationszwecken unschuldige Menschen umgebracht?«

»Unschuldig oder nicht, das interessiert Komarov nicht. Drogen bringen täglich unschuldige Menschen um, wenn man so will.«

Toby war am nächsten Morgen sehr schlecht gelaunt. Er fuhr beim Frühstück die Kinder an und beschimpfte sogar den Hund vor ihnen. Das passte nicht zu ihm.

Er war schon um sechs mit dem ersten Lot ausgeritten, da der ungewöhnlich warme Maitag sie früher als sonst hinauslockte. Gefrühstückt wurde bei ihnen zwischen dem ersten und zweiten Lot, bevor Sally die drei Kleinen zur Schule fuhr. Sie waren in dem Alter, wo das Geschehen im Haus noch ganz an ihrer aus Schule, Festen, Fernsehen und Computerspielen bestehenden Welt abprallte.

»Tschüs, Onkel Max«, riefen sie mir zu, als sie in Sallys Kombi einstiegen, und weg waren sie. Ich hatte Caroline schlafen lassen, damit sie die sechs Stunden Zeitunterschied aufholen konnte, und war selbst nur aus den Federn gekrochen, weil ich die Kinder für mein Gefühl am Abend vernachlässigt hatte.

Als ich wieder hineinkam, saß Toby am Küchentisch und versuchte die *Racing Post* zu lesen. Offensichtlich konnte er sich aber nicht auf die Zeitung konzentrieren, denn ich sah, wie er mindestens dreimal mit demselben Artikel wieder anfing.

»Was ist los?« Ich setzte mich mit einer Tasse Kaffee an den Tisch.

»Nichts«, sagte er und machte Anlauf Nummer vier.

»Doch.« Ich griff nach der Zeitung und zog sie ihm weg. »Was ist?«

Er sah mich an. »Sally und ich haben uns gestritten.«

»Das dachte ich mir«, sagte ich. Es war Sally das ganze Frühstück hindurch anzumerken gewesen. »Weswegen?«

»Das spielt keine Rolle«, antwortete er mit fester Stimme und stand auf.

»Offensichtlich doch«, sagte ich. »Ging es um mich?«

»Ich sag doch, es spielt keine Rolle.«

»Es ging also um mich«, sagte ich. »Erzähl.«

Er gab keine Antwort. Er wandte sich zur Tür, um wieder raus zu den Ställen zu gehen.

»Toby«, schrie ich ihn fast an. »Herrgott noch mal, was ist denn?«

Er blieb stehen, drehte sich aber nicht um. »Sally möchte, dass ihr heute Morgen fahrt«, sagte er. Jetzt drehte er sich um und sah mich an. »Sie ist beunruhigt und hat Angst. Wegen der Kinder, du weißt schon.«

»Ach, das ist alles?«, sagte ich mit einem Lächeln. »Wir fahren, sobald wir fertig sind.«

»Müsst ihr nicht«, sagte er. »Ich habe ein Machtwort gesprochen. Du bist mein Bruder, und wenn ich dir in der Not nicht helfe, wer dann? Was bin ich für ein Bruder, wenn ich dich aus dem Haus werfe?«

Ich hörte ihm an, dass er diese Argumente auch bei dem Streit mit Sally gebraucht hatte.

»Schon gut«, sagte ich. »Sie hat ja recht. Vielleicht hätte ich gar nicht erst herkommen sollen.« Dennoch war ich froh, dass ich ihn besucht hatte. Tobys Pferdewissen war der Schlüssel zu allem gewesen.

»Aber wo willst du denn hin?«, fragte er.

»Wird sich finden.« Vielleicht war es besser, wenn er darüber nichts wusste. »Wir werden weg sein, wenn du vom zweiten Lot zurückkommst. Ich rufe dich noch an. Dank Sally von mir, dass wir bleiben durften.«

Zu meiner Überraschung kam er herüber und umarmte mich herzlich.

»Pass auf dich auf«, sagte er mir ins Ohr. »Wäre schade um dich.« Abrupt ließ er mich los, wandte sich verlegen ab und ging ohne ein weiteres Wort schnurstracks nach draußen.

Vielleicht war er zu gerührt, um noch etwas zu sagen. Ich jedenfalls war es.

Caroline und ich waren um halb zehn wieder unterwegs. Sie war zwar nicht begeistert gewesen, als ich sie aus tiefem Schlaf weckte, hatte aber auch nicht weiter protestiert.

»Wo fahren wir hin?«, fragte sie, als ich zum Tor hinauslenkte.

»Was schlägst du vor?«, sagte ich.

»Irgendwohin, wo es ein schönes, weiches Bett gibt.« Sie gähnte, lehnte sich auf dem Beifahrersitz zurück und schloss die Augen.

Ich dachte an das Häuschen meiner Mutter am Ende der Straße. Einen Schlüssel hatte ich zwar nicht, aber wie vermutlich jeder andere in East Hendred wusste ich, dass sie im dritten Geranientopf links neben der Hintertür immer einen Zweitschlüssel liegen hatte. Ich verwarf den Gedanken. Wenn ich vor der Chicagoreise befürchtet hatte, es sei zu gefährlich für meine Mutter, sich dort aufzuhalten, dann war es jetzt allemal zu gefährlich für Caroline und mich.

Ziellos fuhr ich eine Weile die Straßen entlang, die ich aus meiner Kindheit so gut kannte. Es sah vielleicht so aus, als führe ich einfach drauflos, aber unbewusst lenkte mein Verstand den Mondeo nirgendwo anders hin als zu dem zwanzig Kilometer entfernten Lokal mit Blick auf die Themse, das einmal einer entfernt mit meiner Mutter verwandten Witwe gehört hatte und in dem meine Kochleidenschaft zum Leben erweckt worden war.

Das Lokal hatte sich seit meinem Weggang vor sechs Jahren verändert. Es war nicht mehr das stilvolle Wirtshaus mit Restaurant aus dem sechzehnten Jahrhundert, das ich in Erinnerung hatte. Dort, wo ich zuletzt einen gepflegten Rasen gesehen hatte, führte ein neuer, verglaster Anbau aus dem einundzwanzigsten Jahrhundert zum Fluss hinunter. Die eine Seite der alten Gaststube nahm jetzt ein langer Messingtresen ein, und zu essen wurden nur noch Sachen angeboten, die die verwitwete Verwandte meiner Mutter immer als »Bar Snacks« abgetan hatte.

Caroline, Viola und ich setzten uns auf eine Bank an einem Tisch im Freien, wo der Rasen einem betonierten Vorplatz gewichen war. Viola könne nicht im Auto bleiben, erklärte Caroline, da sie zu wertvoll sei. Ganz abgesehen davon, dass sie sich verlassen fühle, wenn sie sie nicht in Streichelnähe habe. Wenigstens blieb Viola in ihren Kasten gesperrt.

Da es zu früh war, um, wie mein Vater immer sagte, etwas Richtiges zu trinken, bestellten Caroline und ich uns zwei Kaffee, während Viola nur dasaß. Ich kannte weder den Barmann, der die Bestellung entgegennahm, noch die Kellnerin, die den Kaffee brachte. Von der zufriedenen Belegschaft von vor sechs Jahren, nahm ich an, war niemand mehr da. Geblieben waren allerdings der erholsame Blick auf die sechsbogige alte Steinbrücke über den Fluss, das unermüdliche Gluckern des Wassers und die äußerliche Gelassenheit einer Entenmama, die, gefolgt von sechs flauschigen kleinen Küken, im Sonnenschein dahinglitt.

»Wie schön es hier ist«, sagte Caroline. »Warst du hier schon mal?«

»Hier habe ich kochen gelernt«, sagte ich.

»Wirklich?« Sie war überrascht. Als ich den Kaffee bestellte, hatte sie sich die Speisekarte angesehen.

»Es hat sich sehr verändert«, sagte ich. »Wo jetzt die Bar ist, war früher das Restaurant. Mich macht es etwas traurig, wie es heruntergekommen ist. Die Kette, zu der es jetzt gehört, setzt offensichtlich mehr auf den Bierverkauf als auf gutes Essen.«

»Warum sind wir dann hergekommen?«, fragte sie.

»Ich weiß es nicht«, sagte ich. »Wahrscheinlich wollte ich irgendwohin, wo man in Ruhe nachdenken und planen kann.«

»Und wie sieht dein Plan aus?«, fragte sie neugierig.

»Das weiß ich auch noch nicht«, antwortete ich. »Aber erst mal muss ich ein paar Telefongespräche führen.«

Ich schaltete mein Handy ein und rief den Autoverleih in Newmarket an. Kein Problem, sagten sie, behalten Sie den Mondeo, so lange Sie wollen. Sie nahmen meine Kreditkartendaten auf und sagten, sie würden wöchentlich abrechnen. In Ordnung, sagte ich und legte auf.

Sofort klingelte das Telefon in meiner Hand. Es war meine Mailbox.

»Sie haben sechs neue Nachrichten«, teilte sie mir mit, dann spielte sie sie ab. Eine war von Clare Harding, der Nachrichtenredakteurin, die mir verspätet für das Abendessen dankte, und die fünf anderen waren alle von Carl. Er müsse mich sprechen, teilte mir seine körperlose Stimme ein ums andere Mal mit. Mit jedem der fünf Anrufe schien er sich mehr darüber aufzuregen, dass ich mich nicht meldete.

Ich rief ihn an. Er war erleichtert und hocherfreut darüber, doch ich war keineswegs erfreut über das, was ich zu hören bekam. »Du musst herkommen«, sagte er drängend. »Jetzt sofort.« Seit unserem Gespräch am Sonntag hatte sich die Lage offenbar rapide verschlechtert.

»Was ist los?«, fragte ich beunruhigt. So in Panik zu sein sah Carl nicht ähnlich.

»Ich musste Oscar rauswerfen«, sagte er. »Gary hat ihn erwischt, wie er in den Papieren auf deinem Schreibtisch gestöbert hat, und Geld aus der Kaffeekasse fehlte auch. Oscar hat es abgestritten. Na ja, was sollte er sonst auch machen? Aber das ist erst die halbe Story. Die ganze vorige Woche hat er sich mit Gary in der Küche angelegt. Am Samstag hatten sie dann einen ausgewachsenen Streit. Einmal dachte ich, Oscar geht mit einem Fischfiletierer auf Gary los.« Ein Fischfiletierer ist ein sehr scharfes, sehr dünnes Küchenmesser mit zwanzig Zentimeter langer Klinge. Mit einem Fischfiletierer auf jemanden loszugehen konnte sehr schnell tödlich enden. Ich war froh, Oscar los zu sein.

»Aber du und Gary kommt doch sicher ein paar Tage ohne ihn zurecht?«, sagte ich.

»Wenn Gary da wäre, ja!«, rief er aus. »Dummerweise hat er die Windpocken, und der Arzt hat ihn für die nächsten zehn Tage krankgeschrieben.«

»Kann die Agentur dir keinen anderen Koch stellen?«, fragte ich.

»Das habe ich versucht«, sagte er. »Die sind sauer wegen Oscar. Wir hätten ihn nicht richtig behandelt. Wenn ich das höre! Der Typ war gemeingefährlich.«

»Davon mal abgesehen«, sagte ich, »ist sonst alles in Ordnung?«

»Nicht so ganz«, antwortete er. Ich wünschte, ich hätte nicht gefragt. »Jean will wissen, wann wir einen Ersatz für Louisa einstellen. Sie meint, sie wird in der Gaststube zu sehr beansprucht. Ich sagte ihr, sie solle den Mund halten oder verschwinden, und jetzt ist sie auch eingeschnappt.« Das wunderte mich nicht. Personalführung war noch nie Carls Stärke gewesen.

»Okay«, sagte ich. »Sonst alles in Butter?«

»Nein«, antwortete er. »Jacek sagt, die andere Aushilfe kriegt mehr Geld als er, und das sei ungerecht.« Jaceks Englisch war offenbar besser geworden, dachte ich. »Ihm habe ich auch gesagt, er solle den Mund halten oder abhauen«, fuhr Carl fort. »Da er noch hier ist, hat er sich vermutlich beruhigt. Wann kommst du denn wieder?« Bald. Ich hatte Angst, wenn ich nicht schleunigst wieder dort erschiene, würde der ganze Laden vor die Hunde gehen.

»Ich ruf dich noch mal an und geb dir Bescheid«, sagte ich.

»Bitte komm wieder«, flehte er. »Ich weiß nicht, wie lange ich das hier noch durchstehe.« Er hörte sich völlig überdreht an.

»Wie gesagt, ich melde mich«, erwiderte ich und legte auf.

»Probleme?«, fragte Caroline, die nur meinen Beitrag zu dem Gespräch hatte hören können.

»Das führerlose Schiff ist auf Grund gelaufen«, sagte ich. »Ein Koch ist entlassen worden, weil er einen anderen mit dem Messer bedroht hat, und jetzt hat der bedrohte Koch die Windpocken. Carl, mein Stellvertreter, ist praktisch auf sich gestellt.« Julie, die die Kaltspeisen zubereitete, würde am Herd keine große Hilfe sein.

»Kommt er allein zurecht?«, fragte sie.

»Eher nein«, sagte ich. »Nicht, wenn das Restaurant mehr als halb voll ist.«

»Ist es das denn?«

»Ich habe ihn nicht gefragt«, sagte ich. »Aber ich hoffe schon. Und wenn nicht heute Abend, dann wird es auf jeden Fall am Wochenende gut besucht sein. Aber das ist noch nicht alles. Carl hat einige Mitarbeiter verärgert, und ich kann mir vorstellen, wie es da brodelt. Die warten alle darauf, dass ich wiederkomme, bevor der Vulkan ausbricht, und je länger ich wegbleibe, desto schlimmer wird der Ausbruch sein, wenn es dazu kommt.«

»Dann musst du sofort wieder hin«, sagte Caroline.

»Mit einer Hand kann ich nicht viel ausrichten«, erwiderte ich und hielt den Gipsarm hoch.

»Selbst ein einhändiger Max Moreton wäre besser als die meisten«, meinte sie.

Ich lächelte sie an. »Aber ist das nicht gefährlich?«, sagte ich. »Will jemand vielleicht genau das erreichen?«

»Wer?«, fragte sie. »Komarov?«

»Mag sein«, sagte ich. »Oder Carl.«

»Carl? Traust du deinem Stellvertreter nicht?«

»Ich weiß nicht, wem ich trauen kann.« Nachdenklich schaute ich einem Boot zu, das mit zwei käseweißen Sonnenanbetern an Deck unter der Brücke hindurchtuckerte. »Doch, wahrscheinlich traue ich Carl schon.«

»Gut«, sagte sie. »Dann fahren wir zurück nach Newmarket und retten dein Restaurant. Aber wir sagen keinem was davon, bevor wir da sind, auch Carl nicht.«

Caroline ging mit Viola auf der Wiese unterhalb des Pubs am Flussufer spazieren. Ich hörte die weichen Klänge ihres Spiels, während ich zuerst meine Mutter anrief, um mich zu vergewissern, dass es ihr gutging, und dann die Polizei – die Special Branch der Londoner Polizei.

»Ist D. I. Turner zu sprechen?«, fragte ich.

»Würden Sie bitte warten«, sagte eine Frauenstimme im Befehlston. Schließlich kam sie wieder in die Leitung. »D. I. Turner ist erst ab vierzehn Uhr wieder im Dienst.«

Ich hinterließ ihm die Nachricht, er möge mich zurückrufen. Es sei dringend. Sie versprach mir, es ihm auszurichten. Ich überlegte, ob ich mich an jemand anderen hätte wenden sollen. Aber D. I. Turner wusste, wer ich war, und bei ihm konnte ich davon ausgehen, dass er meine Informationen nicht einfach mit einem Lachen abtun würde.

Caroline ging weiter den Uferweg entlang und spielte etwa vierzig Minuten lang ihre liebliche Musik, bevor sie erhitzt und glücklich lächelnd wiederkam. »Ach, ist das toll«, seufzte sie beim Hinsetzen. Ich warf einen neidischen Blick auf Viola. Ich wünschte, ich hätte Caroline mitten am Tag und trotz Jetlag in so eine Stimmung versetzen können.

»Brauchst du keine Noten für die Musik?«, fragte ich.

»Nein«, sagte sie. »Für dieses Stück nicht. Das kann ich auswendig. Ich wollte nur sehen, ob meine Finger es so gut kennen wie mein Kopf.«

»Ich dachte, Orchester spielen immer nach Noten«, sagte ich. »Notenständer haben sie, das habe ich schon gesehen.«

»Ja, schon. Solisten spielen aber normalerweise auswendig, und die Noten dienen eher als Gedächtnisstütze, als dass sie wirklich nötig wären.« Liebevoll legte sie Viola wieder in ihren Kasten. »Bleiben wir zum Lunch hier?«

»Nein«, sagte ich. »Ich möchte lieber fahren. Seit über einer Stunde hänge ich hier am Telefon, da wird es Zeit.« Außerdem fand ich das Essen nicht sonderlich einladend.

»Kann man wirklich anhand des Handys feststellen, wo jemand ist?«, fragte sie.

»Ich weiß, dass die Polizei es kann«, sagte ich, »über die Telefondaten. Bei Gerichtsverhandlungen habe ich schon davon gehört. Ich möchte es nicht darauf ankommen lassen, dass Komarov womöglich jemanden von der Telefongesellschaft auf seiner Gehaltsliste hat.«

»Willst du nach Newmarket?«, fragte Caroline.

»Ja und nein«, sagte ich. »Natürlich möchte ich ins Hay Net und Ordnung in den Laden bringen, aber ich muss zugeben, dass mir bei dem Gedanken etwas mulmig ist.«

»Na ja, wir müssen nicht, wenn du nicht willst«, sagte sie.

»Ich kann nicht immer nur weglaufen«, sagte ich. »Irgendwann muss ich doch wieder hin. Ich habe dem Mann von der Special Branch, mit dem ich gesprochen hatte, eine Nachricht hinterlassen. Ich werde ihm sagen, wie ich die Sache sehe, und ihn um Polizeischutz bitten. Das geht schon.«

Unmittelbar nördlich von Oxford hielten wir an und aßen gemütlich im Garten eines Pubs zu Mittag, unter einem knallroten Sonnenschirm, der die köstliche Broccoli-Käsesuppe rosa statt grün erscheinen ließ. Je näher wir Newmarket kamen, desto nervöser wurde ich, und als wir am späten Nachmittag endlich die Stadt erreichten, kam ich mir verloren vor, wie ein Fisch auf dem Trockenen. Ich hatte jetzt kein Zuhause mehr, nichts als einen Haufen verrußter Steine und Asche, an dem ich langsam erst in der einen, dann in der anderen Richtung vorbeifuhr, während Caroline stumm das Bild der Zerstörung betrachtete.

»Ach, Max«, sagte sie beim zweiten Vorbeifahren, »es tut mir so leid.«

»Ich kann es ja wieder aufbauen«, sagte ich. Aber das kleine Cottage war das einzige Haus, das ich jemals besessen hatte, und ich erinnerte mich noch gut an den aufregenden Julitag vor fast sechs Jahren, als ich eingezogen war, die Freude am Entdecken unbekannter Schränke, die Geräusche im Gebälk, als der heiße Sommertag zum Abend hin abkühlte. Es war im letzten Jahrzehnt des achtzehnten Jahrhunderts aus Sussexstein gebaut worden und zur Zeit zwar auf mich eingetragen, aber ich hatte mich stets als vorübergehender Bewohner in seinem endlos langen Dasein betrachtet. Jetzt war sein Leben jedoch vernichtet. Ein Mord war verübt worden, zwar nicht an einem Menschen, aber doch an einem Mitglied meiner Familie. Was geblieben war, war tot und stumm. Würde ein Wiederaufbau ihm jemals seine Seele zurückgeben? Vielleicht war es doch an der Zeit, um das zu trauern, was ich verloren hatte, und etwas Neues zu beginnen.

»Wo schlafen wir denn heute Nacht?«, fragte Caroline, als ich endlich von dem Unglücksort weggefahren war.

»Als ich dich zum ersten Mal überredet habe, nach Newmarket zu kommen, habe ich dir eine Nacht im Bedford Lodge Hotel versprochen, weißt du noch? Und die perfekte Planung wurde durch einen gewissen Unfall über den Haufen geworfen«, sagte ich. »Heute nun, Liebste, sollst du deine Nacht in Newmarkets bestem Hotel bekommen.«

»Ich fühle mich geehrt«, sagte sie.

»Gewöhn dich nicht zu sehr dran«, erwiderte ich. »Sie haben nur heute Nacht ein Zimmer frei. Morgen sind sie belegt.«

»Morgen Abend muss ich in London sein«, sagte sie.

Ich hatte es nicht vergessen.

Zu sagen, dass Carl sich freute, mich zu sehen, wäre eine Untertreibung. Er heulte beinah, als ich um sieben die Küche des Hay Net betrat.

»Gott sei Dank«, sagte er.

»Ich bin nicht besonders gut zu gebrauchen«, sagte ich und tippte an den harten Verband um meinem rechten Arm.

»Was hast du angestellt?«, fragte er. Er ließ die Schultern hängen. Schon verwandelte sich seine Freude in Enttäuschung.

»Bin gestürzt, und dabei hab ich mir das Handgelenk gebrochen«, sagte ich. »Zu blöd. Ein bisschen kann ich aber schon noch helfen.«

»Gut.« Ein wenig von seiner Freude kehrte zurück.

Ich zog mich nicht groß um, sondern streifte einfach die Kochjacke über mein Hemd und machte mich an die Arbeit, unterstützt von Caroline, die alles Beidhändige übernahm.

Ich hätte nicht behaupten wollen, dass der Küchenservice wieder normal lief, aber wir meisterten die zweiundsiebzig Gedecke. Hinaus in die Gaststube ging ich nicht, da ich lieber nicht gesehen werden wollte. Das Personal sah mich natürlich, doch ich bat sie, das für sich zu behalten. Ich hielt den Gips hoch und sagte ihnen, der Arzt habe mich krankgeschrieben und er solle auf keinen Fall erfahren, dass ich gearbeitet hatte. Sie grinsten vielsagend und versprachen mir, Stillschweigen zu wahren. Aber konnte ich mich bei allen darauf verlassen?

Schließlich ging der Sturm vorüber, und wir hatten Gelegenheit zu einer Verschnaufpause. Seit fast zwei Wochen hatte ich nicht mehr so hart gearbeitet, und ich war nicht mehr in Form. Erschöpft ließ ich mich im Büro in meinen Sessel fallen.

»Mir war nicht klar, dass es in einer Küche so heiß ist«, sagte Caroline. Den ganzen Abend hindurch hatte sie Kleidungsstücke abgelegt, bis es unanständig gewesen wäre, noch eins auszuziehen. Marguerite, die feurige Köchin der verwitweten Verwandten meiner Mutter und erste Förderin meiner Liebe zum Kochen, hatte regelmäßig nichts als einen Schlüpfer unter ihrem weißen Arztkittel aus leichter Baumwolle getragen.

»Dann koch erst mal an einem heißen Junitag«, meinte ich.

Carl kam mit Bier für uns alle aus der Bar ins Büro.

»Auch eins?«, sagte er und hielt Caroline ein Glas hin.

»Gern«, sagte sie und nahm es an.

»Möchten Sie einen Job?«, fragte er sie lächelnd. Er machte ein Gesicht wie ein vor dem Henker geretteter Häftling. Zweiundsiebzig Mahlzeiten hätte er allein nicht bewältigen können, zumindest nicht so, wie es sein sollte.

»Ich hab schon einen«, sagte sie. »Den ich allerdings verlieren könnte, wenn ich nicht bald mal wieder übe.«

»Üben?«, fragte Carl. »Was machen Sie denn?«

Als Antwort griff Caroline nach der stets gegenwärtigen Viola und nahm sie aus dem Kasten.

»Jetzt weiß ich, wer Sie sind«, sagte Carl plötzlich. »Sie ist das Miststück, das uns verklagen will!« Wir lachten. Caroline, das Miststück, lachte mit.

»Ich denk mal drüber nach«, meinte sie. »Vielleicht bin ich ja jetzt abgefunden.« Sie hielt das Bier hoch und trank einen großen Schluck, wobei ein weißer Schnurrbart auf ihrer Oberlippe zurückblieb, den sie mit dem Unterarm abwischte. Wir lachten erneut.

Ich versuchte, D. I. Turner anzurufen. Es war das vierte Mal, und wieder hieß es, er sei nicht erreichbar. Wieder fragte ich, ob man ihm etwas ausrichten könne, aber so langsam glaubte ich, dass er meine Nachrichten nicht bekam. Ich sagte dem Mann am anderen Ende, es sei wirklich dringend. »Um was geht's?«, fragte er. »Um den Bombenanschlag auf der Rennbahn von Newmarket«, antwortete ich. Da müsse ich mich an die Polizei Suffolk wenden, meinte er, nicht an die Special Branch. Ich sagte ihm, ich hätte Angst um mein

Leben, aber das glaubte er mir wohl nicht. Er wiederholte, ich solle mich an die nächste Polizeidienststelle wenden. Das tat ich und verlangte den diensthabenden Chef zu sprechen, doch der Inspector, hieß es, sei momentan außer Haus – ob ich eine Nachricht hinterlassen wolle. Ich seufzte und sagte, ich würde es später noch mal probieren.

Richard kam ins Büro, um uns mitzuteilen, dass die meisten Gäste gegangen seien, bis auf einen Tisch, und dort sei man beim Kaffee.

»Mrs. Kealy hat nach Ihnen gefragt«, sagte er zu mir.

»Waren die Kealys heute Abend hier?«, fragte ich. »Es ist doch nicht Samstag.«

»Gestern Abend und heute Abend«, sagte er. »Mrs. Kealy meinte, nach der schwierigen Zeit mit dem vergifteten Essen und allem wollten sie das Restaurant unterstützen.«

Wie nett, dachte ich. Ich brauchte mehr Kunden wie die Kealys.

»Das Personal kann so weit nach Hause gehen«, sagte ich. »Du auch, wenn du willst, Carl. Ich schließe dann zu.« Ich wollte als Letzter gehen, damit mir niemand folgte. »Richard, können Sie Schluss machen?« Er würde den letzten Gästen die Rechnung stellen und sie hinausbegleiten.

»Kein Problem«, sagte er und kehrte in die Gaststube zurück.

»Wo wohnt ihr?«, fragte Carl.

»Wir gehen in ein Hotel«, sagte ich.

»Welches denn?«, fragte er.

Ich fragte mich, wie weit ich Carl trauen konnte. »Ins Rutland Arms«, log ich.

Hoffentlich prüfte er es nicht nach. Moreton würde für

heute Nacht nicht auf der Gästeliste des Rutland Arms stehen. Andererseits stand Moreton auch nicht auf der Gästeliste des Bedford Lodge. Ich hatte uns ein Zimmer auf den Namen Butcher bestellt.

»Na, ich bin fertig«, sagte Carl im Aufstehen. »Ich fahr nach Hause und schlaf mich aus.« Das Büro diente auch als Umkleideraum, doch heute ging Carl, zweifellos aus Rücksicht auf Caroline, zum Umziehen in die Toilette. Ich hatte schon immer einen richtigen Umkleideraum mit Dusche einbauen wollen, aber wir waren nie dazu gekommen.

Caroline legte Viola an ihre Schulter und spielte leise. »Hör nicht auf«, sagte ich. »Das ist schön.«

»Du machst mich ganz verlegen«, sagte sie.

»Sei nicht albern«, sagte ich. »Am Donnerstagabend sehen dir Hunderte von Menschen zu.«

»Das ist etwas anderes«, sagte sie. »Die sind ja nicht nur einen halben Meter von mir weg.«

Ich schob meinen Stuhl zurück, bis ich mindestens einen Meter zwanzig entfernt war. »So besser?«, fragte ich.

Statt zu antworten, legte sie Viola wieder an die Schulter und spielte weiter.

Carl kam in Straßenkleidung wieder ins Büro. Caroline unterbrach sich, und er lächelte sie an. »Jemand hat ein Handy in der Herrentoilette liegenlassen«, sagte er und legte es mir auf den Schreibtisch. »Tollpatsch. Ich kümmere mich morgen früh darum. Gute Nacht.« Er wandte sich zum Gehen.

»Gute Nacht, Carl«, sagte ich. »Und danke, dass du die Festung gehalten hast.«

»Gern geschehen«, meinte er und ging. Heute Abend konnte ich ihm schlecht sagen, dass er in Sachen Personalführung noch an sich arbeiten musste. Darum würde ich mich morgen kümmern.

»Gehen wir?«, fragte Caroline.

»Bald«, sagte ich. »Wir warten nur noch, bis Richard abgeräumt hat und ebenfalls gegangen ist.«

Das vergessene Handy auf meinem Schreibtisch klingelte. Caroline und ich schauten es an.

»Hallo«, meldete ich mich beim vierten Klingeln.

»Hallo«, sagte eine Männerstimme am anderen Ende. »Ich glaube, das ist mein Telefon.«

»Wer ist denn da?«, fragte ich.

»George Kealy«, kam die Antwort. »Sind Sie das, Max?«

»Ja, George«, sagte ich. »Sie haben Ihr Handy in der Toilette liegen lassen.«

»Dachte ich mir«, erwiderte er. »Zu dumm. Wenn's Ihnen recht ist, komme ich es holen.«

»Gern«, sagte ich. »Wir haben aber geschlossen – klopfen Sie bitte an der Eingangstür.«

»Mach ich«, sagte er und legte auf.

Richard kam und gab Bescheid, dass alle Kunden weg seien und auch er sich auf den Weg mache. »Ach so.« Er drehte sich um. »Jacek ist noch da, er wollte Sie kurz sprechen. Er wartet in der Küche.«

»Schicken Sie ihn weg«, sagte ich. »Wir reden morgen.«

»Okay«, sagte er. Er zögerte. »Das hab ich ihm schon gesagt, aber er schien unbedingt warten zu wollen.«

»Sagen Sie's ihm noch mal«, bat ich. »Er soll nach Hause fahren.« Ich hatte nicht die Absicht, allein zu Jacek in die Küche zu gehen. Ich war mir keineswegs sicher, ob ich ihm trauen konnte.

»Okay«, meinte er wieder. »Ich sag's ihm.«

»Geben Sie mir Bescheid, wenn er weg ist«, sagte ich. »Und, Richard, vergewissern Sie sich bitte, dass er das Restaurant wirklich verlässt.« Ich wusste, dass Jacek ein Zimmer in der Stadt hatte und mit dem Fahrrad zur Arbeit kam. »Schauen Sie, dass er auf sein Rad steigt.«

Richard sah mich zwar etwas komisch an, nickte aber und ging hinaus.

Es klopfte laut an der Eingangstür. Ich ging hinaus in den Vorraum zwischen Bar und Gaststube. Durchs Fenster sah ich auf den Parkplatz. Wie erwartet, war es George Kealy. Ich hatte sein Mobiltelefon in der Hand.

Ich schloss die Tür auf, doch es war nicht George Kealys Fuß, der sie mit einem Tritt aufstieß, so dass ich nach hinten wegtaumelte. Es war ein anderer Mann, und mit der Automatik, die er in der Hand hielt, zielte er mir genau zwischen die Augen. Mr. Komarov, nahm ich an.

»Ich höre von George, dass Sie schwer totzukriegen sind, Mr. Moreton«, sagte er, als er zur Tür hereinmarschierte.

20

Ich wich von der Tür in den Vorraum zurück. Komarov und George Kealy folgten mir.

Richard kam mit einem Tablett voll schmutziger Gläser vom letzten Tisch aus der Gaststube. Komarov und ich sahen ihn gleichzeitig, und bevor ich ihn warnen konnte, zog Komarov die Pistole herum und schoss auf ihn. Der Knall war ohrenbetäubend laut in dem geschlossenen Raum. Ein sternförmiger roter Fleck zeichnete sich auf Richards weißer Hemdbrust ab, und er hatte einen etwas überraschten Ausdruck auf dem Gesicht, als er vornüberfiel. Die Kugel hatte ihn mitten in die Brust getroffen, und ich war überzeugt, dass er tot war, bevor er am Boden aufschlug. Sein Metalltablett landete scheppernd auf dem Boden, die Gläser zersprangen, und Hunderte von Scherben flogen in sämtlichen Richtungen über die Steinfliesen.

Die Pistole zielte sofort wieder auf mich, und ich dachte, das wär's. Mich würde er genauso schnell töten. Was sollte ihn daran hindern? Er hatte es zweimal versucht, warum nicht ein drittes Mal?

Der Zorn, dem ich meine Rettung aus dem brennenden Cottage verdankte, stieg wieder in mir hoch. Einfach kampflos sterben würde ich nicht.

Komarov sah mir den Zorn an und durchschaute meine

Absichten. »Denken Sie gar nicht erst dran«, sagte er in beinah perfektem Englisch, nur in dem »nichrt« für »nicht« klang sein russischer Akzent ein wenig durch.

Ich bot ihm die Stirn und sah ihn an. Er war stämmig, Mitte fünfzig, mittelgroß, mit gut frisiertem, vollem grauem Haar. Mir wurde klar, dass ich ihn schon mal gesehen hatte. Er war am ersten Samstag nach dem Bombenanschlag mit George und Emma Kealy hier im Hay Net gewesen. Ich erinnerte mich, dass George nach Emma gerufen hatte, als er gehen wollte. »Peter und Tania warten«, hatte er gesagt. Peter und Tania, George Kealys Freunde, waren niemand anderes als Pjotr und Tatjana Komarov, Schmuggler, Bombenleger und Mörder.

Es fiel mir schwer zu glauben, dass George nicht der freundliche Stammkunde war, den ich so gut kannte. Ich sah ihn an, doch meine missliche Lage schien ihn nicht im mindesten zu kümmern. Er war offenbar noch nicht einmal bestürzt darüber, was sein Freund mit meinem Oberkellner gemacht hatte. Ich starrte ihn weiter an, aber er sah mir nicht in die Augen. Er schien einfach entschlossen zu sein und sich damit abgefunden zu haben, dass sie so vorgehen mussten.

»Ich werde Sie umbringen«, sagte Komarov zu mir. Daran zweifelte ich nicht. »Aber vorher«, ergänzte er, »möchte ich das zurück, was Sie von mir haben.«

»Was denn?« Das Sprechen fiel mir schwer. Es war, als klebte meine Zunge am Gaumen fest.

»Das wissen Sie«, sagte er. »Sie haben es aus Delafield.«

Ach je, dachte ich. Er musste mit Mrs. Schumann gesprochen haben; oder vielleicht hatten Kurt und sein Poloschläger schwingender Begleiter ihr einen Besuch abgestattet. Ich mochte mir nicht ausmalen, was sie mit der lieben, unglücklichen Frau gemacht hatten.

»Ich weiß nicht, wovon Sie reden«, sagte ich. Ich hatte ein wenig die Stimme erhoben. Caroline war ja noch im Büro, und ich wollte sie irgendwie vor der Gefahr warnen, wenn sie auch den Schuss und das Scheppern und Klirren des Tabletts mit den Gläsern gehört haben musste. Ich bezweifelte nicht, dass Komarov sie genau wie Richard ohne weiteres töten würde. Oder, noch schlimmer, sie als Druckmittel benutzen würde, um die Metallkugel zurückzubekommen. Ich dachte über die Kugel nach. Ich hatte sie nicht bei mir, hätte sie Komarov also, selbst wenn ich gewollt hätte, nicht geben können. Sie lag wahrscheinlich noch auf Tobys Schreibtisch, denn ich hatte sie ihm dagelassen, damit er sie seinem Tierarzt zeigen konnte. Und ich dachte nicht daran, meinen Bruder oder seine Familie noch einmal in Gefahr zu bringen.

»George«, sagte Komarov, die Pistole unverwandt auf mich gerichtet, »sieh nach, ob wir allein sind.«

George Kealy zog ebenfalls eine Pistole aus der Tasche und trat in die Gaststube. Ich hörte, wie er zur Küche durchging. Nach einiger Zeit kam er wieder. »Sonst ist niemand hier.«

»Sieh da drin nach«, sagte Komarov und deutete mit der Waffe auf die Bar und das Büro dahinter. Genau genommen lag das Büro zwischen Bar und Küche, mit beiden durch eine Tür verbunden, und war eher ein Durchgang als ein richtiges Zimmer.

Ich starrte Komarov weiter an, spannte aber unmerklich meine Muskeln, um mich auf ihn zu stürzen, wenn George Caroline finden sollte. Doch der gab keinen Mucks von sich. Er kam wieder und sagte, wir seien allein.

»Wo ist Ihre Freundin?«, fragte Komarov.

»In London«, sagte ich.

»Wo in London?«

»Bei ihrer Schwester«, sagte ich. »In Finchley.«

Er schien mit der Antwort zufrieden zu sein und winkte mit der Pistole zur Gaststube hin. »Da rein«, sagte er.

Ich musste um Richards hingestreckten Körper herumgehen. Dabei blickte ich auf seinen Rücken nieder. Keine Austrittswunde: Die Kugel steckte noch in ihm. War das gut oder schlecht? Weder noch. Beides war entsetzlich.

Ich ging vor Komarov her. Würde er mich von hinten erschießen? Unwahrscheinlich, auch wenn es für ihn wohl aufs Gleiche hinauslief. So wie für mich.

»Halt«, sagte er. Ich blieb stehen. »Ziehen Sie den Stuhl raus, den mit den Armlehnen.« Ich zog mit links den Lehnstuhl vom Tisch weg. Ich sah, dass es der gewohnte Tisch der Kealys war. Ob das auch George auffiel? »Setzen Sie sich mit dem Rücken zu mir«, sagte Komarov. Ich gehorchte ihm.

Er und George kamen um mich herum, so dass sie wieder vor mir standen.

Hinter mir hörte ich jemanden mit knirschenden Schritten über die Glasscherben im Vorraum gehen. Ich dachte, es sei Caroline, doch Komarov blickte mir über die Schulter und sah nicht beunruhigt aus. Der Neuankömmling war offensichtlich auf seiner, nicht auf meiner Seite.

»Haben Sie das Zeug?«, fragte er den Hinzugekommenen.

»Ja«, antwortete eine Männerstimme. Mit weiteren knirschenden Schritten trat der Mann näher hinter mich. »Schade, dass Sie Richard erschießen mussten«, sagte er.

Ich erkannte die Stimme. Mit einem Mal wurde mir vieles klar.

»Fesseln Sie ihn«, sagte Komarov.

Der Mann, der hinter mir gestanden hatte, kam um mich herum. Er hielt eine dunkelblaue Segeltuchtasche in der Hand.

»Tag, Gary«, sagte ich.

»Hallo, Chef«, sagte er, zwanglos wie immer. Nicht ein Windpöckchen war an ihm zu sehen. Woher auch? Das Ganze war so durchschaubar gewesen, und ich war ihnen prompt auf den Leim gegangen. Gary hatte nicht die Windpocken, und Oscar hatte mit Sicherheit weder im Büro meine Papiere durchstöbert noch Geld aus der Kaffeekasse gestohlen. Komarov wollte mich im Hay Net haben, und das beste Mittel, mich dorthin zu bekommen, war eine Personalkrise. Erst mit Garys falschen Anschuldigungen für Oscars Entlassung sorgen, dann schnell Gary krankmelden. Schon kam ich angerannt. Wie ein Lamm zur Schlachtbank.

»Warum?«, sagte ich zu Gary.

»Warum was?«, gab er zurück.

»Warum das hier?«, fragte ich und breitete die Arme aus.

»Wegen Geld natürlich.« Er grinste. Er schien sich nicht darüber klar zu sein, in was für Schwierigkeiten er steckte und in welcher Gefahr er sich befand.

»Aber ich bezahle Sie doch gut«, sagte ich.

»So gut auch wieder nicht«, meinte er. »Und bei Ihnen gibt's keinen Bonus.«

»Bonus?«

»Stoff«, sagte er. Ich sah ihn fragend an. »Koks.«

Ich hatte keinen Süchtigen in ihm vermutet. Drogen und

Küchenbetrieb passen eigentlich nicht zusammen. Das erklärte vielleicht einige seiner Stimmungsschwankungen und auch sein jetziges Handeln. Drogenabhängigkeit kann einen Charakter vollkommen verderben; im Verlangen, in der Sucht gehen Logik und Vernunft meist über Bord. Unter bestimmten Umständen würde Gary sicher alles für seine nächste Dosis tun, und George hatte ihn zweifellos fest in der Hand. Er nahm eine Rolle braunes Paketklebeband aus der Tasche und befestigte damit mein linkes Handgelenk an der Stuhllehne. Komarov trat zwar zur Seite, damit Gary nicht zwischen mich und die Pistole geriet, aber ich hegte keinen Zweifel, dass er Gary beim geringsten Anlass erschießen würde, wenn er es für zweckmäßig hielt.

Gary machte sich an mein rechtes Handgelenk.

»Hey«, sagte er, »der hat einen Gipsverband unter der Jacke.«

»Kurt hat ja auch behauptet, Walter müsse ihm das Handgelenk gebrochen haben«, sagte Komarov. Er kam näher heran. »Sie haben Walter den Arm gebrochen«, sagte er mir ins Gesicht. Gut, dachte ich. Ich wünschte, ich hätte ihm das Genick gebrochen. »Dafür werden Sie bezahlen«, sagte er. Dann richtete er sich auf und grinste. »Aber Walter ist auch immer so ungestüm. Wahrscheinlich wollte er Ihnen mit seinem Poloschläger den Schädel einschlagen.« Wieder grinste er mich an. »Sie werden sich vielleicht noch wünschen, er hätte es getan.« Ein kalter Schauder lief mir den Rücken hinab, aber ich erwiderte sein Grinsen trotzdem.

Gary befestigte den Gipsarm an der anderen Armlehne. Dann klebte er auf die gleiche Weise meine Fußgelenke an den Stuhlbeinen fest. Ich war verschnürt wie ein Truthahn, der auf das Messer wartet, das ihm den Hals abschneidet. Doch Gary holte etwas anderes aus seiner Tasche. Es sah aus wie Kitt, weicher weißer Kitt. Oder wie eine in Plastik verpackte, lange weiße Salami. Es überlief mich noch kälter als zuvor, wenn das überhaupt möglich war. Gary hatte ein paar Pfund Plastiksprengstoff aus seiner Tasche geholt.

Er befestigte die weiße Wurst zwischen meinen Beinen an dem Stuhl. O Gott, dachte ich. Nicht meine Beine. Mary-Lous Beine und ihr entsetzliches Abhandensein verfolgten mich noch immer. Jetzt sollte offenbar mein Alptraum Wirklichkeit werden. Als Nächstes nahm Gary behutsam ein zigarettengroßes Metallröhrchen aus der Tasche und schob es ganz vorsichtig tief in die weiche weiße Sprengladung, so wie man ein Schokoblättchen auf eine Eiswaffel steckt. Oben aus dem Röhrchen kamen zwei kurze Drähte, die mit einem kleinen schwarzen Kasten verbunden waren. Die Fernzündung, schätzte ich. Ich schwitzte, und Komarov genoss das sichtlich. Jetzt empfand ich bares Entsetzen. Ich würde sterben, ich hoffte nur noch auf einen schnellen und leichten Tod, befürchtete aber in meiner Verzweiflung das Gegenteil. Würde ich durchhalten, ohne ihm zu verraten, wo die Kugeln waren? Konnte ich sterben, ohne diese Information preiszugeben? Würde ich diejenigen, die ich liebte, schützen können, was immer man mir auch antat? Die gleichen Fragen, die sich jeder von der Gestapo gefolterte Spion oder Widerstandskämpfer vor über fünfzig Jahren gestellt hatte. Die Antwort konnten sie genau wie ich erst kennen, wenn das Unvorstellbare wirklich geschah.

»Wo ist sie?«, fragte Komarov.

»Wo ist was?«, fragte ich zurück.

»Mr. Moreton«, sagte er, als spräche er mich auf der Vorstandssitzung einer Firma an, »lassen wir doch die Spielchen. Wir wissen beide, wovon ich rede.«

»Ich habe sie Mrs. Schumann zurückgegeben«, sagte ich. George schien nicht ganz wohl in seiner Haut.

»Man hat mir gesagt«, erwiderte Komarov, »dass das nicht der Fall ist. Mrs. Schumann hat Ihnen zwei Stück ausgehändigt. Die eine haben wir wieder, aber die andere nicht.« Er trat hinter mich. »Mrs. Schumann hätte die Sachen gar nicht haben dürfen. Bis auf die, die sich noch in Ihrem Besitz befindet, haben wir sie jetzt alle zurück.« Er stellte sich wieder vor mich hin. »Früher oder später werden Sie mir sagen, wo sie ist.« Er lächelte. Offensichtlich amüsierte er sich. Ich nicht.

Aus der Küche kam ein Geräusch. Es war nicht besonders laut, aber deutlich, wie das Klirren eines auf den Steinboden fallenden Löffels. Caroline, dachte ich.

»Kannst du nicht *einmal* was richtig machen?«, sagte Komarov in schneidendem Ton zu George Kealy. Er war gereizt. »Behalt ihn im Auge.« Er wies auf mich. »Macht er eine Bewegung, schieß ihm in den Fuß. Dass du mir aber nicht die Ladung triffst, sonst sind wir alle tot. Sie«, er winkte Gary, »kommen mit mir.«

Komarov und Gary gingen durch die Schwingtür, die im Normalfall von meiner Bedienung benutzt wurde und nicht von bewaffneten Mördern, zur Küche hinüber. Ich betete, dass Caroline sich weiter versteckt hielt.

George stand nervös vor mir.

»Wie um alles in der Welt sind Sie da reingeraten?«, fragte ich ihn.

»Halten Sie den Schnabel«, gab er zurück. Ich dachte nicht daran.

»Warum haben Sie das Festessen vergiftet?«, fragte ich ihn.

»Halten Sie den Schnabel«, wiederholte er. Ich dachte noch immer nicht daran.

»Haben Sie's getan, damit Sie nicht zum Guineas gehen mussten?«, fragte ich.

»Sie sollen den Schnabel halten«, sagte er.

»Hat Gary die Kidneybohnen in die Sauce getan?«, fragte ich ihn.

Er antwortete nicht. »Das war nun wirklich blöd«, sagte ich. »Ohne das hätte ich mir keine Gedanken gemacht. Ich hätte keine Fragen gestellt.« Und wäre jetzt nicht hier, dachte ich, gefesselt und den Tod vor Augen.

»Das sollten Sie auch *jetzt* nicht«, sagte George. Ich musste einen Nerv getroffen haben.

»Probleme, was? Mit dem großen Boss?«, sagte ich und rieb Salz in die Wunde. Da er schwieg, stichelte ich weiter. »Sie haben's vermasselt, ja? War unser George doch nicht so ein kluger Junge?«

»Halten Sie den Schnabel«, sagte er und richtete die Pistole auf mich. »Es reicht!«

»Was sagt denn Emma dazu?«, fragte ich. »Weiß sie, was Sie treiben?«

Er drehte sich um und blickte zu der Tür, durch die die beiden anderen verschwunden waren. Er hoffte auf Unterstützung, denn ich ging ihm offensichtlich an die Nieren.

»Hat Emma die giftigen Kidneybohnen für euch zubereitet?«, fragte ich.

»Reden Sie keinen Stuss«, sagte er und drehte sich wieder zu mir um. »Von den Bohnen sollte ihr nur übel werden.«

»Emma sollte übel werden?«, sagte ich verblüfft.

»Emma wollte unbedingt mit mir in diese blöde Loge auf der Rennbahn«, sagte er. »Ich konnte es ihr nicht ausreden. Sie und Elizabeth Jennings hatten das seit Wochen geplant – seit die Einladung gekommen war. Ich konnte ihr ja nun schlecht sagen, warum sie da fernbleiben sollte, oder?«

»Sie haben also das Abendessen vergiftet, damit sie nicht zum Pferderennen geht?«

»Ja«, sagte er. »Dieser verdammte Gary sollte nur die Portionen von Emma und den Jennings' vergiften. Das ganze Futter hat er vergiftet, der blöde Hund. Mir ist sogar selber schlecht geworden.«

»Geschieht Ihnen recht«, sagte ich, genau wie Caroline es zu mir gesagt hatte.

Wahrscheinlich war es für Gary einfacher gewesen, das ganze Essen zu vergiften statt nur drei Portionen und dann dafür zu sorgen, dass sie zu den richtigen Personen gelangten. Das hätte er mit einem der Kellner absprechen müssen. Außerdem lieferte ihm die Massenvergiftung die Ausrede, die er brauchte, um an dem Samstag nicht zum Kochen auf der Rennbahn zu erscheinen.

»Elizabeth Jennings war aber trotzdem beim Pferderennen«, sagte ich zu George. »Wieso?«

»Ich wusste nicht, dass sie eine Pilzallergie hatte«, antwortete er. Elizabeth hatte das Huhn wohl ohne die Trüffel- und Pfifferlingsauce gegessen. »Das hat mir leidgetan.«

Nicht so leid, dachte ich, dass er Elizabeths Beerdigung ferngeblieben wäre. Nicht so leid, dass er es unterlassen hätte,

Neil Jennings an der Kirchentür die blutbefleckte Hand zum Trost zu reichen.

»Sie hätten sich da raushalten sollen«, sagte er und sah mich dabei jetzt zum ersten Mal an.

»Aus was?«, fragte ich.

»Sie waren so versessen darauf rauszufinden, wer das Essen vergiftet hatte.«

»Na logisch«, sagte ich.

»Aber das konnte ich nicht zulassen«, sagte George.

Ich starrte ihn an. »Heißt das, *Sie* haben versucht, mich umzubringen?«

»Ich hab's arrangiert«, sagte er obenhin. Es lag keine Reue in seinem Ton.

Ich hatte George gemocht. Ich hatte ihn immer als einen Freund betrachtet, und doch hatte er offenbar zwei Anschläge auf mein Leben veranlasst. Er hatte mich um meinen Wagen gebracht, hatte mein Haus und alles, was ich besaß, in Brand gesteckt, und jetzt stand er mit einer Pistole in der Hand und Mordgedanken im Kopf vor mir. Vorige Woche hatte ich Dorothy Schumann gesagt, viele Menschen würden von ihren Freunden ermordet. Ich hatte nicht damit gerechnet, so schnell vor Augen geführt zu bekommen, wie wahr das war.

»Sie haben sich aber nicht besonders schlau dabei angestellt, was?«, stachelte ich ihn wieder auf. »Komarov war sicher auch nicht begeistert, hm? Zu blöd, um einen Provinzkoch zu killen? Können Sie nicht *einmal* was richtig machen?«, äffte ich Komarov nach.

»Halten Sie den Schnabel!«, brüllte er wieder. Er war hocherregt. »Gary könnte noch nicht mal ein Saufgelage in einer Brauerei auf die Beine stellen.«

»Dann hat also Gary versucht, mich umzubringen?«, fragte ich.

Ohne mich zu beachten, ging er zur Verbindungstür und warf durch das runde Fenster einen Blick in die Küche.

»Warum hat Komarov die Loge in die Luft gejagt?«, versuchte ich einen neuen Ansatz.

»Sie sollen den Schnabel halten«, sagte George und fuchtelte mit der Pistole.

»War Rolf Schumann die Zielperson?«, fragte ich dennoch.

»Schnauze«, rief er, kam zu mir und richtete aus zwanzig Zentimetern die Waffe auf meinen Kopf. Ich beachtete ihn wieder nicht. Wenn ich ihn genügend in Rage brachte, tat er mir vielleicht den Gefallen und tötete mich schnell. »Wozu die Bombe in der Loge?«, fragte ich. »Das war doch maßlos übertrieben. Warum hat er Schumann nicht einfach erschossen, wenn er ihn umbringen wollte? Schnell und heimlich, in irgendeiner dunklen Gasse in Wisconsin.«

»Komarov macht nichts unauffällig«, sagte George. »Ein Zeichen wollte er setzen. Allen zeigen, dass er es ernst meint. Schumann hat ihn bestohlen, und Komarov mag keine Diebe. Es musste ein Exempel statuiert werden.« George wiederholte hier offensichtlich Komarovs Worte.

Merkwürdige Logik, fand ich. Schumann war ein Dieb, also wollte ihm Komarov ans Leben und brachte stattdessen neunzehn unschuldige Menschen um, darunter die reizende Louisa und die gewissenhafte MaryLou, unter den grauenhaftesten Umständen. Komarov war wahrhaft böse.

In der Küche ertönte ein Schrei. Dann ein Schuss. Ich war außer mir. Bitte, Gott, betete ich, lass es nicht Caroline sein, auf die da geschossen wurde.

George trat rückwärts von mir weg und blickte erneut durch das runde Fenster in der Schwingtür zur Küche. Noch ein Schuss knallte, dann noch einer, danach wieder Geschrei. Schade, dass wir keine Nachbarn hatten, dachte ich. Vielleicht hätte jemand die Schüsse gehört und die Polizei verständigt.

Komarov kam rasch zur Tür herein.

»Hinterm Haus ist jemand«, sagte er zu George. »Ich glaub, ich hab ihn erwischt. Geh raus und gib ihm den Rest. Aber ich hab Gary auch schon losgeschickt – nicht, dass du den abknallst.« George zögerte. »Los, George.« Georges Körpersprache schrie laut, dass ihm das nicht gefiel, als er durch die Tür trat. Im Dunkeln mit Schießeisen herumzufuhrwerken, war eigentlich nichts für ihn. Aber daran hätte er denken sollen, bevor er sich mit einem Mann wie Komarov eingelassen hatte.

»Also, Mr. Moreton«, sagte Komarov und stelle sich vor mich hin. »Wo ist meine Kugel?«

Mir war fast zum Lachen. Da ballerte er in der Gegend herum, und mich fragte er, wo seine Kugel war. Er schien mir die Belustigung anzumerken und wurde wütend. Offensichtlich erwartete er, dass ich vor Angst kuschte. Er ahnte ja nicht, wie eingeschüchtert ich tatsächlich war.

»Ich gebe Ihnen eine letzte Chance, es mir zu sagen, dann schieße ich Sie in den linken Fuß«, sagte er. »Danach in den rechten, dann in die Knie, die Handgelenke, die Ellenbogen.« Während er sprach, stieß er das angebrochene Magazin aus der Pistole und ersetzte es durch ein neues, das er aus der Tasche zog. Ein volles, nahm ich an.

»So, die Zeit läuft. Zum letzten Mal, wo ist sie?« Er beugte sich zu meinem Gesicht herunter. Ich überlegte, ob ich ihn anspucken sollte. Vielleicht würde er dann so wütend, dass er kurzen Prozess machte. Ich probierte es. Er lachte nur und wischte sich mit dem Ärmel übers Gesicht. »Das hilft Ihnen gar nichts«, sagte er. »Sie werden mir sagen, was ich wissen will, das verspreche ich Ihnen. Dann lasse ich die Sprengladung hochgehen und mache aus Ihnen und Ihrem Restaurant Konfetti.« Bei seinem russischen Zungenschlag hörte es sich nach »Konfäti« an, aber ich verstand, was er meinte. Noch ein Exempel statuieren, klar.

Er trat einen Schritt zurück und hob die Pistole. Ich fragte mich, wie weh es tun würde. Ob ich es aushalten könnte, den Schmerz aushalten in den Füßen, den Knien, den Handgelenken und den Ellbogen. Ich konnte ihn einfach nicht nach East Hendred schicken, zu Toby und Sally und ihren drei reizenden Kindern. Was auch geschah, sagte ich mir immer wieder, ich durfte nicht reden. Ich durfte nicht Tod und Verderben über meinen Bruder bringen.

Komarov zielte mit der Pistole auf meinen rechten Fuß.

»Warten Sie«, rief ich. Er ließ den Arm ein wenig sinken.

»Wozu brauchen Sie die überhaupt?«, fragte ich. »Sie haben doch bestimmt Hunderte davon.«

»Weshalb sollte ich Hunderte haben?«, fragte er, sichtlich gespannt, wie viel ich wusste. Was sollte ich ihm sagen? Kam es darauf an?

»Um sie den Pferden einzusetzen«, sagte ich. »Gefüllt mit Drogen.«

Die Wirkung war ziemlich verblüffend. Er wurde blass, und seine Hand zitterte ein wenig.

»Wer weiß davon?«, fragte er in einer deutlich höheren Tonlage als sonst.

»Jeder«, sagte ich. »Ich hab's der Polizei erzählt.« Rettung versprach ich mir von diesem Ausspruch nicht; ganz im Gegenteil. Aber ich hoffte auf einen schnelleren, weniger schmerzhaften Tod.

»Das war sehr unklug von Ihnen«, meinte er, jetzt wieder in seinem normalen Tonfall. »Dafür werden Sie sterben.« Das würde ich sowieso. Nichts Neues.

Er machte wieder ein paar Schritte um mich herum. Gut, dachte ich, er schießt mich in den Hinterkopf. Viel glatter, und viel besser, wenn ich den Tod nicht kommen sah. Ich würde einfach … nicht mehr da sein.

Als Komarov auf Höhe meiner Schulter war, trat Caroline durch die offenstehende Tür und schlug ihm die Viola mitten ins Gesicht. Sie schwang das Instrument mit beiden Händen durch die Luft, indem sie es an Hals und Griffbrett gepackt hielt. Der Schlag war mit solcher Wucht geführt, dass die arme alte Viola unrettbar beschädigt wurde. Ihr Hals zerbrach, ihr Resonanzkörper barst, aber Komarov, und das war mir wichtiger, ging halb bewusstlos zu Boden. Caroline weinte und schnappte gleichzeitig keuchend nach Luft.

»Schnell«, rief ich ihr zu. »Hol ein Messer.« Sie sah mich an. »Aus dem Sideboard«, rief ich. »Obere Schublade links.« Sie ging schnurstracks zu der Anrichte und kam mit einem hübsch scharfen, gezackten Steakmesser wieder. Meinen Gästen gab ich normalerweise keine Steakmesser, weil mir das nach einem Eingeständnis ausgesehen hätte, dass meine Steaks zäh waren, aber für alle Fälle hatten wir welche. Gott sei es gedankt. Auch so fiel es Caroline noch schwer, das Packband an meinem Handgelenk zu durchtrennen. Aus schierer Verzweiflung, in dem Bewusstsein, dass der Schreckensmann zu unseren Füßen jeden Augenblick erwachen konnte, schaffte sie es aber. Meine linke Hand war frei.

»Schnell«, sagte ich wieder. »Nimm ihm die Pistole ab und gib sie mir.«

Komarov war gestürzt, hatte die Waffe aber nicht ganz losgelassen. Caroline bückte sich und riss ihm die Pistole aus der Hand, als er bereits langsam wieder zu sich kam. Mit einem gequälten Lächeln gab sie sie mir und machte sich wieder daran, mich von dem Stuhl loszuschneiden. Plötzlich fiel mir der Sprengstoff ein. Wo war der Schalter für die Fernzündung? Hatte Komarov ihn in der Tasche?

Caroline säbelte an meiner Beinfessel herum, aber sie brauchte zu lange. Komarov war wieder bei vollem Bewusstsein und sah ihr zu. Blut lief ihm aus der Nase, über die Lippen und am Hals herunter. Er hob die Hand zum Kopf und verzog das Gesicht. Caroline musste ihm die Nase gebrochen haben.

»Keine Bewegung«, sagte ich und richtete die Pistole auf ihn.

Er stützte sich mit dem linken Ellbogen am Fußboden auf und schob die rechte Hand in die Tasche.

»Halten Sie die Hände so, dass ich sie sehen kann«, sagte ich.

Er zog die Hand wieder heraus, aber jetzt hielt er einen kleinen, flachen schwarzen Kasten in den Fingern, mit einem roten Knopf in der Mitte.

O Gott, dachte ich, meine Beine. Würde er den Knopf drücken? Aber brachte er sich dann nicht auch selber um? Sollte ich schießen? Würde er dann die Bombe zünden? Würde er sie zünden, wenn ich nicht schoss?

Ich beobachtete ihn und merkte, wie er seine Möglichkeiten abwog. Wenn ich wirklich die Polizei informiert hatte, stand sein Imperium vor dem Zusammenbruch. Eventuell könnte er sich noch nach Russland oder Südamerika absetzen, vielleicht waren die Fluchtwege aber auch schon versperrt. Lebenslange Haft in einem britischen Gefängnis würde mit ziemlicher Sicherheit genau das bedeuten: hinter Gittern, bis er starb. Für einen Terrorakt wie den Bombenanschlag in Newmarket gäbe es keine Bewährung.

Ganz plötzlich wurde mir klar, dass er es tun würde. Er würde uns alle in die Luft jagen, und damit basta.

Ich beugte mich zwischen meine Beine vor, packte die Drähte und zog den zigarettengroßen Zünder aus der Ladung. Ich warf ihn quer durch die Gaststube. Komarov drückte den roten Knopf, aber es war zu spät, der Zünder explodierte mit einem harmlosen Knall mitten in der Luft, wie ein besonders lauter Sektkorken.

Komarov fühlte sich sichtlich betrogen, und er war wütend. Er wollte aufstehen.

»Keine Bewegung«, rief ich erneut. Er beachtete mich nicht und kniete sich hin. »Ich schieße«, sagte ich. Aber er rappelte sich weiter hoch. Also schoss ich.

Es ging erstaunlich leicht. Ich richtete die Pistole auf ihn und drückte ab. Es war nicht mal so laut, wie ich erwartete, da die Gaststube größer war als der enge Vorraum, in dem Komarov Richard erschossen hatte.

Die Kugel traf ihn ins rechte Bein, direkt über dem Knie. Ich hatte nicht auf das Bein gezielt. Ich war Rechtshänder, aber durch den Gips gezwungen gewesen, mit links zu schießen. Ich hatte die Pistole einfach mittendrauf gehalten und geschossen. Hätte ich das Bein anvisiert, hätte ich es wahrscheinlich verfehlt. Komarov ließ den Zündschalter fallen, umfasste mit beiden Händen die Wunde und sackte wieder zu Boden. Blut strömte ihm aus dem Bein, und ich fragte mich, ob ich eine Arterie getroffen hatte. An ihm lag mir nichts weiter, bloß ruinierte er den Teppichboden in meiner Gaststube. Ich überlegte, ob ich ihn in den Kopf schießen sollte, damit die Blutung aufhörte. Es war Blut ohne Ende, leuchtend rotes, mit Sauerstoff angereichertes Blut. Aber ich ließ ihn weiterbluten. Zumindest wurde hier nicht das Blut eines Unschuldigen vergossen, und mein Teppichboden ließ sich ersetzen.

Caroline war hinter mir auf den Knien. Sie hatte mich endlich vom Stuhl losgeschnitten, und ich stand auf und trat zu ihr, wobei ich Komarov und die Tür zur Küche im Auge behielt. Es war ja noch mit George Kealy zu rechnen. Caroline wiegte Viola in den Armen und schluchzte. Nur die vier Saiten hielten den Wirbelkasten und die Schnecke noch mit dem zusammen, was vom Korpus des Instruments geblieben war. Hals und Griffbrett waren mittendurch gebrochen, und der Klangkörper war der Länge nach gerissen. Daran ließ sich ablesen, wie heftig Caroline auf Komarov eingeschlagen hatte. Mich wunderte eigentlich, wie schnell er das hatte wegstecken können.

»Pass auf, mein Schatz«, sagte ich. »Zwei von ihnen laufen hier noch rum. Ich geh sie suchen. Geh du ins Büro und ruf die Polizei.«

»Was sag ich denn?«, fragte sie, sichtlich unter Schock.

»Dass jemand ermordet worden ist«, antwortete ich. »Und dass der Täter noch hier ist. Dann dürften sie schnell kommen.«

Caroline ging durch den Vorraum in die Bar, wobei sie Violas Überreste behutsam vor sich hertrug.

Komarov wollte wieder aufstehen. Die Blutung am Bein war zu einem Rinnsal abgeflaut, und ich überlegte, ob ich noch einmal auf ihn schießen sollte. Stattdessen packte ich ihn am Kragen, drückte ihm die Pistole ins Kreuz und stieß ihn vor mir her, durch die Schwingtür in die Küche. Wenn George Kealy auf mich schießen wollte, musste er erst mal an seinem Boss vorbeischießen. Doch die Küche war leer. George und Gary suchten offenbar noch draußen.

Ich stieß Komarov quer durch die Küche und knallte ihn neben der Edelstahltür des Kühlraums an die Wand. Von hinten rammte ich ihm mein Knie gegen das verletzte Bein, und er stöhnte auf. Weil es so schön war, machte ich es noch mal.

Ich öffnete die Tür des Kühlraums und stieß Komarov hinein, so dass er der Länge nach auf dem Bretterboden landete. Der Kühlraum war gut drei mal drei Meter groß und zwei Meter zwanzig hoch, mit vier breiten, ringsum führenden Edelstahlfächern voller Lebensmittel und einem zwei Meter zwanzig langen, ein Meter zwanzig breiten Gang in der Mitte. Er hatte mich ein Vermögen gekostet, war aber jeden Penny davon wert. Ich warf die Tür zu. Sie ließ sich von innen aufstoßen, damit sich niemand versehentlich einsperrte, und von außen durch ein Vorhängeschloss sichern. Da ich kein Vorhängeschloss hatte, steckte ich einen dreißig Zentimeter langen Kebabspieß in den Bügel und setzte Komarov damit gefangen.

Im Büro sah ich Caroline zitternd am Schreibtisch stehen. Sie schluchzte leise und war völlig außer sich. Ich zog sie an mich und küsste sie auf den Hals.

»Setz dich und warte hier«, sagte ich ihr ins Ohr. »Ich muss die anderen finden.« Ich half ihr in einen Sessel. »Hast du die Polizei angerufen?«, fragte ich. Sie nickte.

Ich ging wieder in die Küche und hörte, wie George Kealy draußen bei der Hintertür nach Gary rief. Ich zog den Kebabspieß heraus und hielt die Pistole schussbereit, als ich vorsichtig den Kühlraum wieder öffnete. Komarov saß, gegen das unterste Regal gelehnt, auf dem Bretterboden. Er hob zwar den Kopf, aber die gebrochene Nase, die Schusswunde und der Blutverlust hatten ihn kampfmüde gemacht.

Ich hörte George durch die Spülküche hereinkommen.

Komarov hörte ihn auch.

Ich stellte mich einfach hinter die Tür und sperrte sie so weit auf, wie ich konnte. Ich spürte eher, als ich sah, wie George in die Küche trat und zum Kühlraum herüberkam. Seine Pistole erschien vor der Türkante und verschwand, als er Komarov im Inneren entdeckte. Dann spazierte er hinein, und ich warf die Tür hinter ihm zu. Schnell legte ich den Spieß wieder vor.

Ich hörte, wie George drinnen versuchte, die Tür aufzustoßen, doch der Spieß hielt sie problemlos geschlossen. Er feuerte einen Schuss ab, doch zwischen den Edelstahlwänden der Tür lagen acht Zentimeter Isolierung, da drang ein Geschoss aus einer Faustfeuerwaffe nicht durch.

Jetzt musste ich mich nur noch mit Gary befassen.

Es dauerte eine Weile, bis ich ihn fand. Er lehnte an einem Baum auf der anderen Seite des Parkplatzes. Er war kein Problem. Genau gesagt, er würde für niemanden mehr ein Problem sein, höchstens für einen Bestattungsunternehmer. Ein Fischfiletierer steckte bis zum Heft der dünnen, scharfen, zwanzig Zentimeter langen Klinge in seiner Brust. Man sah praktisch kein Blut, nur ein dünnes Rinnsal, das ihm aus dem Mund lief. Das Messer hatte anscheinend sein Herz durchbohrt und es sofort stillstehen lassen. Aber wer war das gewesen? Sicher nicht George Kealy. Er hätte dazu nicht die Kraft gehabt.

Ich fuhr herum. Es musste noch jemand anderes da sein.

Caroline schrie plötzlich vom Haus her, und ich rannte über den Parkplatz zurück, durch die Hintertür ins Haus und durch die Küche. Sie stand mit aufgerissenen Augen mitten im Büro, und sie war nicht allein.

Jacek stand vor ihr, und auch er blutete. In dicken Tropfen klatschte das Blut von den Fingern seiner linken Hand auf den Fußboden und bildete eine leuchtend rote Pfütze neben seinem Fuß. Hörte dieses Blutvergießen nie auf? Ich hob die Pistole, aber ich brauchte sie nicht. Bevor ich etwas sagen konnte, ging er in die Knie und drehte sich langsam auf den Rücken. Er hatte einen Schuss in die Schulter bekommen.

Jacek, der Mann, dem ich misstraut hatte, der Springer, der mir ein stilles Wasser zu sein schien, war die ganze Zeit einer der Guten gewesen und hatte mir zweifellos das Leben gerettet.

Schließlich kam die Polizei. Und ein Krankenwagen. Caroline hatte tatsächlich einen Notruf durchgegeben, war aber offenbar zu verwirrt gewesen, um sich klar auszudrücken. Der Mann in der Zentrale hatte den Anruf zurückverfolgt und Hilfe entsandt. Zuerst wurde Jacek, dann Caroline ins Krankenhaus gebracht. Die Rettungsleute versicherten mir, dass beide bald wieder wohlauf sein würden, meinten aber, dass sie über Nacht im Krankenhaus bleiben sollten. Caroline stand stark unter Schock, und wie es aussah, kam sie wieder nicht zu ihrer Nacht im Bedford Lodge Hotel.

Die Beamten, die mit dem ersten Streifenwagen eintrafen, schienen nicht recht zu wissen, wie sie vorgehen sollten, und verbrachten die Zeit hauptsächlich damit, blauweißes Absperrband mit der Aufschrift POLIZEI – KEIN ZUTRITT um alles und jedes zu wickeln, während sie auf Verstärkung warteten.

Ich wollte Caroline im Krankenwagen begleiten, woran mich aber ein Polizist hinderte, der seine Absperrarbeit kurz unterbrach, um mir mitzuteilen, dass ich im Restaurant bleiben müsse, um eine Aussage zu machen.

Also blieb ich und ging durch Büro und Bar in den Vorraum. Richard lag immer noch mit dem Gesicht nach unten auf dem Steinboden. Ich schob ein paar Glasscherben beiseite und kniete mich neben ihn. Obwohl ich davon ausging, dass er tot war, umfasste ich sein Handgelenk, um mich zu vergewissern. Er hatte keinen Puls, und die Haut fühlte sich schon merklich kalt an. Dass so etwas meinem gewissenhaften, zuverlässigen Oberkellner angetan worden war! Ich kniete eine Zeitlang bei ihm und legte ihm die Hand auf den Rücken, als könnte ich ihm damit im Tod Trost spenden, bis einer der Polizisten hereinkam und mich bat zu gehen.

Die polizeiliche Verstärkung, die schließlich eintraf, bestand aus etlichen Kriminalbeamten, einem Ballistikteam und dem Kampfmittelräumdienst der Armee.

Verständlicherweise war niemand darauf erpicht, die Kühlraumtür zu öffnen. Immerhin befand sich ein Bewaffneter im

Innern. Man entschloss sich, die Insassen noch eine Weile zu lassen, wo sie waren, damit sie buchstäblich abkühlen konnten. Drei Grad Celsius wären auch dann ziemlich ungemütlich gewesen, wenn sie dicke Mäntel, Handschuhe und Hüte getragen hätten. In Anbetracht des warmen Maitages aber waren Pjotr Komarov und George Kealy in Hemdsärmeln gewesen. Was kümmerte es mich?

Der Einsatzleiter befragte mich kurz, und ich versuchte zu erklären, was vorgefallen war. Aber das war kompliziert, und es schien, als ob ihn vor allem die beiden Männer im Kühlraum beschäftigten. Man werde mich später auf dem Revier noch einmal befragen, erklärte er. Am nächsten Morgen, hoffte ich gähnend.

Da der Kampfmittelräumdienst die Polizei und mich aufforderte, das Gebäude zu verlassen, während der Sprengstoff entfernt wurde, setzte ich mich in der schotterbestreuten Einfahrt des Restaurants auf einen weißen Plastikstuhl. Einer der Rettungsmänner kam herüber, legte mir eine rote Decke um die Schultern und fragte mich, ob alles in Ordnung sei.

»Es geht mir gut«, sagte ich. Dabei musste ich an den Tag des Bombenanschlags auf der Rennbahn von Newmarket denken. Aber diesmal ging es mir wirklich gut. Der Alptraum war vorüber.

Epilog

Sechs Monate später eröffnete ich Maximilian's, ein modernes, aufregendes Restaurant auf der Südseite des Berkeley Square in Mayfair mit vorwiegend französischer Küche, aber englischen Einflüssen.

Der Eröffnungsabend war eine große Angelegenheit mit zahlreichen geladenen Gästen. Hinten in der Gaststube spielte sogar ein Streichquartett. Ich blickte zu ihnen hinüber, den vier schlanken, eleganten jungen Damen in Schwarz. Besonders die Bratschistin schaute ich mir an. Sie hatte schulterlanges, hellbraunes Haar, zu einem Pferdeschwanz gebunden, strahlend blaue Augen, hohe Wangenknochen und eine lange, schmale Nase über einem breiten Mund und einer eckigen Kinnpartie. Sie spielte eine neue Viola – neu zumindest für sie. An der linken Hand, die am Griffbrett entlangglitt, sah ich den diamantbesetzten Verlobungsring im Licht glitzern. Den hatte ich ihr auf Knien in der Küche überreicht, bevor die ersten Gäste eingetroffen waren.

»Ich dachte immer, Sie hießen Maxwell«, sagte mir eine tiefe Bassstimme ins Ohr. Es war Bernard Sims. »Wie man hört, haben Sie beschlossen, aus der Klägerin eine ehrbare Frau zu machen«, setzte er kopfschüttelnd, aber mit einem Lächeln hinzu.

»Schuldig«, plädierte ich grinsend.

Die mir drohende Anklage wegen Verstoßes gegen Paragraph 7 des Lebensmittelschutzgesetzes von 1990 war fallengelassen worden, und der Rechtsstreit wegen der Vergiftung war außergerichtlich beigelegt worden durch die Zahlung eines Schmerzensgelds in unbekannter Höhe an die Klägerin. Carolines Agent hatte seine fünfzehn Prozent von dem vertraulichen Betrag einzufordern versucht, doch Bernard Sims hatte ihn darauf hingewiesen, dass ihm nur Anteile an Carolines Einnahmen zustünden, sie die vereinbarte Entschädigung aber nicht wegen Verdienstausfalls, sondern zum Ausgleich für erlittene Schmerzen erhalten habe. Das hatte ihn zwar nicht gefreut, aber andererseits wäre es für Caroline sehr schwierig gewesen, nur 85 Prozent einer 1869 von Stefano Scarampella gebauten Viola zu spielen.

D. I. Turner hatte mich zu guter Letzt zurückgerufen und war umgehend persönlich vorbeigekommen, als ich ihm sagte, ich wüsste, wer auf der Rennbahn von Newmarket die Bombe gelegt hatte. Seither hielt er mich in der Sache auf dem Laufenden. Komarov hatte sowohl den Beinschuss wie auch die Unterkühlung durch den Aufenthalt im Kühlraum überlebt und musste sich wegen zwanzigfachen Mordes verantworten, auch wegen des kaltblütigen Mords an Richard, meinem schmerzlich vermissten Oberkellner. Anklagen wegen Sprengstoffmissbrauch und Drogenschmuggel sollten folgen. George Kealy war des Mordes an Richard mitangeklagt, doch Turner war überzeugt, dass er letztlich nur wegen Beihilfe zu den Morden verurteilt werden würde, da George inzwischen sang, um einen Freispruch oder zumindest ein glimpfliches Urteil zu bekommen. Bei einer polizeilichen Durchsuchung im Hause Kealy waren Kisten mit Metallkugeln in einem verschlossenen Schrank entdeckt worden, und in Garys Wohnung hatte sich ein gewisser silberner Schlüsselanhänger gefunden, an dem noch der Schlüssel zu meinem abgebrannten Cottage hing. Über all das war in der Presse ausgiebig berichtet worden, am ausführlichsten von Clare Harding in der *Cambridge Evening News*.

Wie ich angenommen hatte, war George Kealy Komarovs Mann in England, so wie Rolf Schumann es in den Staaten gewesen war. Er hatte nach außen hin den Kontakt zwischen Horse Imports Ltd. und Tattersalls hergestellt, dem Vollblutauktionshaus in Newmarket, und noch dazu war er Vorsitzender des East Anglian Polo Club gewesen. Wie Rolf Schumann hatte auch George sich offenbar rege auf dem Drogenmarkt betätigt und etliche Großdealer fortwährend mit hochwertigem Kokain versorgt. Gestreckt wurde der Koks dann an die Straßenhändler und die Konsumenten weitergereicht, während der Erlös den umgekehrten Weg nahm. Rolf hatte die Hälfte dieses Drogengeldes abgesahnt, um sein Unternehmen über Wasser zu halten. Genau drei Monate nach der Bombe in Newmarket hatte die Traktorfabrik endgültig dichtgemacht. Die Dame aus dem Spruchkissengeschäft in Delafield war sicher nicht glücklich darüber.

Anders als Rolf Schumann hatte George offenbar treu zu Komarov gestanden, zumindest bis er verhaftet und des Mordes beschuldigt wurde.

Aufgrund der Informationen, die George preisgegeben hatte, hatten mehrere Drogenbarone frühmorgendlichen Besuch von den Ordnungshütern Ihrer Majestät erhalten und schmachteten nun in den Verliesen der Königin ihrem Prozess entgegen. Andere Hinweise, die George gegeben hatte, wurden von der Polizei in aller Welt überprüft. Ich konnte mir vorstellen, dass die Pferdezucht in Südamerika demnächst einen größeren Einbruch erlebte.

Kurt und Walter waren unterdessen von der Polizei Delafield gestellt worden, die sie wegen gefährlicher Körperverletzung und schwerer Sachbeschädigung im Haus von Mrs. Dorothy Schumann befragen wollte. Der ungestüme Walter hatte offenbar einem Beamten des Sheriffs mit einem Poloschläger den Schädel einschlagen wollen und war dafür erschossen worden. Kein großer Verlust.

Ich trat an die Bar und überblickte mein neues Reich. Mark Winsome hatte Wort gehalten, wenn er auch wohl tiefer in die Tasche hatte greifen müssen als ursprünglich vorgesehen. Aber das Geld war gut angelegt worden: Reichlich Glas und ein ganzer Wald von Buchenholz erfreuten das Auge der Gäste und mich der für sie nicht sichtbare Edelstahl in der bestens eingerichteten Küche. Wir hatten mehr als doppelt so viele Tische wie im Hay Net, und die längeren Londoner Öffnungszeiten stimmten mich zuversichtlich, dass wir an einem guten Abend mindestens dreimal so viele Mahlzeiten servieren konnten.

Trotz der Neueröffnung in London hatte ich Newmarket doch nicht aufgegeben. Carl und ich hatten gemeinsam an seinen Fähigkeiten zur Personalführung gefeilt, und ich hatte ihn zum Küchenchef des Hay Net ernannt und ihm drei neue Assistenten zur Seite gestellt, insbesondere Oscar, der unsere zerknirschte Entschuldigung sowie eine beträchtliche Wiedergutmachung in bar entgegengenommen hatte und jetzt Carls fester Stellvertreter war. Ray und Jean hatten sich nach etwas Neuem umgesehen, aber es herrschte kein Mangel an fähigen Kräften, die in ihre Fußstapfen treten konnten, um neuen Schwung in die mit neuem Teppichboden ausgelegte Gaststube zu bringen. Jacek war allerdings auch nicht geblieben.

Ich hatte recht gehabt mit ihm, wenigstens in einer Hinsicht. Mein Springer war wirklich ein stilles Wasser. Als er aus der tschechischen Republik nach England gekommen war, hatte er so wenig Englisch gekonnt, dass ihn das Arbeitsamt als nur für ungelernte Gaststättenarbeit geeignet eingestuft hatte. Dabei war Jacek ein ausgesprochener Könner. In seiner Heimat hatte er Kochtöpfe nicht gespült, sondern mit ihnen gearbeitet. Er blieb nicht im Hay Net, weil ich ihn samt nachgezogener Frau und Tochter als Assistenzkoch mit ins Maximilian's nahm. Schließlich konnte man nie wissen, wann wieder ein Bodyguard gebraucht wurde.

Ich spürte eine Hand auf meinem Arm, drehte mich um und sah Sally vor mir stehen. Sie und Toby hatten meine Einladung zu der Eröffnung mit Freuden angenommen und meine Mutter im Wagen mitgebracht.

»Es ist wunderschön«, sagte Sally mit einem herzlichen Lächeln. »Wirklich wunderschön.«

»Danke.« Ich beugte mich vor und gab ihr einen Kuss auf die Wange.

Sally und Toby hatte ich in den letzten sechs Monaten öfter gesehen als in den sechs Jahren zuvor. Mehrmals hatten sie Caroline und mich eingeladen, bei ihnen zu wohnen, was ich großartig fand, da ich mich bei ihnen nach wie vor zu Hause fühlte und ihr Haus momentan mein einziges Zuhause war. Ich hatte mich inzwischen an das Nomadendasein gewöhnt und lebte ständig aus dem Koffer. Mein Cottage war dem Erdboden gleichgemacht worden, da das Gemäuer zu sehr unter der Hitze des Feuers gelitten hatte, als dass man es noch hätte instandsetzen können. Die Parzelle, auf der es gestanden hatte, war jetzt samt Neubaugenehmigung zu einem Preis auf dem Markt, den ich für überhöht hielt, an den mein Makler aber glaubte.

War ich in den vergangenen Monaten in Newmarket, wohnte ich regelmäßig bei Carl, außer wenn seine Frau und die Kinder dort waren, was immer öfter vorkam. Dann nahm ich mir jeweils ein Zimmer im Bedford Lodge Hotel, wo ich am Abend nach ihrer Entlassung aus dem Krankenhaus endlich auch Caroline die Nacht spendieren konnte.

Meine einstweilige Londoner Adresse war eine gewisse Souterrainwohnung in der Tamworth Street in Fulham, wo nach eingehender Suche zwei winzige Abhörgeräte entdeckt worden waren, eins in dem Schrank unter der Spüle und eins im hintersten Winkel des Badezimmerschranks.

Zu ihrem Solo in der Cadogan Hall hatte Caroline es nicht mehr geschafft, und auch für Viola, die wir fürsorglich zu einem Geigenbauer erster Güte gebracht hatten, war der Vorhang gefallen. Der Mann hatte sich eine Weile über ihren Zustand aufgeregt und dann verkündet, sie lasse sich im Grunde nicht mehr reparieren. Ich hatte ihn gefragt, was er mit »im Grunde« meine, und er hatte geantwortet, er könne Viola zwar äußerlich ohne weiteres wiederherstellen, doch es sei äußerst zweifelhaft, dass sie je wieder so klingen würde, wie sie sollte. Der Boden und die Decke waren mittendurch gekracht, hatte er erklärt, und einige Zargen fehlten ebenso wie der Stimmstock – wahrscheinlich waren sie in den blutigen Gaststubenteppich eingewickelt worden und auf dem Müll gelandet. Er müsse die fehlenden Zargen ersetzen und das Korpus innen mit Material verstärken, das den Klang dauerhaft und nachteilig verändern würde. Darum hatten wir sie mit nach Hause genommen und sie zur bleibenden Erinnerung an das von ihr gebrachte Opfer auf ein Bord gelegt.

Caroline hingegen hatte sich schnell wieder vollständig erholt und die Orchesterleitung sogar dazu überredet, Benjamin Brittens Konzert für Violine und Viola – das Stück, das ihr in der Cadogan Hall entgangen war – in ein Sommerabendkonzert im St. James Park mit aufzunehmen. Es war ein wunderschöner, warmer Abend Ende Juni gewesen, und ihr Talent hatte mich verzaubert.

Wieder blickte ich durch das Restaurant zu ihr hinüber und lächelte. Sie erwiderte das Lächeln. Miss Caroline Aston, die stolze Bratschistin, meine Verlobte und meine Retterin.

Jacek und Caroline hatten mir mein Leben zurückgegeben. Ich war neu geboren, nachdem ich fest mit dem Tod gerechnet hatte. An jenem schicksalhaften Abend, als ich darauf wartete, dass der Kampfmittelräumdienst den Sprengstoff aus dem Hay Net entfernte, hatte ich mich entschlossen, das Leben bei den Hörnern zu packen und nicht mehr loszulassen.

Mein zweites Leben wollte ich mit Volldampf leben.

Dick Francis
im Diogenes Verlag

»Dick Francis schreibt Thriller, die sich aus der breiten Masse hervorheben. Immer wieder überrascht dieser Autor, dessen glänzende Karriere als Jockey durch einen Unfall beendet wurde, durch seine klugen und humorvollen Geschichten, seinen Sinn für Atmosphäre und für zum Teil köstliche Charaktere.«
Margarete von Schwarzkopf /
Norddeutscher Rundfunk, Hamburg

»Jeden der Romane von Dick Francis liest man mit höchst angenehmer Spannung. Wenn das Buch zu Ende ist, muß sofort der nächste Dick Francis her.«
Deutschlandradio, Köln

»Dick Francis ist einer der Großen des zeitgenössischen Kriminalromans.«
Jochen Schmidt / Frankfurter Allgemeine Zeitung

G.K. Chesterton
im Diogenes Verlag

»Ich glaube, Chesterton ist einer der besten Schrift-
steller unserer Zeit, und dies nicht nur wegen seiner
glücklichen Erfindungsgabe, seiner bildlichen Vorstel-
lungskraft und wegen der kindlichen oder göttlichen
Freude, die auf jeder Seite seines Werks durchscheint,
sondern auch wegen seiner rhetorischen Qualitäten,
wegen seiner reinen und schlichten Virtuosität.«
Jorge Luis Borges

»Erstaunlich, wie lange und wie gut sich der Reiz dieser
Geschichten erhalten hat. Er liegt in der Figur des Pater
Brown und in der Erzählweise Chestertons, in den
Bocksprüngen seiner Phantasie, in seinen grotesken
Vergleichen und verblüffenden Paradoxien.«
Georg Hensel / Frankfurter Allgemeine Zeitung

Eine Trilogie der besten
Pater Brown Stories

Die seltsamen Schritte
Pater Brown Stories. Aus dem Englischen
von Heinrich Fischer
(vormals: *Pater Brown und das blaue Kreuz*)
Zwei ausgewählte Stories auch als Diogenes Hörbuch
erschienen, gelesen von Hans Korte

Das Paradies der Diebe
Pater Brown Stories. Deutsch von Norbert Miller,
Alfons Rottmann und Dora Sophie Kellner
(vormals: *Pater Brown und der
Fehler in der Maschine*)

Das schlimmste
Verbrechen der Welt
Pater Brown Stories. Deutsch von Alfred P. Zeller,
Kamilla Demmer und Alexander Schmitz
(vormals: *Pater Brown und das
schlimmste Verbrechen der Welt*)

Robert van Gulik
im Diogenes Verlag

»Umberto Eco stieg ins Mittelalter mit seinem Klosterkrimi *Der Name der Rose,* Richter Di lebt in der Tang-Epoche Chinas (618–906), und dieser Magistratsbeamte im alten Reich der Mitte ist ein wahrer Sherlock Holmes!
Hast Du, Leser, erst einmal am Köder des ersten Falles geschnuppert, dann hängst Du auch schon ret-

tungslos an den Haken, denn nach dem ersten Fall kommt ein zweiter und danach noch ein dritter, und du schluckst und schluckst (mit den lesenden Augen), bis Du alle drei ineinander geschachtelten Fälle verschlungen hast. Daraufhin eilst Du fliegenden Fußes in die Buchhandlung, Dir den nächsten Richter-Di-Roman zu besorgen.

Der niederländische Diplomat und Chinakenner Robert Hans van Gulik hatte 1949 einige Fälle des Richters Di übersetzt. Danach begann er, zum Teil gestützt auf andere klassische Kriminalberichte aus der chinesischen Literatur, eigene Geschichten um diesen legendären Beamten zu schreiben. Historie, Kultur und Lebensart der Zeit sind authentisch. Gulik beschreibt genau, aber immer fesselnd erzählend, das Leben in der chinesischen Provinzstadt Pu-yang, in der fern der Metropole von Barbaren und örtlichen Tyrannen bedrohten Grenzstadt Lang-fang und sogar in einer Art chinesischem Las Vegas, mit Glückspielhöllen und ordentlich kontrolliertem Gunstgewerbe (da gab es vier Klassen), auf der ›Paradiesinsel‹. Der Richter ermittelt in allen Fällen selber mit seinen verwegenen Gehilfen Hung, Ma, Tschiao und Tao, er urteilt ab und muß auch schlimmstenfalls bei den allerärgsten Hinrichtungen dabei sein, das verlangt das Gesetz. Übrigens hat Gulik die Geschichten in die Ming-Ära verlegt (1368–1644), aber das macht gar nichts – die Literatenprüfungen, die in China die Beamtenlaufbahn eröffneten, waren von Beginn des 7. Jahrhunderts an bis 1905 immer genau gleich, klassische literarische Bildung mußte beherrscht werden. Das alles und noch viel mehr kriegt man hintenherum mit, wenn man bei Richter Dis Kriminalfällen zum Chinaexperten wird… Bestes Lesefutter!«

Til Radevagen / zitty, Berlin

Ross Macdonald
im Diogenes Verlag

»Ross Macdonald gilt schon heute als ein Klassiker des Kriminalromans. Kein anderer lebender Thriller-Autor ist in den USA und in Großbritannien so gefeiert worden wie er: Die ›New York Times Book Review‹ und ›Newsweek‹ widmeten ihm mehrere Titelgeschichten – kein anderer ist so erfolgreich.
Lew Archer, Macdonalds grauhaariger und keineswegs heldenhafter Privatdetektiv, gehört zu der Spezies, wie sie vor ihm etwa Hammetts Sam Spade und, vor allem, Chandlers Philip Marlowe verkörperten.«
Luzerner Neueste Nachrichten

Geld kostet zuviel
Roman. Aus dem Amerikanischen von Günter Eichel

Die Kehrseite des Dollars
Roman. Deutsch von Günter Eichel

Dornröschen war ein schönes Kind...
Roman. Deutsch von Wulf Teichmann

Unter Wasser stirbt man nicht!
Roman. Deutsch von Hubert Deymann

Die Küste der Barbaren
Roman. Deutsch von Marianne Lipcowitz

Der Fall Galton
Roman. Deutsch von Egon Lothar Wensk

Gänsehaut
Roman. Deutsch von Gretel Friedmann

Der blaue Hammer
Roman. Deutsch von Peter Naujack

Der Drahtzieher
Detektivstories um Lew Archer. Mit einem Vorwort des Autors. Deutsch von Hubert Deymann und Peter Naujack

Blue City
Roman. Deutsch von Christina Sieg-Welti und Christa Hotz

Außerdem erschienen:

Einer lügt immer
Eine Detektivstory. Diogenes Hörbuch, 2 CD, gelesen von Tommi Piper

Petros Markaris
im Diogenes Verlag

»Markaris zeichnet ein überaus lebendiges Bild von der Athener Gegenwart. Mit Witz, Charme und Ironie erzählt er eine reizvolle, geschickt verwobene Kriminalgeschichte mit überaus lebensnahen Figuren. Eine glatte Zuordnung nach Gut und Böse geht nicht auf, Täter wie Opfer werden gleichermaßen als gebrochene und zumeist rätselhafte Gestalten präsentiert.«
Christina Zink / Frankfurter Allgemeine Zeitung

»Kommissar Charitos hat längst Kultstatus. Spannung, Humor und Sozialkritik verbindet Markaris zum Gesamtkunstwerk.« *Welt am Sonntag, Hamburg*

»Petros Markaris gefällt mir außerordentlich.«
Andrea Camilleri

Hellas Channel
Ein Fall für Kostas Charitos. Roman. Aus dem Neugriechischen von Michaela Prinzinger

Nachtfalter
Ein Fall für Kostas Charitos. Roman. Deutsch von Michaela Prinzinger

Live!
Ein Fall für Kostas Charitos. Roman. Deutsch von Michaela Prinzinger

Balkan Blues
Geschichten. Deutsch von Michaela Prinzinger

Der Großaktionär
Ein Fall für Kostas Charitos. Roman. Deutsch von Michaela Prinzinger

Wiederholungstäter
Ein Leben zwischen Istanbul, Wien und Athen. Deutsch von Michaela Prinzinger

Die Kinderfrau
Ein Fall für Kostas Charitos. Roman. Deutsch von Michaela Prinzinger Auch als Diogenes Hörbuch erschienen, gelesen von Tommi Piper

Donna Leon
im Diogenes Verlag

»Ich kann nicht behaupten, daß Brunetti eine Erfindung von mir ist, es kommt der Wahrheit viel näher zu sagen, daß ich ihn eines Tages entdeckte, während er hinter dem Opernhaus ›La Fenice‹ in vollendeter Gestalt aus dem Polizeiboot stieg.« *Donna Leon*

»Donna Leons Krimis mit dem attraktiven Commissario Brunetti haben eine ähnliche Sogwirkung wie die Stadt, in der sie spielen.«
Franziska Wolffheim /Brigitte, Hamburg

»Commissario Brunetti ist einzigartig.«
Publishers Weekly, New York

Wie durch ein dunkles Glas
Roman. Deutsch von Christa E. Seibicke
Auch als Diogenes Hörbuch erschienen, gelesen von Jochen Striebeck

Lasset die Kinder
zu mir kommen
Roman. Deutsch von Christa E. Seibicke
Auch als Diogenes Hörbuch erschienen, gelesen von Jochen Striebeck

Das Mädchen
seiner Träume
Roman. Deutsch von Christa E Seibicke
Auch als Diogenes Hörbuch erschienen, gelesen von Jochen Striebeck

Außerdem erschienen:

Über Venedig, Musik,
Menschen und Bücher
Deutsch von Thomas Bodmer, Christiane Buchner, Monika Elwenspoek, Reinhard Kaiser und Christa E. Seibicke
Ausgewählte Geschichten auch als Diogenes Hörbuch erschienen: *Latin Lover*, gelesen von Hannelore Hoger

Mein Venedig
Deutsch von Monika Elwenspoek und Christa E. Seibicke
Auch als Diogenes Hörbuch erschienen, gelesen von Hannelore Hoger

Toni Sepeda
Mit Brunetti durch Venedig
Vorwort von Donna Leon. Deutsch von Christa E. Seibicke. Mit 12 Stadtplanausschnitten und einer Karte der Lagune